KB173081

김재홍 문학전집 ①

韓龍雲 文學研究

국학자료원

김재홍 문학전집 간행위원회

위원장 : 이성천(경희대 교수)

위 원 : 유성호(한양대 교수), 김창수(인천연구원 부원장),

강동우(가톨릭관동대 교수), 남승원(서울여대 교수), 이수정(GIST 교수)

간 사 : 조운아, 김웅기, 최민지

일러두기

1. 전집은 단행본 발행연도를 기준으로 삼았으나, 학위논문인 『한용운문학연구』는 1권에, 편저는 9권과 10권에 각각 수록했다.
2. 출판 당시 저자의 집필의도를 살리기 위해, 일부의 보완 원고는 그대로 두었다. 단, 내용이 중복된 것은 삭제하여 전집의 전체성을 유지했다.
3. 원문을 최대한으로 살리되, 의미와 어감을 해치지 않는 범위에서 현행 맞춤법에 따라 고쳤다.
4. 한문과 외국어는 괄호 안에 병기하는 원칙으로 하되, 필요한 부분은 노출하였다. 단, 제1권 『한용운문학연구』는 원문 그대로 수록하였다.
5. 본문의 '인용' 부분은 필요에 따라 한글 표기를 했으며, 이외의 것은 원문에 충실하려고 노력했다.

韓龍雲 文學研究

金載弘 著

1982年
일지사

머리말

저자가 한국 현대시에 관심을 두고 공부해 온 이래 그 첫 보고서로서 이 책을 출간함에 있어 두려움과 부끄러움을 금할 길 없다. 그 하나는 학문의 준엄함과 그 어려움에 대한 畏敬과 두려움 때문이며 다른 하나는 새삼 자신의 재주 없음과 능력 없음을 절감하였기 때문이다. 특히 이 미흡한 작업으로 日帝下 궁핍한 시대를 치열하게 살다 간 萬海 선생의 遺德에 응답한다고 생각하면 송구스럽기 짝이 없을 뿐이다.

한국 신문학사를 논하면서 萬海文學은 우리가 반드시 뛰어넘어야 할 가장 큰 봉우리의 하나로 생각된다. 단지 그의 문학이 지닌 예술적 형상성의 우수한 때문만은 아니다. 또한 그의 문학이 전통과 현대의 맥락을 이어 주는 소중한 문학사적 다리이기 때문만도 아니다. 그의 문학은 험난한 역사를 살아가는 예지와 용기를 가르쳐 주며, 생의 어려움을 극복하는 신념과 희망을 불러일으켜 준다는 점에서 참된 의미를 지닌다. 또한 그의 문학이 한국문학에 가장 부족한 요소인 종교적 명상의 진지함과 형이상학적 깊이를 불어넣어 주고 있기 때문이다. 그의 문학에는 추상적인 이론이나 관념적인 주장에 의한 종교적 깊이가 아니라 세속의 삶에 깊이 뿌리박고 있으면서도 세속에 물들지 않고 이상적인 삶을 갈망하는 신성 지향의 숭고함이 자리잡고 있는 것으로 보인다. 역사와 현실, 사회와 상황에 치열하게 부딪치면서도 물러나 정관하고 투시하는 구도자적 삶 속에서 만해가 견지한 美的 距離와 형이상학적 주제의 진지함은 한국문학의 원숙을 위해 참으로 값진 교훈이 아닐 수 없다. 일관성 있는 행동에 따른 실천의지와 지조를 깊이있는 삶의 철학으로 이끌어 올리면서 끊임없이 변모하고 스스로 뛰어넘는 만해의 예술혼은 우리가 본받아야 할 소중한 정신사적 자산이 될 수 있는 것으로 판단된다. 이 점에서 나는 종교적 명상의 심화와 철학적 주제의 지속적인 확대가 생생한 삶과 조화와 등가를 이루는 데서 한국시의 새로운 地平이 열릴 수 있으리라는 점을 믿는다. "풍란화 매운 香내"로서 만해의 시 정신과 미학은 어려운 시대일수록 더욱 빛과 향기를 발할 것이 확실한 것이다.

만해 연구의 시발점이 될 이 연구는 앞으로 생애사적 검증과 사상사적 접근에 의해 보다 완성된 모습을 지닐 수 있을 것으로 생각한다. 생애와 문학, 문학과 사상은 서로 상보적인 각도에서 이해되고 연구될 때 그 이념적인 모습을 확실히 드러낼 것으로 보여지기 때문이다.

생각해 보면 지난 학창 생활 동안 참으로 많은 스승들의 분에 넘치는 보살핌을 입어 왔다. 이 연구가 작은 성과라도 거들 수 있다면 이것은 오로지 이분들의 가르치심 덕분이라는 점을 나는 믿는다. 특히 지난 10여년간 학문과 생애를 밝혀 주신 평생의 은사 鄭漢模·全光鏞 두 분 선생님의 은혜를 결코 잊을 수 없다. 아울러 이 작은 연구 하나를 진행하는 데도 趙炳華·金文昌 선생님을 위시한 직장의 선배, 동료들과 충북대와 인하대의 학생들 특히 서울대 대학원 鄭孝九君의 도움을 많이 받았다. 이에 고마움을 적는다. 또한 一志社 金聖哉 사장님의 각별하신 배려와 일지사 가족 여러분의 성원에도 깊은 감사를 표하지 않을 수없다.

이렇게 생각해 보면 산다는 것, 공부한다는 것이 온통 신세지는 일로만 여겨진다. 여러 어른들의 고마운 은혜를 채찍질로 알고 분발할 것을 약속드린다.

끝으로 오랜 동안 못난 아들 뒷바라지하며 이 책을 기다리시다가 지난 겨울 돌아가신 어머님의 명복을 빌며 이 책을 바친다.

1982. 4. 7

저자 적음

차 례

■ 머리말 5

I. 序 論

1. 問題 提起 13
2. 研究史 14
3. 研究方法과 範圍 26

II. 基礎的 考察

1. 著作과 文體意識 29
2. 文 學 觀 40
3. 版本과 表記體系 47
   (1) 版本의 考察 47
   (2) 表記體系의 特徵 54

III. 장르的 接近

1. 漢詩 59
   (1) 漢詩 槪觀 59
   (2) 素材의 分析 63
   (3) 詩世界의 特徵 69

2. 時 調 74
   (1) 時調의 性格 74

(2) 措 辭 法 77
(3) 詩世界의 特徵 80
3. 『님의 沈默』論 85
(1) 消滅과 生成의 辨證法 85
(2) 否定的 世界觀 92
(3) 世俗과 神聖의 葛藤 97
(4) 「님」과 사랑의 問題 102
(5) 女性主義의 意味 111
(6) 構成(plot)의 分析 117
4. 小 說 論 127
(1) 敍事장르 선택의 이유 127
(2) 구성의 分析 132
(3) 내용적 고찰 135
(4) 『님의 沈默』과의 等差 148

Ⅳ. 構造의 分析
1. 詩型의 分析 154
(1) 行의 形態 154
(2) 聯의 構成 166
(3) 詩의 構造 173

2. 이미지의 類型 179
(1) 植物的 이미지 180
(2) 鑛物的 이미지 188
(3) 人間的 이미지 194
(4) 天體的 이미지 201
(5) 大地的 이미지 205

3. 隱 喩 論 212
(1) 現代詩와 隱喩 212
(2) 基本形式 216
(3) 「의」의 隱喩 219
(4) 動詞型 隱喩 223
(5) 活物論的 隱喩 226

4. 逆說의 構造 233
(1) 現代詩와 逆說 233
(2) 論理的 形式 238
(3) 內容構造 242
(4) 表現的 特性 248

V. 文學史的 硏究

1. 外來詩와의 影響關係 254

(1) 比較文學的 檢討 254
(2) 受容과 克服 257
(3) 文體論的 分析 263
(4) 措辭法의 考察 271

2. 傳統詩와의 接脈 277
(1) 鄕歌的 源泉 278
(2) 麗謠와의 脈絡 281
(3) 朝鮮朝詩歌의 계승 284

3. 當代詩와의 相關性 296

4. 萬海文學의 文學史的 位置 308

Ⅴ. 結 言 312

研究論著 發表年代別 總目錄 317
『님의 沈默』版本對照表 326
參考文獻 333

■ 김재홍 문학전집 총 목차 339

I. 序論

1. 問題 提起

本稿는 韓龍雲에 관한 文學的 硏究를 목적으로 한다. 萬海 韓龍雲(1879~1944)은 舊韓末과 日帝下의 窮乏한 時代를 가장 志操있게 살다간 대표적 韓國人의 한 사람이다. 투철한 獨立志士로서, 進步的인 改革僧으로서, 또한 『님의 沈默』의 詩人으로서 萬海는 韓國近代史가 내포하고 있던 矛盾과 問題點을 尖銳하게 파악하고 實踐的으로 극복하려 한 民族的 先驅者인 것이다. 또한 近代文學史에 있어서 萬海는 독특한 位置를 차지한다. 舊韓末 이후 日本의 持續的인 侵奪과 무분별한 外來文化 流入의 時代的 趨勢 속에서 近代文學은 격심한 價值觀의 混亂과 方法上의 試鍊을 겪게 되었다. 이 땅의 文學者들은 保守와 進步, 啓蒙과 純粹, 民族과 個人이라는 二元的 命題가 강요하는 葛藤과 自己分裂을 文學的으로 受容해야 하는 어려움을 감내하지 않을 수 없었던 것이다. 여기에 萬海의 文學이 지니는 참뜻이 놓여진다. 萬海는 文壇과 直接的인 聯關을 갖지 않으면서도 當代文學의 問題點과 志向點을 분명하게 인식하고 있었던 것으로 판단된다. 단 한 권의 詩集 『님의 沈默』이 바로 그에 대한 확실한 해답이 되기 때문이다. 『님의 沈默』은 사랑과 離別의 詩學을 통해 傳統的인 精

神의 脈絡을 확인해 주었으며, 동시에 文學的 純粹함과 아름다움이 어떠한 것이며 어떻게 人間的 尊嚴性을 성취해 낼 수 있는가에 대한 깊이 있는 省察을 보여 주었다. 또한 外來的 요소를 受容하면서 古典에 바탕을 둔 現代的인 詩方法論을 獨自的으로 摸索하고 立함으로써 文學史에 한 에포크를 선명히 그어 준 것이다.

지금까지의 萬海文學에 대한 연구는 生涯史 또는 思想的 偏向性으로 인해 다분히 非本質的 傾向에 치우쳐 왔다. 佛敎를 이해하고 近代史의 社會思想的 展開過程을 알면 萬海 詩가 저절로 해명되리라는 發想法도 없지 않았다. 기왕의 研究들은 詩集『님의 沈默』을 獨立運動이나 佛敎思想과의 等價物 혹은 代置物이라고 생각하여『님의 沈默』을 釋明하는데 佛敎나 또 다른 思想을 引用하기에 힘을 기울여 왔다. 그 결과 자유로운 想像力과 判斷力에 의한『님의 沈默』의 정확한 判讀이 沮害되고 文學研究의 自律性과 獨自性이 약화되는 결과를 초래하기도 하였다. 그렇다고 해서 필자가 그러한 研究의 方法論上의 强點마저 부정하려는 것은 아니다. 그러한 外面的 接近의 重要性이 강조될수록 오히려 文學 자체에서 출발하는 연구의 當爲性이 절실히 認識돼야 한다는 점을 분명히 밝혀 두고자 할 뿐이다.

詩의 훌륭함은 詩人의 生涯나 思想 그 자체에 있는 것이 아니라 구체적인 詩의 表現과 構造를 통해서만 찾아질 수 있는 것이다. 文學的인 價値나 評價基準은 詩로부터 抽出되는 것이지 抽象的인 知識이나 理念에서 획득되는 것이 아니기 때문이다. 바로 이러한 점들에 대한 확실한 認識이 이 연구의 出發點이 된다.

2. 研究史

詩人으로서 萬海는 詩壇活動을 특별히 展開하지는 않았다. 자신이 主宰한

≪惟心≫誌를 비롯하여 ≪開闢≫·≪佛教≫ 등의 雜誌와 ≪朝鮮日報≫, ≪東亞日報≫의 紙面을 통해 간간이 時調類를 발표하였을 뿐, 文藝誌나 同人誌에 참여한 일은 없다. 오직 詩集『님의 沈默』만이 唯一無二한 詩作生活의 決算이다. 따라서 光復前까지만 하더라도 우리는 그의 詩에 관한 體系的 論議를 찾아볼 수 없다. 朱耀翰의 短評[1]과 柳光烈의 書評,[2] 그리고 柳東根의 人物記[3]가 있을 뿐이다. 光復後에도 文學者 특히 詩人으로서의 萬海에 대한 관심은 주어지지 않았다. 1948년 5월의「萬海 韓龍雲全集 刊行委員會」에 詩人이나 專門的인 文學研究家가 참여하지 않았다는 사실이 이러한 사정을 말해 준다. 그러던 것이 徐廷柱編의『作故詩人選』(正音社. 1950.6)과 學友社의『韓國詩人全集』(1957.10)에 <韓龍雲篇>이 수록되면서 詩人으로서의 萬海에 대한 관심이 제기되었다. 또한 이를 전후하여 趙芝薰, 鄭泰榕, 趙演鉉, 洪曉民 등의 傳記的 評論이 발표되면서 萬海 詩에 관한 관심은 서서히 고조되었다. 詩人 萬海에 관한 연구는 朴魯埻·印權煥의『韓龍雲 研究』(通文館, 1960.9)와 宋稶의「唯美的 超越과 革命的 我空」((思想界≫ 1963.2.1)이 發表된 1960년대에 들어서 본격적으로 전개되기 시작했다. 먼저『韓龍雲 研究』는 최초의 研究書로서 萬海의 生涯와 思想, 學問 그리고 佛教와 文學에 관한 綜合的인 分析과 省察을 보여 줌으로써 韓龍雲 研究에 본격적인 章을 열었다. 그러나 이 論著는 萬海와 그의 文學에 관한 綜合的인 探究의 노력에도 불구하고 先行된 萬海觀과 定型化된 佛教理論의 適用으로 인해 詩의 藝術的 價値에 대한 깊이 있는 해명에 도달하지 못하였다. 한편 宋稶의 論文은 타골(R. Tagore)과의 比較文學的 觀點에서 萬海 詩에 관한 集中的 分析을 試圖하였다. 그러나 이 論文은 분명한 觀點과 方法論 適用에도 불구하고 讚揚一邊倒의 記述態度와 具體的 分析을 缺하고 있다는 점에서 限界가 드러난다. 이러

1) 朱耀翰.「愛의 ,所禱·,所禱의 愛」≪東亞日報≫(1926.6.22(上), 26(下))
2) 柳光烈,「님의 沈默 讀羨感」≪時代日報≫(1926.5.31)
3) 柳東根,「萬海居士 韓龍雲氏面影」≪彗星≫(1931.8월호)

한 萬海 硏究는 60년대 중반부터 시작된 國學硏究 趨勢에 따른 傳統과 主體性의 摸索 문제가 대두되면서 급격한 伸張을 보였다. 이후 萬海文學은 70年代에 들어서면서 現代詩 硏究의 가장 問題性 있는 對象으로 여겨져 지금까지 많은 成果가 學界에 제출되고 있다.

萬海 詩 硏究는 全體的인 面에서 세 가지 論點으로 요약된다.

첫째는 獨立運動家로서의 萬海에 관한 연구로서 獨立精神과 自由思想에 관한 省察을 들 수 있다. 중요한 업적으로 安秉直,[4] 洪以燮,[5] 睦楨培,[6] 金相鉉[7] 등의 論文이 있는데, 이들은 平和·自由思想과 獨立精神, 民族主義 그리고 社會活動에 관심을 쏟고 있다. 두 번째는 佛敎改革者 또는 禪僧으로서의 萬海에 관한 관심이다. 이것은 韓鍾萬,[8] 趙宗玄,[9] 趙明基,[10] 徐京保,[11] 徐景洙[12] 등의 作業으로 주로 佛敎人으로서의 萬海의 生涯와 思想에 관해 초점을 모았다. 세 번째는 本稿의 主眼點인 文學人으로서의 萬海에 관한 연구를 들 수 있다. 文學人으로서의 萬海에 대한 관심은 주로 萬海의 文學的 人物像을 부각하는 각도에서 詩論보다 詩人論의 性格을 지니고 전개되어 왔다.

지금까지의 萬海의 文學에 관한 연구는 方法論的인 面에서 다음 몇 가지 類型으로 요약할 수 있다.

1) 먼저 歷史主義批評(the historical criticism) 方法[13]에 의한 연구이다. 歷

---

4) 安秉直, 「萬海 韓龍雲의 獨立思想」≪創作과 批評≫(1970. 겨울호)
5) 洪以燮, 「韓龍雲의 民族精神」≪Korea Journal≫ Vol.13(1973.4)
6) 睦楨培, 「韓龍雲의 平和思想」≪佛敎學報≫ 15輯(1978.8)
7) 金相鉉, 「韓龍雲의 獨立思想」『韓龍雲 思想硏究』 第二輯(서울: 民族社, 1981.9)
8) 韓鍾萬, 「朴漢冰과 韓龍雲의 韓國佛敎近代思想」≪圓光大論文集≫ 5집(1970.12)
_____, 「<韓龍雲의 十玄談註解>에서 본 眞理觀과 禪論」『韓龍雲 思想硏究』 第二輯(서울: 民族社, 1981.9)
9) 趙宗玄, 「佛敎人으로서의 萬海」≪나라사랑≫ 2집(서울: 외솔회, 1971)
10) 趙明基, 「萬海 韓龍雲의 著書와 佛敎思想」『韓龍雲全集』 卷3 (서울: 新丘文化社, 1973)
11) 徐京保, 「韓龍雲과 佛敎思想」≪文學思想≫ 4호(1971.1)
12) 徐景洙, 「萬海의 佛敎維新論」『萬海思想硏究』 第二輯(서울: 民族社, 1981.9)

史主義的 硏究란 作家에 대한 생애를 연구하는 傳記的 硏究와 書誌批評(textual criticism)을 포괄하는 槪念이다. 무엇보다도 먼저 萬海의 生涯史를 追跡하여 집대성한 資料로는 ① 외솔회의 ≪나라사랑≫ 2집 「해적이」(1971.4), ② ≪文學思想≫의 朴景惠 編 「萬海 그 生의 完成者」(1973.1 同誌 4호), 그리고 ③ 新丘文化社의 崔凡述 編 『韓龍雲全集』 卷六 <年譜>(1973.7)를 들 수 있다. 이들 연구들은 萬海의 出家 이후는 비교적 정확히 정리하고 있으나 出生 및 幼年時代에 관해서는 자세하게 論證하지 못하고 있다. 특히 先代의 出身을 名門 士大夫로 美化한 것과 少年時代에 東學 혹은 義兵에 참여했다는 주장은 믿기 어렵다.

傳記的 硏究로는 高銀의 『韓龍雲 評傳』(民音社. 1975.9.1)이 있다. 이 저서는 資料를 時間上의 先後로 배열한 包括的 年代記(chronicle biography)의 範疇에 속하는 것으로서 萬海文學의 創作動機를 六堂 컴플렉스로 둔 것 등이 새로운 見解이나 다분히 흥미 위주의 著述 태도를 지닌 것이 弱點이 다. 그 의, 單行本 傳記로는 文學的 肖像畫(literary portrait)에 속하는 것으로 任重彬의 『韓龍雲 一代記』(正音社 문고. 1974.7)가 있다. 또한 斷片的인 傳記的 論述로는 柳東根, 趙芝薰,[14] 趙靈巖,[15] 洪曉民,[16] 金相一,[17] 徐廷柱,[18] 鄭泰榕,[19] 鄭珖鎬,[20] 釋靑潭,[21] 崔凡述,[22] 姜昔珠,[23] 金觀鎬[24] 등의 것이 있는데

---

13) Grebstein, Perspective in Contemporary Criticism(New York: Harper & Row. 1968)
Edmond Wilson, Historical Criticism, *An Introduction to Literary Criticism*, K.Danziger & W.S. Johnson(Boston: D.C. Heath And Company, 1968). pp. 277~287.

14) 趙芝薰, 「韓龍雲先生」 ≪新天地≫ 9권 10호(1954.10)
______, 「韓國의 民族詩人 韓龍雲」 ≪思想界≫ 155호(1966.1)

15) 趙靈巖. 「韓龍雲 評傳」 ≪鹿苑≫ 창간호(1957.2.5)

16) 洪曉民, 「萬海韓龍雲論」 ≪現代文學≫ 56호(1959.8.1)

17) 金相一, 「韓飽雲論」 ≪現代文學≫ 66호(1960.6)

18) 徐廷柱, 「萬海韓龍雲禪師」 ≪思想界≫ 113호(1962.11)

19) 鄭泰榕, 「韓龍雲」 『人物韓國史』 V. (서울: 博友社, 1965.4)

20) 鄭珖鎬, 「韓龍雲傳」 ≪新東亞) 60호(1963.8.1)

21) 釋靑潭, 「고독한 시련 속의 구도자」 ≪나라사랑≫ 2집(외솔회, 1971.4)

이들은 주로 萬海의 人間的 面貌의 浮彫에 힘을 기울이고 있다. 한편 歷史主義的 硏究에서 書誌批評도 중요한 의미를 지닌다. 『님의 沈默』의 경우 불과 50년 정도의 時間的 相距에도 불구하고 原本과 流通本 사이에는 많은 差異가 있다. 原本 자체가 表記上의 混亂으로 인해 誤讀의 素地가 있으며, 더구나 流通本들은 原典을 충실히 典考하지 않음으로써 여러 가지 誤謬를 內包하고 있다. 版本들에 관한 연구로는 宋稶,[25] 金載弘,[26] 金容德[27] 등의 작업이 있는데 이들은 原本과 流通本들과의 異同關係를 分析하고 版本의 系列化를 試圖하였다.

2) 다음으로는 形式主義批評(the formalistic criticism)[28] 方法에 의한 연구를 들 수 있다. 이것은 言語와 形式 등 주로 文學作品의 美學的 構造와 方法論에 대한 分析的인 연구를 말한다. 이 방법은 다시 詩語, 修辭法, 이미지, 逆說 등의 方法論 및 韻律, 文體 등 語學的 硏究方法으로 구분된다.

詩語에 관한 연구로는 宋哲來,[29] 朴堯順,[30] 김현,[31] 金澤東,[32] 金長好[33] 등의 작업이 있다. 이들은 주로 詩語에 관한 집중적 연구를 통해 形式的 特性

22) 崔凡述, 「鐵窓哲學」≪나라사랑≫ 2집(외솔회. 1971.4)
23) 姜昔珠, 「韓龍雲先生을 생각한다」≪佛光≫ 41호(1978.3.1)
24) 金觀鎬, 「追慕萬海大師」≪大韓佛教≫ 194호(1971.7.1.), 「尋牛莊見聞記」『萬海思想硏究』 第二輯(서울: 民族社. 1981.9)
25) 宋 稶, 「詩集 『님의 沈默』의 텍스트와 版本」『님의 沈默 全篇解說(서울: 科學社. 1974.3)
26) 金載弘, 「님의 沈默의 版本과 表記體系」≪開新語文硏究≫ 第二輯(淸州: 忠北大國語科, 1981.8)
27) 金容德. 「님의 沈默 異本攷」『 萬海思想硏究』 第二輯(서울: 民族社, 1981.9)
28) Grebstein, *op. cit.*, pp. 75~146. L.T. Lemon & M.J. Reis. *Russian Formalist Criticism.* (Lincoln: Univ. of Nebraska Press, 1965)
29) 宋哲來. 「님의 沈默硏究」≪東國大國文學論文集≫ 4·5 합병호 (1964.7)
30) 朴堯順, 「韓龍雲硏究」≪詩文學≫ 5호(1971.12)
31) 김 현. 「詩人의 말씨」≪心象≫ 60호(1978.9)
32) 金澤東, 「萬海韓龍雲論」『近代韓國詩人硏究』 I (一潮閣, 1974)
33) 金長好 「님의 沈默의 言語改革」 韓龍雲文學의 評價(東國大 韓國文學硏究所 主題發表, 1980.11.8)

을 抽出하였다. 특히 朴堯順의 詩語 연구는 修辭法을 形態論과 관련지음으로써『님의 沈默』을 批判的으로 고찰하였다. 그리고 김현은 問題詩語 <참어>와 <썰러서>에 관한 고찰을 통해 詩語에 대한 微細한 省察을 보여 주었다.

方法論의 연구로는 먼저 隱喩 研究에 金載弘,[34] 이미지 연구로는 閔憙植,[35] 許米子,[36] 金恩子,[37] 反語(irony)에 金烈圭,[38] 逆說에 吳世榮[39]과 文炳郁[40] 등의 論考가 있다.

『님의 沈默』에 대한 語學的 側面의 研究로는 蘇斗永,[41] 沈在箕,[42] 金泰玉[43] 등의 작업이 있다. 蘇斗永의 연구는 文體論的 각도에서 시 <님의 沈默>의 構文上의 問題點을 예리하게 지적하고 있으며, 沈在箕의 연구는 萬海의 初期著作을 통해 文體의 變移過程을 면밀하게 분석해 내고 있다. 또한 金泰玉은 <님의 沈默>을 記號學的 각도에서 분석하는 한 시범을 보여 주었다. 이들의 연구는 비록 斷片的인 것이긴 하지만 語學的 構造의 해명에 가능성을 확대할 수 있다는 점에서 의미를 지닌다.

3) 社會文化的 批評(the sociocultural criticism)[44]은 文學을 社會的 產物로 보고 文學의 社會的·歷史的 機能 및 現實社會와의 관련성을 주로 연구한다.

---

34) 金載弘,『韓國現代詩의 方法論的 研究』(서울대 대학원 석사논문, 1971.11)
　______,「萬海想像力의 原理와 實體化過程의 分析」≪국어국문학≫ 67호(1975.4)

35) 閔憙植,「바슐라르 촛불에 비춰 본 韓龍雲의 詩」≪文學思想≫ 4호(1973.1)

36) 許米子,「韓國詩에 나타난 촛불의 이미지 연구」≪梨大韓國文化研究所 論叢≫ 24집(1974.8)

37) 金恩子,「님의 沈默의 比諭研究試論」≪관악어문연구≫ 5 집 (1980.12)

38) 金烈圭,「슬픔과 찬미사의 이로니」≪文學思想≫ 4호(1973.1)

39) 吳世榮,「沈默하는 님의 逆說」≪국어국문학≫ 65·66 합병호(1974.12)

40) 文炳郁.『詩的 엑스타시의 逆說的 研究』(서울대 대학원 석사논문, 1977)

41) 蘇斗永,「構造文體論의 方法－님의 沈默分析試論」≪言語學≫ 1호(1976.4)

42) 沈在箕,「韓龍雲의 文體推移」『白史全光鏞博士 華甲紀念論叢』(紀念論叢刊行委員會, 1979)

43) 金泰玉,「現代詩의 言語記號學的 考察」≪어학연구≫ 62권 1호(서울대 어학연구소, 1980.6)

44) Grebstein, *op. cit.*, pp. 161～226.

따라서 이 研究方法은 文學의 社會性·歷史性·現實性·思想性에 관한 연구에 힘을 기울인다.

萬海 연구에 있어 이러한 방법에 의한 연구는 크게 說得力을 갖는다. 왜냐하면 萬海가 대표적인 獨立運動家이고, 民族主義者이며, 동시에 佛敎理論家이고 佛敎指導者였기 때문이다. 또한 그의 作品이 日帝라는 植民地 體制下에서 씌어졌기 때문에 더욱 歷史的·精神史的 重要性을 내포할 수밖에 없는 것이다. 辛夕汀,[45] 高銀,[46] 白樂晴,[47] 金容稷,[48] 廉武雄,[49] 金興圭[50] 등의 연구가 이러한 방향에 해당된다. 이들의 작업은 대부분 抵抗詩人 또는 民族詩人으로서의 萬海해에 관심을 갖고 社會史的 硏究를 基本方法으로 삼고 있다.

특히 白樂晴은 『님의 沈默』을 反日抵抗詩로 규정하여 萬海가 傳統에 뿌리박은 民族詩人이며 市民詩人임을 강조한다. 또한 萬海의 行跡과 思想을 중심으로 『님의 沈默』의 社會史的 意味를 抽出하는 데 주력하고 있는 廉武雄은 白樂晴과 함께 이러한 批評態度를 확립하고 있는 대표적 論者이다. 金容稷도 萬海 詩를 "超悲劇性"으로 把握하여 『님의 沈默』을 日帝에 대한 憎惡心 내지 敵愾心을 표현한 抵抗詩로 규정 하였다. 또한 趙東一,[51] 金興圭도 歷史와 社會의 關聯性 속에서 萬海文學의 참뜻이 살아남을 강조하는 입장에 선다. 이들의 연구는 視點과 方法論上의 强點을 지님에도 불구하고 主張·理念의 先行과 社會史的 理論과 資料의 과도한 적용으로 인해 論理의 劃一化와 硬直化를 초래했다는 점에서 問題點이 지적된다.

---

45) 辛夕汀, 「詩人으로 본 萬海」 ≪나라사랑≫ 2집(외솔회, 1971.4)
46) 高 銀, 「韓龍雲論」 ≪月刊文學≫ 8호(1969,6)
47) 白樂晴, 「市民文學論」 ≪創作과 批評≫ 14호(1969. 여름)
48) 金容稷, 「悲劇的 構造의 超悲劇性」 『韓國文學의 批評的 省察』(서울: 民音社, 1974)
49) 廉武雄, 「님의 沈默하는 時代」 ≪나라사랑≫ 2집(외솔회, 1971.4)
______, 「萬海 韓龍雲論」 ≪創作과 批評≫ 26호(1972. 겨울)
50) 金興圭, 「님의 소재와 진정한 歷史」 『文學과 歷史的 人間』(서울: 創作과 批評社, 1980)
51) 趙東一, 「韓龍雲의 文學思想」 『韓國文學思想史試論(서울: 知識產業社, 1978)

4) 比較文學的 方法(the comparative study)[52]은 文學作品 分析과 文學史 研究에 새로운 可能性을 던져 주었다. 比較文學은 원래 各國文學이나 作家와 作品간의 源泉과 影響(source & influence)에 관한 연구를 바탕으로 하여 文學 作品을 올바르게 평가하고 文學史를 정확히 記述하려는 目的에서 비롯되었다. 萬海文學에 대한 比較文學的 研究는 넓게 보아 두 가지 각도에서 전개되었다. 그 하나는 萬海와 타골文學의 比較이다. 萬海가 실제로 타골의 著作과 思想에 관해 많이 언급하였고 또 타골에 관한 詩 <타골의 詩(GARDENISTO)를 읽고>도 썼다는 사실로 보아 이들 사이에는 명확한 影響關係가 성립된다. 이 방면의 연구로는 宋稶,[53] 鄭漢模,[54] 金容稷,[55] 金秉喆,[56] 金允植[57] 등의 업적이 있다. 宋稶은 주로 타골과 비교하여 萬海의 훌륭함을 강조하였고, 鄭漢模는 『님의 沈默』의 詩篇들이 타골의 본격적인 도입 이후에 이루어진 것으로 보아 韓國現代詩 形成過程에 있어 타골의 영향이 至大함을 강조하였다. 한편 金容稷은 『님의 沈默』과 『園丁』을 구체적으로 관련지키는 작업을 전개하였으며, 金允植도 文化的 樣式과 價値의 문제에 관련지켜 타골과 萬海를 비교하였다. 기타 宋晳來와 金秉喆도 영향관계에 대한 검토와 資料를 제시하고 있다. 한편 韓國詩人들과의 比較研究도 활발히 전개되었다. 趙東一,[58] 金允植,[59] 李靜江,[60] 李仁福[61] 등의 연구는 萬海와 當代詩人들과의 관계를 作品 分析을 중심으로 고찰함으로써 比較文學的 方法의 또 다른 한 局面을 보

---

52) R. Wellek & A. Warren. *Theory of Literature*(Harmondsworth: Penguin Books, 1962)
53) 宋 稶, 「唯美的 超越과 革命的 我空」≪思想界≫ 117호(1963.2)
54) 鄭漢模, 「近代詩 形成에 미친 譯詩의 影響」『韓國現代詩文學』(서울: 一志社, 1974)
55) 金容稷, 「Ranbindranath Tagore의 受容」『韓國現代詩研究』(서울: 一志社, 1974)
56) 金秉喆, 『韓國近代飜譯文學史研究』(서울: 乙酉文化社, 1975)
57) 金允植, 「文化受容과 思想」『近代韓國文學研究』(서울: 一志社. 1973)
58) 趙東一, 「金素月·李相和·韓龍雲의 님」『우리 문학과의 만남』(서울: 弘盛社, 1978)
59) 金允植, 「素月·萬海·陸史論」≪思想界≫ 160호(1966.8)
60) 李靜江, 「素月과 萬海詩에 나다난 內面的 空間世界」≪德成女大論文集)2輯(德成女大, 1973)
61) 李仁福, 『素月과 萬海』(서울:淑明女大 出版部, 1979)

여 주었다. 이와는 조금 다른 각도에서 傳統的 脈絡에서의 古典詩人과 萬海詩를 비교하려는 試圖들[62]과 함께 『님의 沈默』의 形成過程을 比較論的 觀點에서 추적하려는 試圖[63]도 展開되었다.

5) 神話批評(the mythopoeic criticism)[64]的 각도에서의 연구도 斷片的으로 보인다. 神話批評의 가장 기본적인 方向은 장르論과 原型論으로 구분된다. 現代詩 이외의 다른 文學장르에 관한 연구는 漢詩·時調·小說論이 있다. 漢詩의 연구로는 漢詩를 飜譯·註解한 李元燮[65]의 작업이 있으며 부분적 고찰로는 李丙疇,[66] 朴沅植,[67] 金鍾均[68] 등의 것이 있고, 時調 연구로는 朴魯埻·印權煥,[69] 金鍾均 등의 概括的인 作業이 있다. 한편 小說의 硏究로는 朴魯埻·印權煥을 비롯하여 白鐵,[70] 金禹昌,[71] 丘仁煥,[72] 李明宰[73] 등의 작업이 있다. 이들의 연구는 小說作品이 『님의 沈默』에 비해 보잘것없는 수준에 있으며 별다른 文學史的 價値가 없는 것으로 評價하고 있다. 原型的 硏究

---

62) 金永琪, 「萬海 韓龍雲論」 ≪現代文學≫ 132호(1965.12)
金鍾哲, 「이별의 想像力」 ≪文化批評) 4권 2호(1972.7)
崔東鎬. 『萬海 韓龍雲硏究』(高大大學院 碩士論文, 1975.2)
朴喆熙, 「韓國近代詩와 自己認識」 ≪現代文學≫ 271호(1977.7)

63) 鄭漢模, 「萬海詩의 發展過程考序說」 ≪冠嶽語文硏究≫ 第一輯(서울대 국어국문학과, 1976.12)
柳光烈, 『韓龍雲詩의 形成過程과 特異性』(中央大大學院 碩士論文, 1975.2)

64) Grebstein. *op. cit*., pp. 311～370.
N. Frye, *Anatomy of Criticism*(Princeton Univ. Press, 1972)

65) 李元燮, 漢詩飜譯 및 註解 『韓龍雲全集』 卷一.

66) 李丙疇, 「卍海禪師의 漢詩와 그 特性」(韓國文學學術會議, 東國大, 1980.11.8)

67) 朴沅植, 「韓龍雲의 時動」(韓國文學學術會議, 東國大, 1980.11.8)

68) 金鍾均, 「韓龍雲의 漢詩와 時調」 ≪語文硏究≫ 21호(1979.3)

69) 朴魯埻·印權煥, 「小說의 領域」 op·cit., pp. 214～279.
印權煥, 「韓龍雲 小說硏究의 問題點과 그 方向」 『萬海思想硏究』 第二輯(서울: 民族社, 1981.9)

70) 白 鐵, 「詩人韓龍雲의 小稅」 『韓龍雲全集』 卷5(1973.7)

71) 金禹昌, 「韓龍雲의 小說」 ≪文學과 知性≫ 17호(1974. 가을)

72) 丘仁煥, 「萬海의 小說考」(韓國文學學術會議, 東國大, 1980. 11)

73) 李明宰, 「萬海小說攷」 ≪국어국문학≫ 70호(1976.3)

(archetypal study)로는 文德守[74]의 단편적인 論考가 있을 뿐이다. 한편 心理主義的 批評(psy-chological criticism)의 방법을 적용한 것도 단편적으로 발견된다. 創作動機나 作品의 心理的 分析을 주로 하는 이 방법은 精神分析學的인 側面의 지식을 필요로 하기 때문에 구체적인 적용상의 難點이 있다. 이 분야에 대해서는 金允植,[75] 金載弘[76]의 女性主義 分析이 創作動因을 究明하려는 부분적인 試圖를 보여 주었다.

6) 佛敎的 연구로는 金雲學,[77] 徐廷柱,[78] 崔元圭,[79] 宋在甲[80] 등의 것을 들 수 있다. 金雲學과 徐廷柱는 萬海文學의 바탕으로서 佛敎를 논하고 있으며, 崔元圭는 『十玄談註解』와 『님의 沈默』의 關聯性을 분석하고 있다. 宋在甲의 논문은 「維摩經」을 援用하여 『님의 沈默』의 發想法과 基本思想을 연구하고 아울러 印度의 菩薩思想과 「八十八史」에 관해 논의함으로써 연구의 視野를 확대하였다. 이외에도 趙載勳,[81] 洪文杓[82] 등의 부분적 연구가 발견된다. 그러나 이러한 연구 방법은 자칫詩를 통한 佛敎思想의 抽出이 아니라 思想의 연구를 위한 詩의 例證으로 굴절할 우려가 있다는 점에서 논의의 限界線을 분명히 할 필요가 있다. 萬海 詩의 解明에 佛敎理論과 知識이 필요한 것은 사실이지만, 『님의 沈默』이 文學作品인 한에서는 그 적용에 限界가 그어질 수밖에 없는 것이다. 思想과 佛敎理論에 의한 문학 연구는 그것이 文學的 目的性과 方法論을 지니고 전개될 때 비로소 빛을 발할 수 있는 것이기 때문이다.

---

74) 文德守, 「現代特에서 再生의 패턴」 ≪홍익대 논문집≫ 3집(1971)
75) 金允植, 「韓國詩의 女性的 偏向」 『近代韓國文學研究』(서울: 一志社, 1973)
76) 金載弘, 「萬海詩 情緖의 形質에 관한 考察」 ≪국어국문학≫ 74호(1976.4)
77) 金雲學, 「韓國現代詩에 나타난 佛敎思想」 ≪現代文學≫ 118 호
78) 徐廷柱, 「韓龍雲과 그의 詩」 『韓國의 現代詩』(서울: 一志社, 1969)
79) 崔元圭, 「萬海詩의 佛敎的 影響」 『韓國近代詩人研究』(대구: 學文社, 1977.12)
80) 宋在甲, 「萬海의 佛敎思想과 詩世界」 ≪東岳語文論集≫ 9집 (東岳語文學會, 1976.12)
81) 趙載勳, 「韓國現代詩文學에 미친 佛敎의 影響」 ≪公州師大 論文集≫ 12집 (公州師範大學, 1975.3)
82) 洪文杓. 「韓國現代詩의 佛敎的 傳統」 『月巖朴晟義博士 還曆紀念論文集』(紀念事業會, 1977.9)

한편 哲學的 傾向의 연구로는 金禹昌,[83] 金烈圭,[84] 申東旭,[85] 金鎭國,[86] 李庸勳[87] 등의 작업이 있다. 金禹昌은 「님」의 辨證法的 解釋을 通해 『님의 沈默』의 象徵의 깊이와 存在論的 問題性을 천착함으로써 萬海 詩 연구의 새로운 가능성을 제시하였다. 金烈圭는 「배」의 象徵性을 중심으로 意味論的 分析을 시도하였고, 申東旭은 時間의 問題를 집중적으로 탐구하였다. 또한 金鎭國은 現象學的 理論을 도입하여 哲學的 方法論의 적용을 시도하였으나 具體的 分析을 缺如하고 말았다. 이러한 경향의 연구는 아직 시작되는 단계에 불과하지만 『님의 7冘默』 연구에 깊이와 넓이를 제공할 수 있다는 점에서 앞으로의 가능성이 기대된다.

7) 文學史的 硏究의 면에서 볼 때 初期 文學史에서 萬海의 詩에 대한 평가는 소극적인 것이었다. 白鐵[88]적 경우 "自然沒入과 神秘主義的 色調가 濃厚하여 瞑想的이요 哲學的인 久遠한 詩想을 노래한 詩人"이라 설명할 뿐 文學史的 位置에 대한 省察이 결여되었다. 趙演鉉[89]도 『님의 沈默』을 "한 女性의 愛人에 대한 극진한 思慕의 情을 노래한 것이며 萬海가 宗教詩人的 特性을 지닌다"는 점을 지적하고 있으나 文學史的 位置에는 언급이 없다. 그러나 朴魯埻·印權煥[90]은 "萬海文學이 現代詩史上 六堂의 新體詩로부터 朱耀翰의 新詩에 이르는 橋梁的 역할을 담당한데 그 중요성이 있다"고 강조하였다. 宋稶에 와서 萬海는 最上의 文學史的 評價를 받는다. 그는 萬海 詩가 "新文學史上 가장 높고 넓으며, 깊은 人間性을 표현한 作品이며, 『님의 沈默』이 이 세

---

83) 金禹昌, 「궁핍한 時代의 詩人」≪文學思想) 4호(1973.1)
84) 金烈圭. 「님의 沈默에 대한 解釋學的 接近」≪文學思想≫ 80호(1979.7)
85) 申東旭, 「抒情詩에 있어 時間의 問題」『文學의 解釋』(서울: 高大出版部, 1976)
86) 金鎭國, 『韓龍雲文學의 現象學的 硏究』(西江大大學院 碩士論文, 1976.2)
87) 李庸勳, 「님의 沈默에 대한 認識論的 考察」≪국어국문학≫ 75호(1977.5)
88) 白　鐵. 「主潮 밖에 선 諸傾向의 文學」『新文學思潮史』(서울: 民衆書館, 1953), p. 234. 『국문학전사』(서울: 新丘文化社, 1957). p. 333.
89) 趙演鉉, 『韓國現代文學史』(서울: 成文閣, 1969), p. 434.
90) 朴魯埻·印權煥, op. cit., p. 280.

계에서 오직 한 권밖에 없는 「사랑의 證道歌」"[91]라고 찬양하였다. 아울러 그는 萬海가 "타골을 능가하는 詩聖으로서 높이 評價되어야 한다"[92]고 강조하였다. 이중 宋稶의 『님의 沈默 全篇解銳』은 최초의 全篇解銳書라는 데 意義가 있다. 그러나 이 著書는 萬海에 대한 지나친 崇拜心의 露出과 佛敎理論의 一方的 適用으로 인해 萬海 詩를 불교적인 目的詩로 규정하게 됨으로써 객관적인 설득력을 획득하는 데는 실패한 감이 없지 않다. 白樂晴[93]은 韓龍雲을 "3·1 運動이 낳은 日帝下 最大의 市民詩人이며 民族詩人"이라고 찬양하였다. 또한 金允植·김현[94]은 韓龍雲이 "植民地 初期의 最上詩人으로서, 그를 통해 韓國詩의 고질이던 탄식의 포우즈가 歷史와 社會에 대한 강렬한 肯定의 態度로 바뀐다"고 결론짓고 있다. 또한 朴喆熙[95]는 "『님의 沈默』에 이르러 20年代 詩의 지나친 感情의 용솟음이 지양·극복되었다"고 주장함으로써 萬海 詩의 詩史的 位置를 크게 강조하였다. 물론 萬海 詩를 비판적으로 보는 견해도 있지만 萬海 詩에 대한 文學史的 評價는 연구가 진행될수록 여러 가지 새로운 問題性이 발견됨으로써 肯定的인 位置를 확보해 가고 있다.[96]

---

91) 宋 稶, 「님의 沈默의 構造」『님의 沈默 全篇解說』(서울: 科學社, 1974.3), Pp. 408~444.
92) 宋 稶, 『特學評傳』(서울: 一潮閣, 1963.5), p. 296.
93) 白樂晴, op. cit., p. 488.
94) 金允植·김현, 『韓國文學』(서울: 民音社, 1973). pp. 151~152.
95) 朴喆熙, 『韓國詩史硏究』(서울: 一潮閣, 1980.1)
96) 기타 의욕적인 硏究로는 다음 論文을 들 수 있다.
金長好, 「韓龍雲詩論」『無涯梁柱東博士 古稀紀念論文集』(紀念事業會, 1973)
李明宰, 「韓龍雲文學의 硏究」≪中央大 論文集≫ 20집 (1976.10)
李仁福, 『韓國文學에 나타난 죽음意識 硏究』(淑明女大 博士學位論文, 1978.8)
金相善, 「韓龍雲論序說」≪국어국문학≫ 65·66 합병호(1974.12)
釋智賢, 「萬海의 님, 그 순수서정」≪現代詩學≫ 63호(1974.6)
김영무, 「한용운과 이육사」≪뿌리깊은 나무≫ 7원 7호(1976.8)
尹在根, 「'알 수 없어요'의 抒와 情」≪現代文學≫ 226호(1973.10)
李商燮, 「萬海 詩에의 열쇠는 없다」≪文學思想≫ 80호(1979.7)
尹永川, 『1920年代詩의 現實認識』(서울대 대학원 석사논문, 1980.2)
李元燮, 「萬海 詩의 性格」『萬海思想硏究』 第二輯(서울: 民族社, 1981.9)

3. 研究方法과 範圍

앞에서 언급된 것도 있지만. 지금까지 필자가 부분적으로나마 萬海 詩에 관해 전개한 논의는 다음과 같다.

먼저 필자는 萬海 詩가 隱喩的 方法論을 확립함으로써 現代詩的 轉換의 起點이 된다고 주장하였다. 아울러 萬海의 隱喩法이 鄕歌, 특히 <普賢十願歌> 등 佛敎作品에서 淵源하고 있음을 구체적으로 論述하있다.[97] 또한 필자는 萬海 詩 연구에 있어 現代詩에 대응되는 漢詩와 時調의 相關關係를 구명하는 데서 論點이 확대될 수 있음을 시사하였으며, 이 論文[98]에서 文學 자체의 연구로서 想像力과 隱喩의 展開原理를 분석하였다. 또한 萬海 詩의 장르的 特性을 現代詩, 漢詩, 時調 등으로 분류하여 발표한 바 있다.[99] 이어서 『님의 沈默』을 「離別의 詩學」으로 규정하여 情緖의 傳統詩的 形質과 心理的 메커니즘의 變貌過程을 고찰하였다.[100] 또한 鄭澈과 비교하여 漢詩가 生活詩이며 現代詩가 象徵詩임을 밝혔으며, 松江과 萬海文學의 共通點을 지적하는 한편 黃梅泉, 李陸史, 趙芝薰, 徐廷柱와의 關聯性을 지적하였다.[101] 아울러 다시 앞의 論旨를 확대하여 松正과 萬海의 詩가 共有하는 漢字·한글 構造의 對應關係를 고찰하였다. 이 연구를 통해서 필자는 漢字·한글의 二重的 表記體系가 詩精神上에 있어서 表層的인 女性主義와 深層的인 克服精神의 二重構造로서 대응되는 것임을 제시하였다. 또한 이러한 松江과 萬海文學의 精神과 方法上의 連繫性이 開化期의 傳統斷絶論을 극복하고 韓國文學史의 一元性을 확립하는 論據가 될 수 있음을 주장하였다.[102] 다음으로는 萬海 時調의

---

97) 拙　稿, 『現代詩의 方法論的 硏究』(서울대 대학원 석사논문, 1971.11)
98) _____, 「萬海想像力의 原理와 그 實體化過程의 分析」 ≪국어국문학≫ 67호(1975.4)
99) _____, 「萬海詩의 장르的 特性」(국어국문학회 월례발표, 1977.4)
100) _____, 「卍海詩情緖의 形質에 관한 分析」 ≪국어국문학≫ 74호(1976.4)
101) _____, 「韓國文學史의 自律性 論攷」(忠北大學報, 1977.5.25)
102) 拙稿, 「韓國詩의 장르選擇과 傳統性의 問題」 ≪忠北大 論文集≫ 17집(1978.12)

詩世界와 特性을 분석하여 時調가 過渡的 장르임을 밝혀 보았다.[103] 近者에는 萬海 詩의 原理를 요약 정리하였으며[104] 『님의 沈默』 版本의 비교 연구를 통해 萬海 연구의 문제점을 제시한 바 있다.[105] 따라서 筆者는 지금까지의 論議를 收斂하면서 『님의 沈默』을 중심으로 萬海 詩의 原理와 構造的 特質을 분석하여 文學史的 位置의 定立을 摸索해 보기로 한다.

本稿에서 필자가 탐구하고자 하는 것은 다음과 같다.

첫째, 지금까지의 萬海研究史에 批判的 省察을 가함으로써 기존 연구가 내포한 문제점을 지적해 본다. 아울러 기왕의 연구들을 方法論的으로 分類하여 論點의 特徵과 限界點을 살펴본다(이 부분은 研究史에서 이미 살펴보았다).

둘째, 著作의 形成과 展開에 따른 文體意識의 變化를 追跡해 본다. 漢文體와 國漢文混用體 및 한글體의 相關關係를 통해 萬海文學의 形成過程을 照明해 본다. 또한 『님의 沈默』의 初版과 기타 版本과의 異同과 影響關係를 분석하고 初版의 表記體系를 究明한다.

세째, 詩集 『님의 沈默』에 국한된 萬海文學 연구에 視點의 擴大를 모색해 본다. 지금까지의 『님의 沈默』의 연구는 視角과 方法論이 類似한데다 對象이 詩集 『님의 沈默』만으로 한정됨으로써 大同小異한 結論에 머문 일이 많았다. 따라서 現代詩와 漢詩. 時調의 特性을 분석하여 장르間의 等差關係를 구명해 보고자 한다. 또한 이를 통해 『님의 沈默』의 文學性과 그 特徵에 관해 體系的인 解釋을 시도한다.

넷째. 『님의 沈默』의 文學的 構造를 分析한다. 獨立·自由·佛敎思想 등 非本質的 接近方法(extrinsic approach)을 止揚하여 文學作品 자체에 즉하여 構造的 法則과 體系를 살펴보고자 한다. 이것은 다음 네 항목으로 나누어 論述하기로 한다.[106]

---

103) ___, 「卍海時調의 한 考察」 ≪先淸語文≫ 11집(서울대 사대 국어교육과, 1981.3)
104) ___, 「萬海詩學의 原理」 ≪現代文學≫ 313호(1981.1)
105) ___, 「님의 沈默의 版本과 表記體系」 ≪開新語文研究≫ 第一輯(忠北大師大 國語教育科, 1981.8)

1) 行과 聯 및 詩構造의 分析: 흔히 萬海 詩는 行·聯 區分이 없는 줄글의 散文詩로 단정되어 이에 대한 깊이 있는 고찰이 외면되어 왔다. 그러나 萬海 詩는 行·聯과 詩構成이 일정한 法則과 構造를 지니고 있음에 비추어 상세히 살펴볼 필요성이 있다.

2) 이미지의 範疇 設定: 萬海 詩에는 반복적으로 사용되는 黃金과 꽃, 눈물과 피, 달과 별 등의 중요 詩語群이 있다. 이러한 詩語를 중심으로 象徵的 意味를 해석하고 이미지의 類型을 분류해 본다.

3) 隱喩的 方法論의 考察: 萬海의 想像力이 實體化되는 데 中心機能을 수행하는 隱喩에 관해 집중적으로 살펴본다. 現代詩에서 隱喩는 단순한 表現方法이 아니라 洞察力을 啓發하고 詩的 眞理를 드러내는 核心方法으로 사용된다. 萬海 詩의 中心方法이 隱喩임에 비추어 隱喩의 形態와 特性을 분석해 본다.

4) 逆說의 硏究: 逆說은 隱喩와 함께 萬海 詩의 兩大 構成原理이다. 萬海 詩는 님과 나, 消滅과 生成, 神聖과 世俗의 辨證法的 二元體系로 이루어져 있다. 따라서 두 세계를 종합하고 통일시키는 精神의 힘과 表現方法으로서 逆說은 중요성을 지닌다. 그러므로 逆說의 原理와 構造를 분석해 보기로 한다.

다섯째, 當代 詩人들과의 關聯性을 살펴보고 後代 詩人들과의 脈絡을 검토해 본다. 同人誌나 文藝誌에 참여하지 않은 萬海가 初期詩壇에서 어떠한 位置를 지니는가를 밝혀 본다. 萬海 詩가 『님의 沈默』 한 권으로 終結되지만, 後代詩에 미친 영향이 重且大하다는 점에서 詩史的 位置를 면밀히 검토할 필요성이 있는 것이다.

마지막으로, 萬海文學의 文學史와 精神史的 意義를 整理해 본다. 詩精神의 傳統性을 계승하면서도 現代的 方法論을 확립한 『님의 沈默』을 통해 古典文學史와 現代文學史의 二元性과 傳統斷絶論의 克服을 시도해 본다.

---

106) 參考 텍스트는 『님의 沈默』 初版(서울: 滙東書館. 1926)을 기본으로 하고 再版(서울: 漢城圖書株式會社, 1934)을 대조 보충하였음을 밝혀둔다.

II. 基礎的 考察

1. 著作과 文體意識

萬海의 著作은 經典의 編述로부터 史蹟, 史話, 講述, 飜譯, 註解, 論說, 評論, 詩, 小說 그리고 隨筆에 이르기까지 다양하다. 또한 著述期間은『朝鮮佛教維新論』(1910.12.8 脫稿, 1913.5.25 佛教書館 刊行)에서 시작되어 隨筆 <明沙十里>(1940.5.30 ≪半島山河≫) 및 ≪通度寺史蹟≫(1940, 未完)에 이르기까지 약 30년간에 걸쳐 있다. 그러므로 萬海의 著作을 時代順으로 살펴보면 思想과 文體의 變貌過程은 물론 文字意識과 文藝觀을 究明해 낼 수 있을 것이다.[1]

먼저『朝鮮佛教維新論』은 萬海 최초의 저술로서 萬海思想의 出發點을 알려주는 자료가 된다. 이 저술은「佛教의 維新은 破壞로부터」(論佛教之維新宜先破壞)라는 글을 핵심으로 全 14章으로 구성돼 있다. 佛教의 維新을 이루기 위해서는 철저한 破壞가 先行되어야 한다는 과격한 주장은 萬海思想의 基

---

1) 沈在箕는『朝鮮佛教維新論』(1913)에서『朝鮮獨立의 書(1919)에 이르는 文體變化를 語學的 측면에서 고찰하고 있다.「萬海韓龍雲의 文體推移」『白史全光鏞博士 華甲紀念論文集』(紀念論叢刊行委員會, 1979) pp. 267~276.

底가 否定精神과 批判精神에서 비롯됨을 말해 준다. 이 論著는 當代佛教와 僧侶들의 모습을 渾沌派, 爲我派, 笑罵派, 暴棄派, 待時派로 분류하여 통렬하게 매도하고 있다. 또한 山中佛教의 無氣力性을 비판하여 대중 속으로의 歸還을 주장하는 등 30년대 초반의 젊은 血氣를 유감없이 발휘하였다. 이 논저는 「序」가 純漢文으로 되어 있고 「本文」은 漢文統辭構造에 助詞와 語尾만을 한글로 덧붙여서 사용하는 口訣 형식으로 표기돼 있다.

> 天下에豈有成敗리오待人而已라悠悠萬事가無一非聽命於人而後에有所謂成謂敗者하니苟事而無自立之力하고 …下略…
>
> 「緖論」

여기에서 지적할 수 있는 것은 그의 思想이 革新的이었음에 비해 文體는 오히려 當代의 보편적 수준보다 뒤떨어지는 것이었다는 점이다. 이미 ≪少年≫誌(1908)를 비롯해 社會의 氣運이 國文體로 발전해 가고 있음에 비추어 일단 이것은 退步한 것으로 볼 수 있기 때문이다. 그러나 이것은 萬海의 文體意識이 뒤떨어진 것으로 단정하는 것보다는 그의 表記體系가 기본적인 면에서 「漢文·한글」의 二重體系로 이루어져 있다는 肯定的 각도에서 파악하는 것이 옳으리라 생각한다.

『朝鮮佛教維新論』의 다음 해에 간행된 『佛教大典』(弘法院, 1914.4.20)은 佛教에 관한 萬海의 最大著作이다. 이 『佛教大典』은 通度寺에 收藏된 1511部 6803卷의 佛經을 佛教의 革新과 近代化라는 관점에서 분류하고 요약한 八萬大藏經의 縮小版인 것이다.[2] 먼저, 여기에는 萬海의 文體意識을 알 수 있는 한 단서인 「佛教大典凡例」가 제시되어 있다는 점에서 주목할 필요가 있다.

---

2) 內容은 序品, 教理綱領品, 佛陀品, 信仰品, 業緣品, 自治品, 對話品, 布教品, 究竟品 등 九編으로 구성돼 있다.

一, 一般人의 易解普及을 爲ᄒᆞ야 鮮漢文으로 間譯흠

一, 本典에 用하는 鮮文은 易解를 主義로ᄒᆞ야 現在慣習上通用의 字音을 用흠

引用凡例에서 보듯이『佛敎大典』은 佛經을 簡易化하고 實用化하기 위한 목적에서 저술되었다.「一般人의 易解普及을 위하여 鮮漢文으로 間譯함」이라는 但書는 國漢文體가 當代 一般人의 常用文體였음을 알 수 있게 하는 例示가 된다.

佛이言ᄒᆞᄉᆞᄃᆡ善男子아譬컨ᄃᆡ貧家에珍寶가有ᄒᆞ되能히我가此에在ᄒᆞ다自言치못ᄒᆞᄂᆞᆫ지라旣自知치못ᄒᆞ고又語者가無ᄒᆞ면能히此寶藏에在ᄒᆞᄃᆡ不聞不知ᄒᆞ고吾欲에 輪轉ᄒᆞ야受苦無量이라

이 文體는 漢字가 主를 이루면서도『朝鮮佛敎維新論』과 달리 語順은 한글의 統辭構造에 가깝게 변화되어 있다.「有, 在」등 敍述語가 句節 뒤쪽에 위치할뿐더러「無, 不」등의 否定語辭가「못ᄒᆞᄂᆞᆫ지라, 못ᄒᆞ고」와 같이 한글로 바뀌어 역시 뒤에 敍述語로 나타난다. 그러나 助詞와 語尾가 한글 表記로 돼 있고 띄어쓰기가 전혀 없는 점은 앞의 著書와 같다. 이러한 급격한 統辭構造의 變化는 萬海의 文體 자체가 變貌한 것이라기보다는 일반에게 佛經을 쉽게 생활화하려는 啓蒙意識에 基因하는 것이라고 보는 것이 옳을 듯하다. 왜냐하면 이 후에도 다시 國漢文體의 사용과 더불어 專門的인 著作이나 漢詩는 언제나 漢文 내지 漢文的 統辭構造가 쓰여지기 때문이다. 실제로『佛敎大典』이 刊行된 것은『朝鮮佛敎維新論』이후 11개월밖에 경과되지 않은 때이다. 이것은『佛敎大典』이『佛敎維新論』과 거의 같은 시기에 構想되고 執筆되었음을 쉽게 짐작할 수 있게 한다. 따라서 비슷한 時期에 文體가 급격히 변화한다는 것은 무리한 일이 아닐 수 없으며, 이것은 글의 執筆動機와 目的에 따라

萬海의 文體選擇이 달라졌기 때문인 것으로 보아야 할 것 같다.

그러나 1916년의 「古書畫三日」≪時代日報≫, 12月)과 1917年의 『精選講義菜根譚』(東洋書院 1917.4.6)에 이르러서는 國漢文體의 統辭構造가 더욱 한글 語順에 가깝게 변모돼 있다.

> ① 朝來의 寒雨가 初霽ᄒᆞᆫ 十一月六日下午三時半에朴漢永金杞宇兩氏와 同行ᄒᆞ야 朝鮮古書畫의 主人되ᄂᆞᆫ滄吳先生(世昌)을 敎義洞에 訪ᄒᆞ 다余ᄂᆞᆫ 그의 朝鮮古書畫를蒐集ᄒᆞᆫ다ᄂᆞᆫ事를 傾ᄒᆞ얏스나…
>
> 「古書畫三日」에서

> ② 欲做精金美玉的人品定從烈火中煅來折允天揭地的 事巧順向薄氷上履過(原文)→精金美玉은 烈火의中에 滿度의 煅煉을受ᄒᆞ고 琢磨의功을加ᄒᆞᆫ後어야 一點의瑕疵가無히優美ᄒᆞᆫ品格을做코자ᄒᆞ면 반드시烈火와如히困難危險ᄒᆞᆫ 逆境의中에서其精神을煅煉ᄒᆞ고…
>
> 『精選講義菜根譚』에서

①과 ②는 語順과 文體印象이 한글 구조에 근접해 있다. 그러나 實辭는 대부분 漢字로 돼 있고 虛辭만 한글로 돼 있는 점이 앞의 著書들과 대동소이하다. 여기서 隨筆 내지 日記 등 常用語로 쓸 수 있는 것마저도 漢文套로 돼 있다는 것은 그의 文體意識이 아직도 頑固한 「漢文=眞書」라고 하는 保守主義에서 별로 벗어나지 못하고 있음을 말해 준다.

萬海의 保守的인 文體意識은 月刊敎養誌 ≪惟心≫(創刊號 1918.9.)의 發刊을 계기로 새로운 양상을 띠게 된다. 萬海 자신이 主宰한 이 雜誌는 論說, 隨筆, 飜譯, 語錄, 詩 등이 다양하게 수록돼 있다는 점에서 萬海의 文體意識을 究明할 수 있는 좋은 자료가 된다.[3]

---

3) 참고로 ≪惟心≫ 第一號의 目次를 살펴보면 「처음에씀」「心」「朝鮮靑年과修養」「苦痛과快樂」「苦學生」「前路를擇ᄒᆞ야進ᄒᆞ라」「學生의衛生的夏期自修法」「生

① 朝鮮青年을爲ᄒᆞ야謀ᄒᆞᄂᆞᆫ者ᄂᆞᆫ多方面으로觀察ᄒᆞ리니그觀察을隨ᄒᆞ야各各定見을立ᄒᆞ믄勿論이라그러나朝鮮青年을觀察코자ᄒᆞᄂᆞᆫ者ᄂᆞᆫ먼저그心理를理解ᄒᆞ미必要ᄒᆞ고……

「朝鮮青年과修養」에서

② 心은心이니라

心만心이아니라非心도心이니心外에ᄂᆞᆫ何物도無ᄒᆞ니라

生도心이오死도心이니라

無窮花도心이오薔薇花도心이니라

好漢도心이오賤丈夫도心이니라

蜃樓도心이오空華도心이니라

物質界도心이오無形界도心이니라

空間도心이오時間도心이니라

……下略……

「心」에서

③ 四面의 山들이 풀은옷을 버셔버리고 次次 누른옷을 가라입게 되니 ᄯᆡ를 마처 오ᄂᆞᆫ비ᄂᆞᆫ, 쌀쌀ᄒᆞᆫ 北國의 바ᄅᆞᆷ을ᄯᅡ라 우수수ᄒᆞᄂᆞᆫ 落葉樹의 별별ᄲᅧᆯ고잇ᄂᆞᆫ 젖은가지를 싯치고ᄂᆞᆫ 털을상긋ᄒᆞ고 슯흔듯이 울과잇ᄂᆞᆫ 山ᄉᆡᆨ의 머리를 ᄶᅡ리고 지ᄂᆡ여가ᄂᆞᆫᄃᆡ 직바른 참나무와 상수리나무들은 벌셔 제몸의落葉을 다 ᄯᅥᆯ어치고 ᄆᆡᆫ몸둥아리가되야 불이낫케 過冬의 준비를 ᄒᆞᆫ다…

「悟」에서

④ 배를ᄯᅴ우ᄂᆞᆫ호르믄 그근원이멀도다 송이큰ᄭᅩᆺ나무는 그ᄲᅮ리가 깁도다

가벼이날이ᄂᆞᆫ써러진입새야 가을바라믜굿세미랴

의實現」「悟」「修養叢話」「懸賞文藝廣告」등 韓龍雲 자신의 著述이 대부분이다. 그 외 崔麟, 崔南善, 李光鍾, 李能和, 金南泉, 康道峯, 徐光前, 金文演 등이 한 편씩 寄稿하고 있을 뿐이다.

셔리아레에푸르다고 구태여뭇지마라 그대(竹)의가온대ᄂᆞᆫ무슨걸림도
업ᄂᆞ니라
美의音보다도妙ᄒᆞᆫ소리 거친물껼에돗대가낫다
보나냐새벽가튼너의눈으로　千萬의障碍를打破ᄒᆞ고大洋에到着ᄒᆞᆫᄂᆞᆫ
得意의波를
보일리라 宇宙의神祕 들일리라 萬有의妙音
가쟈가쟈　沙漠도아닌氷海도아닌우리의故園아니가면뉘라셔보랴　한
송이픠는梅花

「처음에씀」全文

≪惟心≫에는 이상과 같이 4가지의 文體가 함께 나타난다. ①은 「古書畫三日」이나 『精選講義菜根譚』과 기의 같은 文體이다. ②는 「詩」라는 언급은 없지만 行의 長短이 있다는 점에서 詩的 形式으로 되어 있으며, 漢字語가 모두 漢字로 表記되어 있다. ③은 隨筆로서 漢字語가 극히 제한적으로 사용되었고 固有語 中心의 한글統辭構造로 이루어져 있다. ④는 ①, ②, ③의 文體特徵이 混合되어 있다. ①의 特徵인 漢字語 中心表記가 부분적으로 나타나고, ②의 特徵인 詩的 形式性과 그리고 ③의 특징인 한글 위주의 表記를 共有하고 있는 것이다. 여기에서 한 가지 중요한 문제점이 드러난다. ①과 ②는 다분히 論說的·主張的·觀念的인 傳達機能의 측면이 강하며 ③과 ④는 描寫的·暗示的·情緒的인 表現機能의 特性을 지닌다는 점이다. 특히 ④에서 前半은 「대」를 괄호 안의 漢字(竹)로 묶을 만큼 순한글임에 비해, 後半은 漢字語는 모두 習慣的으로 漢字로 表記되어 있다. 그런데 여기서 전반부 한글 부분은 暗示的·抒情的·象徵的 特性이 강하고 후반부 漢字表記 부분은 다분히 提示的·觀念的·主張的 文體特徵을 지닌다. 前半·後半의 文體上의 相異點은 文體意識의 混亂에 기인된 것이 아니라, 다분히 작위적인 意圖에 의한 것임을 알 수 있다. 「漢文體→國漢文體→한글體」로 變化해 간 것과 함께 漢文·한글의 二重的 表記體系가 기본적으로 同時的 構造秩序를 이루어 사용되고 있었

음을 알 수 있다. 따라서 國漢文體는 漢文體가 大衆的 傳達性을 획득하기 위해 口訣體로 바뀌고 다시 이것이 한글 統辭構造의 國漢文混用表記로 변화해 가는 中間的·過渡的 文體임을 알 수 있는 것이다. 國漢文體는 大衆的인 傳達手段으로 사용되었고[4] 한글체 情緒的인 表現性(expressiveness)을 지니는 文藝作品에 주로 사용된 것을 알 수 있다.

己未獨立運動 이후 20년대에도 역시 세 종류의 文體特徵이 나타난다. 1919년 7월의 「朝鮮獨立에 對한 感想의 大要」와 1926년의 『十玄談註解』, 그리고 1926년의 詩集 『님의 沈默』이 그것이다.

①自由ᄂᆞᆫ萬有의生命이요平和ᄂᆞᆫ人生의幸福이라故로自由가無ᄒᆞᆫ人은死骸와同ᄒᆞ고平和가無ᄒᆞᆫ者는最苦痛의者라壓迫을被ᄒᆞᄂᆞᆫ者의周圍의空氣ᄂᆞᆫ墳墓로化ᄒᆞ고爭境奪涯을事ᄒᆞᄂᆞᆫ地獄이되ᄂᆞ니宇宙의理想的最幸福의實在ᄂᆞᆫ自由와平和ᄅᆞ…

「朝鮮獨立에 對ᄒᆞᆫ 感想의 大要」[5]에서

②心印

<批> 畫蛇已失, 添足向爲

<莊> 心本無體, 離相絶跡, 心是假名, 更用印爲, 然萬法以是爲準, 諸弗以是爲證, 故名之曰心印, 本體假名, 兩不相病, 心印之旨明矣 『十玄談解』[6]에서

---

4) 金允植, 『韓國近代文學樣式論攷』(서울: 亞細亞文化社, 1980) p. 191. "국한문체는 漢文보다는 덜 抽象的이나 상당한 思考의 密度와 論理의 깊이를 화보할 수 있었던 것이고 개화기의 中和的인 文體로서 견인력을 발휘할 수 있었다."

5) 흔히 ≪朝鮮國立의 書≫로 알려져 있는 이 글은 1919년 7월 10일 檢事長의 要求에 의해 獄中에서 作成된 것으로 4개월 후인 1919년 11월 4일 上海臨政의 機關紙인 ≪獨立新聞≫25호에 수록돼 있다. 自由·平等 ·平和·思想과 歷史·自强·獨立意識이 主內容으로 되어 있다. (朝鮮獨立의 書≫란 명칭은 1948년 ≪新天地≫ 3월호에 처음 소개되면서 사용되어 이후 『全集』 등에 재수록되었다. 金鐘旭, 「원문인 듯한 朝鮮獨立의 書 發見」 단내신문, 1981.3.5 참조

6) 『十玄談註解』는 1925년 五歲庵에서 脫稿하여 1926년 5월 法寶會 刊行으로 나은

③죽은줄아럿든 매화나무가지에 구슬가튼꼿방울을 매처주는 쇠잔한눈위에 가만히오는 긔기운은 아름답기도합니다

그러나 그밧게 다른하늘에서오는알수없는향긔는 모든꼿의죽엄을 가지고다니는 쇠잔한 눈이 주는줄을아심닛가

……中 略……

一莖草가 丈六金身이되고 丈六金身이 一莖草가됨니다

天地는 한보금자리오 萬有는 가튼小鳥임니다

나는 自然의거울에 人生을비처보앗슴니다

苦痛의 가시덤풀뒤에 歡喜의樂園을 建設하기위하야 님을써난 나는 아아 幸福임니다

<樂園은가시덤풀에서>에서

이상의 세 文體는 ≪惟心≫誌의 文體特徵을 그대로 답습하고 있다. ①은 <公約三章>과 더불어 國漢文體로서 大衆的인 설득과 理念傳達을 목표로 씌어졌다. 論理와 主張을 開陳하며 대중에게 전달하는 對他的 文體特徵을 지니는 것이다. ②는 純漢文體로 專門的인 研究 내지는 著述로서의 의미를 지닌다. 대중에게 전달하려는 목적보다는 자신의 禪에 관한 省察과 思索을 깊이 있게 表出한 것이다.[7] 한편 ③은 『님의 沈默』의 한 예로서 ≪惟心≫의 「처음에씀」과 같이 前半은 한글로, 後半은 漢字 위주로 表記되어 있다. 여기서도 前半의 내용은 「매화／향기／눈／꽃방울」 등과 같이 抒情的이고 表現的인데 비해 後半은 觀念的이고 主張的인 특징을 지닌다. 이렇게 볼 때 이 세 가

4·6판 34페이지의 小册子이다. 이 책은 당나라 安察이 지은 偈頌으로 <心印><祖意><玄機><塵異><演敎><達本><破還鄕><轉位><廻機><一色> 등 10首로 구성돼 있다. 註解에 나타난 萬海 사상의 핵심은 現象 속에서 法身을 發見하는 妙有의 眞理觀과 現實 속에서 衆生濟度의 사명을 다하는 活路의 禪風이라 할 수 있다. 韓鍾萬, 「韓龍雲의 十玄談註解에서 본 眞理觀과 禪論」『萬海思想研究』 二輯(서울: 萬海思想研究會, 1981)

7) 『乾鳳寺及乾鳳寺末寺史蹟』(1928, 乾鳳寺, 非買品)에서도 序文은 國漢文體이고 本文은 漢文으로 돼 있다. 여기서도 序文은 大衆的 紹介의 뜻이 있고 本文은 本格的인 專門著書의 性格을 지닌다는 것을 알 수 있다.

지 文型은 ≪惟心≫ 이후 己未獨立運動 무렵부터 시작되는 20년대 文體의 특징을 선명하게 드러낸다. 즉 萬海의 文體는 漢文體, 國漢文體, 한글體의 세 類型을 지니며, 이 각각은 漢文體가 即自的 著述樣式, 國漢文體가 大衆的 傳達樣式, 그리고, 한글體가 情緒的 表現樣式으로서의 機能的 特性을 갖고 있음을 확인할 수는 것이다. 이러한 文體的 性格을 통해서 볼 때 詩集『님의 沈默』은 어디까지나 抒情的이고 表現的인 象徵詩로서의 性格을 지님을 쉽게 짐작할 수 있다. 이와 함께『님의 沈默』에 이르러 한글의 文學的 기능에 대한 確信이 점차 분명하게 자리잡게 되었음을 알 수 있는 것이다.[8)]

한편 1930년대 萬海 자신이 主宰한 ≪佛教≫誌를 보면, 역시 萬文, 國漢文, 한글의 세 가지 文體類型이 나타난다. 그러나 國漢文體는 漢字가 습관적으로 많이 사용될 뿐, 한글의 統辭構造로 완전히 바뀌어 있다. 이점에서 30년대에 이르러서는 國漢文體의 中間的 形式, 過渡的 形式으로서의 특성이 점차 소실돼 가기 시작한 것으로 판단된다.

> ① 맑스主義의 無神論者는 모든宗教를否認하야 여러가지의 理論을 展開하는 同時에 그實行方法을講求하기에이르렀나니 이것이또한歷史的進展의避하기어렵은 現象일것이다. 그反宗教의理論을綜合하야 보면…
>
> 「反宗教運動에對하야」[9)]에서

> ② 부처님의 나심은
> 온누리의 빛이요
> 뭇삶의 목숨이라
> 빛에있서서 밖(外)이 업고

8) 「가갸날에 대하여」≪東亞日報≫(1926.12.7) 및「國寶的 한글 經板의 發見逕路」≪佛教≫(1931.9)에는 한글의 우수성과 잠재력에 대한 주장이 들어 있다.

9) ≪佛教≫ 84·85 합병호(1931.6·7 月號)

목숨은 쌔를 넘나니

<聖誕>에서

굽이치고휘몰아서 길이오백여리를 호르는동안에 농사짓는 물로서의 많은이익을주며, 마침내 大京城의 칠십만인구에게 음료수를 제공하고 배와떼(筏)를 운전하여서 모든 물화의운수의 편의를주면서 낮과 밤으로호르고흘러서서해바다로 漢江은 너무나 유명하다.

「薄命고」[10]에서

③ 忽忽六十一年光 云是人間小劫桑 歲月縱令白髮短 風霜無奈丹心長 聽貧已覺換凡骨 任病誰知得妙方 流水餘生君莫問 蟬聲萬樹趁斜陽

「周甲日即興」[11]에서

近代文學이 본격적인 現代性을 지니기 시작하는 1930년대에 이르러 ①의 文體는 이미 낡은 느낌을 준다. 그러나 이 文體는 종래의 國漢文體와는 달리 漢字가 많이 사용된 한글 문장으로 완전히 변모되어 있다. 내용에 있어서만 國漢文體의 特性이던 主張的 論說文의 性格이 그대로 반영돼 있을 뿐이다. ②는 詩와 小說인데 두 장르가 거의 한글로 表記 돼 있다. 그러나 ③은 甲年을 맞이하는 感懷와 인생에 대한 깨달음이 漢詩로 씌어졌다. 이 작품은 即自的 表現이라는 점에서 앞에서의 漢文體와 동일한 延長線上에 놓인다. 이렇게 본다면 30년대에 이르러서 國漢文體는 이미 大衆的 文體로서의 文化史的 기능이 消滅된 것으로 생각할 수 있다.

지금까지 살펴본 것처럼 萬海의 文體는 기본적으로는『朝鮮佛教維新論』에서「周甲日即興」에 이르는 漢文文體와『처음에씀』에서부터『님의 沈默』과 小說에 이르는 한글文體의 二重構造로 이루어져 있다. 漢文은 佛教 著述

---

10) ≪朝鮮日報≫ 4면 1938.5.19.

11) 1939년 7월 12일 回甲 때 쓴 即興詩로 알려져 있다.『全集』卷一, p. 186.

이나 漢詩 등 傳統的이고 專門的인 著作에, 한글은 情緖的 表現性으로 인해 文學作品에 주로 사용되었다. 한편 이와는 별도로 國漢文體는 大衆的인 傳達力으로 인해 쉬운 文體를 요구하는 시대적 요청에 따라 1910~1920년대에 過渡的으로 사용되었다. 따라서 한글이 社會의 압도적인 表現手段으로 사용되는 1920년대 後半부터는 차츰 기능을 상실하고 漢字混用의 한글 문장에 흡수되어 간 것으로 보인다.

<文體相關圖>

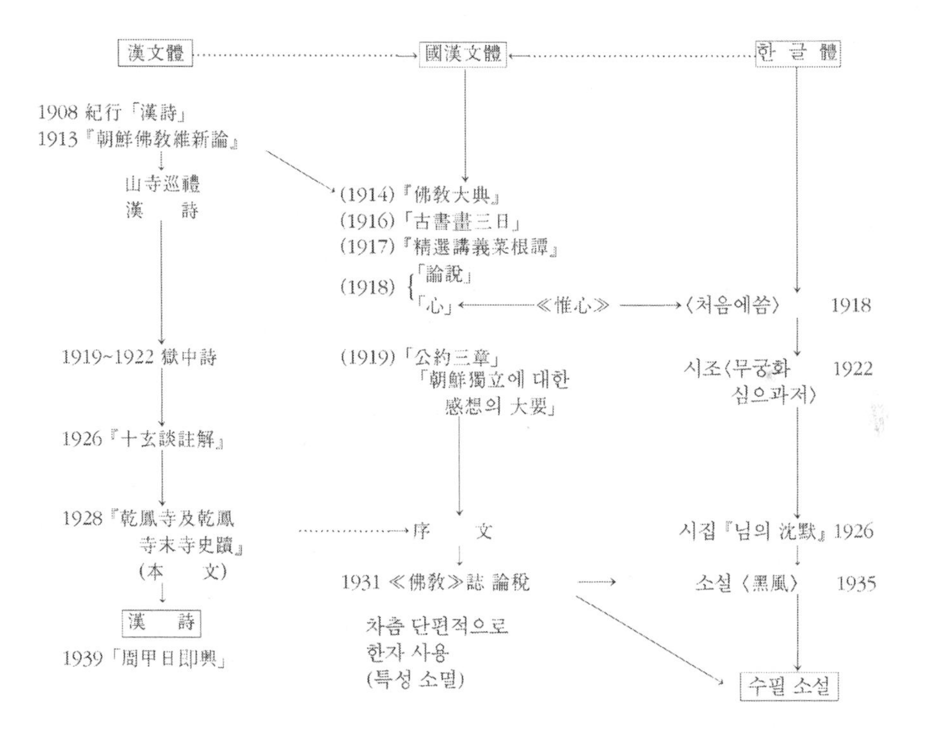

2. 文學觀

萬海의 文學觀을 알 수 있는 최초의 자료에는 ≪惟心≫ 第一號(1918) 卷末에 실려 있는 懸賞文藝 賣告文이 있다.

懸賞文藝
一. 普 通 文, 一行二十四字四十行內外(鮮漢文體)
一. 短篇小說, 一行二十四字一百行內外(漢字약간석근時文體)
一. 新體詩歌 (長短格調隨意)
一. 漢　詩 (即景即事)

이 글에는 文體意識과 장르意識이 함께 드러나 있다. 먼저, 「普通文」은 論說類를 지칭하는 것으로서 「鮮漢文體」(筆者註, 國漢文混用體)를 요구한다. 이것은 萬海가 이 文體를 論理的·主張的인 特性을 갖고 있는 문체로 생각했기 때문이다. 小說은, 「短篇」이라고 못박은 점으로 보아 當代에 이미 長·短篇의 구별이 뚜렷이 존재했었음을 알 수 있게 해 준다. 또한 그 文體가 「漢字 약간 석근 時文體」(筆者註, 한글중심문체)로 규정되어 純文藝作品에는 한글을 많이 쓰는 것을 원칙으로 했음을 알 수 있다. 「新體詩」 항목은 六堂과 마찬가지로[12] 「歌」字를 붙이고 있으며 「長短格調隨意」라는 단서가 附記돼 있다. 이 점에서 萬海의 장르意識이 六堂의 그것보다 進步된 것은 아니다. 그러나

---

12) ≪靑春≫ 7호(1917.5) 卷末의 「懸賞文藝廣告」 내용과 유사하다. 六堂은 時調(即景即興), 漢詩(即景即興, 七絶七律만). 雜歌(長短及題隨意), 新體詩歌(調格隨意), 普通文, 短篇小說 등 6종류를 모집하고 있다. 기타 六堂에 관해 자세한 것은 鄭漢模, 『韓國現代詩文學史』(서울: 일지사. 1974) pp. 166~227 참조.

萬海가 文體를 지정해 주었다는 것은 그가 意識的으로 文體를 구분해서 사용하려 했었음을 해 준다. 또한 論說文을 포함한 것은 文藝라는 개념을 創作藝術은 물론 論說類까지도 포괄하는 광범위한 의미로 사용하였음을 말해 준다. 이러한 文藝에 대한 槪念은 다음 글에서 더욱 구체적으로 나타난다.

> 조신신문학계의 일반적 경향으로는 문학 즉 문예라는 관념이 심화 또는 보편화되고 있는듯하다…… 문학이라는 것은 문자로 구성된 모든것을이름이다…… 文理가있는 文字로의 구성은 다 문학이다. 그러므로 종교·전학·과학·經史·子傳·시·소설·百家語 등 내지 尋常覺暄의 書翰文까지라도 장단우열을 물론하고 모두가 문학에 속하는 것이다…… 시·소설·희곡 등 문예만을 문학이라고 한다해도 불가할 것이 없지마는 그렇지아니하고 「문학」이라는 술어가 문자적 기록의 절반을 대표한 이상, 문학 즉 문예라고 볼 수가 없는 일이요, 또 시·소설·극본 등 예술적 작품은 문학의 일부분이 되는 것이다. 그리하여 문예는 문학이지마는 문학은 문예만이 아니다. 문예만을 문학이라고 하는 것은. 꽃피고 새우는 것만이 봄이라고하는 것과 마찬가지이다. 꽃피고 새우는 것이 봄이지만은 봄은 거기에 그치는 것이 아닐뿐아니라… 밭갈고 논갈며 씨뿌리고 김매는것이, 사람의 주관으로서 꽃피고 새우는 것 보다 더욱 좋은 봄이 아닐까?[13]

이 글에서 萬海가 주장하는 것은

① 당대 신문학계의 통념이 「문예=문학」이었다는 점
② 문학이 文字로 구성된 모든 것을 의미한다는 점
③ 문예는 시·소설 등 창작예술을 지칭한다는 점
④ 문학은 文藝를 種槪念으로 하고 있다는 점
⑤ 문학은 인간생활의 現象과 本質을 종합한 것이라는 점

13) 「文藝小言」『全集』卷一. pp. 195~196.

등으로 요약할 수 있다. 따라서 初期의 ≪惟心≫誌에서 「文藝=論說+文藝」라는 觀點이 이 글에서는 文藝와 文學으로 확연히 區分되어 나타남을 알 수 있다. 文藝는 創作藝術만을 의미하는 狹意의 概念이고, 文學은 文藝를 포함하여 文字로 기록된 모든 知識 樣態로서 文化史的인 廣義의 概念인 것이다.

다음으로는 萬海가 이해한 文學의 本性에 대해 살펴보기로 하자 萬海의 文學에 대한 認識은 藝術이 自然의 模倣이라는 관점으로부터 비롯된다.

> 큰 예술은 자연에서 배우는 것입니다. 만일 선생이 가르치는대로만 배우고 만다면 누구라도 제자가 선생보다 나을수없겠지요. 그러나 처음에는 人生에게서 구칙적으로 배운다 할지라도 예술의 妙境에 이르러서는 스스로 얻어야 하는 것인데 스스로 얻는다는것은 곧 自然에서 배워서 마음으로 얻는것이겠지요.[14]

먼저 이러한 진술은 藝術이 模倣으로부터 시작된다는 점에 대한 認識을 보여 준다. 「人生에게서 규칙적으로 배운다」라는 것은 模倣을[15] 통하여 藝術이 이루어진다는 점을 의미한다. 또한 「妙境에 이르러서는 스스로 얻어야 하는 것」이라는 指摘은 예술이 創造精神(creativity)에 바탕을 두고 있음을 말해 주는 것이 된다. 그리고 「스스로 얻는다는 것은 곧 自然에서 배워서 마음으로 얻는 것이겠지요」라는 진술은 藝術이 自得·心得의 想像力에 의해 自然(現實·人間·自然)을 秩序化하는 것이라는 점을 透視한 것으로 보인다. 이것은 藝術이 日常的 現實에 확고한 秩序를 부여하는 것이며, 동시에 自然에 存在하는 秩序를 感知함으로써 平穩·靜謐·調和의 상태로 이끌어가는 것이라는 점[16]에서 볼 때 藝術의 原理를 적절히 파악한 것으로 보인다.

---

14) 『全集』 卷5, p. 361.

15) Aristotle, *Poetics*, H. Fyfe, *Aristotle's Art of Poetry*(London: Oxford Univ. Press, 1967) pp. 9~10.

16) T.S. Eliot, *On Poetry and Poets*(London: Faber and Faber, 1971) pp. 86~87.

> 본래 예술이란 대중적이어야하는것은 근본원리인데, 아무리 예술성을지키고 순수문학적이라할지라도 독자대중이 전혀없으면 전연없지는 않겠지만 極小인 경우 좀더通俗性과 大衆的인편이 낫다고 보지 않을 수 없다.[17]

두 번째 지적할 수 있는 것은 文學(藝術)이 大衆性을 지녀야 한다는 점에 대한 認識이 확립되어 있다는 점이다. 文學은 근본 속성에 있어 傳達을 목표로 하는 것이다. 文學이 傳達의 最上의 樣式[18]이라는 말은 문학이 독자를 떠나서는 성립할 수 없다는 사실을 말해 준다. 여기서 萬海가 藝術性만을 고집하지 않고 通俗性 내지 大衆性을 주장한 것은 이러한 文學의 傳達價値에 대한 省察을 보여 준 것이다. 특히 「極小인 경우」라는 단서를 붙인 것은 그렇다고 해서 萬海가 藝術性을 전적으로 부정한 것은 아니라는 것을 말해 준다. 이 점은 다음 글에서 더욱 분명히 드러난다.

> 예술이라하는것은 반드시 어떤 시대와 세상만을 그려야만하는 것이 아니라 시대와 세상을 떠나서 天上을 그릴 수도 있는 것이요 지하를 그릴수도 있다고 생각한다. 문제는 그러면 그것이 과연 훌륭한 예술이냐 아니냐에 있을 것이다. 예술이 오늘날 일부의 문학자들이 말하는바와같이 반드시 어느 한 계급이나 몇몇 개인을 위한것이아니고, 예를 꽃에 비해서, 누구나 감상할 수 있는것이라면 예술성 그것은 어느 한 사회나 계급은 물론이요 어느 한 시대나 현실만을 그려야한다

It is a function of a11 arts to give us some perception of an order in life by imposing an order upon it……

For it is ultimately the function of art, in imposing a credible order upon ordinary reality & thereby eliciting some perception of an order in realty, to bring us to a condition of serenity, stillness & reconciliation.

17) 『全集』 卷五, p. 386.

18) I.A. Richards, *The Principles of Literary criticism*(London: Routledge & Kegan Paul, 1955) p. 26. For the arts are the supreme form of the commumcative activity.

고 할 수 없을것이다.[19]

藝術은 「시대의 세상을 떠나서 天上을 그릴 수 있는 것이요」와 같이 現實을 있는 그대로 反映하는 것이 아니라 虛構의 世界를 추구해야 한다는 見解이다. 또한 文學은 「어느 한 계급 몇몇 개인을 위한 것이 아니고」와 같이 階級主義나 藝術至上主義에 치우쳐서도 안 된다는 것이다. 「누구나 감상할 수 있는 것으로서의 藝術性」을 지녀야 한다는 점을 강조한다. 따라서 萬海는 文學이 虛構性[20]을 바탕으로 形象化되는 言語藝術이며 大衆藝術로서의 보편적인 傳達性을 지녀야 한다는 점을 분명하게 인식한 것으로 보인다.

다음해는 文學의 機能 또는 效用에 관한 것을 찾아볼 수 있다.

> 기자: 불교에 관한 서적을 요사이도 많이 읽습니까?
> 답: 이제 나이가 많아져서 그런지 책을 보아야 통 기억이 남아지는 것 같지 않아서 그리 읽지 않아요.
> 기자: 금후에도 소설이나 시가를 자주 쓰시겠습니까?
> 답: 네, 아마…… 그렇게 되겠지요. 기회만 있으면야…
> ……中略……
> 기자: 선생은 시나 소설을 쓰시면서 예술에 대해서는 늘 어떻게 생각하십니까?
> 답: 예술이란 우리 인생의 한 사치품이지요. 오락이라고밖에는 안보지요. 요사이에 와서는 예술을 理智方面으로 끌어가며 그렇게 해석하려는 사람들도 있지마는 감청을 토대로 한 예술이 이지에 사로잡히는 날이면 그것은 벌써 예술성을 잃었다 하겠지요. 그리고 또, 근자에 이르러 너무나 감정이 극단으로 흐르는 예술은 오히려 우

19) ≪三千里≫ 8권11호(1936.11), 『全集』 卷5, pp. 385~386 再引用.
20) Aristotle, Fyfe, *op. cit.*, p. 25.
…historian and poet…the one describes the thing that has been, and the other a kind of thing that might be probability.

리 인간전체에 비겁과 유약을 가져오는 것이나 아닌가 우려까지 하지요.[21]

引用文에서 알 수 있는 사실은

① 예술은 反主知主義的 性向을 지녀야 한다는 점

② 예술을 사치품 내지 오락으로 규정한 것

③ 예술이란 感性을 토대로 하는 것이라는 점

④ 예술성은 感性과 理智의 調和에서 얻어질 수 있다는 것

등으로 요약할 수 있다. 理性이나 觀念爲主의 文學도 배격하지만 지나치게 感情的인 것도 피해야 한다는 주장은 萬海가 調和와 秩序로서의 中庸的 藝術觀을 지니고 있음을 말해 준다. 여기서 특히 문제가 되는 것은 藝術을 사치품 내지 오락으로 생각한다는 점이다. 娛樂으로서의 藝術觀은 文學이 快樂과 感動을 추구한다는 의미에 있어서는 自律的인 純粹文學觀에 속하는 것으로 보인다. 그러나 사치품으로 보는 것은 文學의 餘技로서의 性格을 암시한 것이라는 점에서 二律背反的인 것이 된다.

> 예를 들면 우리의 생활에 있어서 기름이나 고추 깨는 없어도 생활할 수 있어도 쌀과 나무가 없으면 도저히 생활할 수 없는 것과 마자가지로 예술은 없어도 최저한의 인간생활은 이룰 수가 있겠지요. 그리나 더 맛있게 먹자면 고추와 깨와 기름이 필요없다고 할 수는 없겠지요. 어떤 사람은 항의하리다마는 나는 이렇게 예술을 보니까요. ……[22]

이 진술에서 萬海는 藝術을 「기름·고추·깨」 등의 調味料로 비유하고 있다. 「쌀·나무」 등 生活必須品과는 달리 藝術은 調味料에 불과하다는 진술

---

21) 春秋學人. 「尋牛莊에 參禪하는 韓龍雲氏를 찾아」 『全集』 卷四, pp. 408~409.

22) Loc. cit.

이다. 그러나 藝術을 貶視하는 뜻으로서의 附加素라는 의미보다는 인생을 아름답게 昇華시키는데 불가결한 要素로 간주한다는 뜻이 내포돼 있다. 궁핍한 시대에는 쌀과 나무만 있으면 목숨을 유지하는데 최소한의 必要條件이 충족된다. 그러나 그것만으로는 人間的 尊嚴性과 價値를 高揚시키기에는 부족한 것이다. 藝術은 단순한 裝飾品이 아니다 인간의 삶을 더욱 인간답게 하고 풍요롭게 만들어 주는 에센스로서의 充分條件的 重要性을 지니기 때문이다. 이렇게 볼 때 萬海는 創作藝術을 포함하는 광범위한 知識의 樣態로 文學을 파악하고 있는 것이다. 또한 文學이 人生과 自然의 秩序를 형상화하는 예술로서 模倣性, 虛構性, 創造性, 傳達性을 지닌다는 점을 확실히 인식하고 있다. 예술은 感動과 快樂을 줄 수 있어야 하며, 感性과 理性이 조화되는 데서 藝術性이 회득될 수 있는 것임을 분명히 하였다. 人生을 보다 아름답고 풍요하게 만들어 주며 인간을 인간답게 하는 것으로서 예술의 참된 의미가 놓여진다는 점을 밝혀 준 것이다.

3. 版本과 表記體系

(1) 版本의 考察

萬海 韓龍雲에 대한 硏究 특히 文學에 관한 考察은 朴魯埻·印權煥의 『韓龍雲硏究』(通文館, 1960.9.20) 이래 姜鏞訖의 英譯詩集 『THE MEDITATION OF THE LOVER』(Seoul: Yonsei University Press, 1970)와 『韓龍雲全集』 全六卷(新丘文化社, 1973), 그리고 宋稶의 『님의 沈默 全篇解說』(科學社, 1974. 3.1)이 나올 정도로 新文學史 연구에 있어서 집중적인 관심을 끌어왔다. 그러나 바로 여기에 중요한 문제점이 가로놓인다. 이러한 대부분의 논의는 연구 텍스트에 대한 주의깊은 省察이나 언급을 缺함으로써 硏究者가 參考한 詩集(出版社·版本)이 어느 것이냐에 따라 誤差와 誤謬를 빚어내고 있기 때문이다. 한 예로서 萬海 특유의 個人詩語(idiolect)인 「긔루다」의 경우를 들어보면, 이 詩語는 <군말>을 비롯하여 모두 6편의 詩에 사용되는바, 版本에 따라 差異가 난다. 즉 <길이 막혀><당신이 아니더면>의 경우는 「긔루어요」(初刊本版)와 「괴로와요」(進明文化社·正音社版)의 두 가지로, <사랑하는 까닭>에선 「미루어하는」(初刊本·科學社版·民族社版)과 「그리워하는」(50년版 漢城圖書·新丘『全集』·進明社·正音社版), 또한 <군말>의 경우는 「긔룬」(初刊本)과 「기리는」(進明版)으로 사용되어 대략 版本에 따라 「기리다」(讚揚), 「괴롭다」(苦悶) 및 「그리워하다」(戀慕)의 세 가지로 분별없이 사용되고 있는 실정이다. 이러한 해석에 의한 差異는 있을 수 있는 일이라 하더라도, 誤字·脫字는 물론 심지어는 구절이 바뀌거나 없어진 경우까지 있어 정확한 연구를 저해할 소지가 많다. 비교적 正確을 기하려 노력한 新丘文化社의 全集版이나

송욱의 『님의 沈默 全篇解說』에서도 誤謬가 발견되며, 최근의 萬海思想研究會 편의 『님의 沈默』(定本·民族社, 1980.12)마저도 몇 군데의 오류가 발견될 정도인 것이다(이 점 後述하기로 한다). 실상 1926년의 『님의 沈默』(初版·東書館과 1934년의 再版(漢城圖書株式會社) 이래 1980년의 『님의 침묵』(民族社)에 이르기까지의 수십 종(대략 20여 종)의 轉載 및 選詩過程에서 많은 판본이 原本에 대한 典考 없이 50年版의 漢城圖書本(34年本과 發行社는 同名이나 실제 시집 내용은 차이가 많다)과 進明文化社本(筆者가 가지고 있는 책은 50年 漢城版과 같이 1950년 4월 5일이 初版日로 돼 있음), 그리고 1934年版을 주로 참고한 全集本 등을 基底本으로 상호 모방·답습하며 流通되고 있는 실정이다. 이런 점에서 『님의 沈默』 연구가 細部에 있어 많은 편차와 오류를 내포한 지속적인 가능성을 배제할 수 없는 것이다.

지금까지의 版本 및 異本에 관한 고찰은 宋稶의 『님의 沈默 全篇解說』에서 처음으로 필요성과 오류의 몇 가지 實例가 제시되는 등 부분적인 성과를 보였으나 아직 본격적인 연구 결과가 학계에 발표되지 않고 있다.

따라서 필자는 本稿에서 詩集 『님의 沈默』의 원전인 初期의 初版(1926) 및 再版(1934)과, 流通本의 基本 텍스트인 中期의 1950년 漢城圖書本 및 進明文化社本, 그리고 近年의 비교적 公認된 全集本(1973)과 본격 연구서인 宋稶의 全篇解說本(1974) 및 萬海思想研究會가 定本으로 제시한 民族社本(1980), 그리고 流通本의 한 대표적 예인 正音社本(1973) 등 8가지 판본을 비교·고찰함으로써 版本의 等差 및 원천과의 영향관계를 살펴보고자 한다. 아울러 萬海 생존시의 판본인 初版 및 再版을 중심으로 表記의 기본체계 및 語法의 특징을 간략하게 살펴보고자 한다.

初版本과 再版本 등 해방 전 初期本과 漢城圖書 및 進明 등의 中期本 그리고 全集·全篇解說 및 民族社本 등 近年研究本의 대용이 類別되는 것은 먼저 띄어쓰기와 表記問題(漢字 빈도 및 露出 여부 포함), 그리고 誤字·脫字 등 교

정 및 印刷上의 等差 관계이다. 이를 세분해 보면 ① 띄어쓰기: 편의적으로 된 것(氣息群을 중심으로 한 듯, 初期本), 부분적으로 된 제대로 된 것(近年本), ② 表記問題: 古語套 및 方言使用·表音을 주로 한 표기—「初」[23]／ 무리하게 現代語로 修正한 것—「中」／ 原典의 표기 및 語感을 살리면서 現代正書法으로 표기—「近」, ③ 漢字표기: 漢字語는 가능한 한 漢字표기—「初」／ 선태적으로 노출—「中」／ 선택지·괄호 안(全集), 선택지 노출(전편해설), 初版 그대로(民族社本) 등 일정한 원칙 없음—「近」, ④ 탈락된 글자, 句, 行 문제(漢城·進明·正音本), ⑤ 行과 行이 바뀐 것(漢城·進明·正音本), ⑥ 行間이 잘못 구분된 것, ⑦ 誤字·脫字·활자 마모 등 인쇄상 문제, ⑧ 漢字誤讀 및 誤植 등 일일이 예거하기 힘들 만큼 版本間의 異同을 지적해 낼 수 있다.

앞의 8가지 版本의 異同에 따른 版本의 계열을 살펴보면 먼저 初期本系列(初版本 및 再版本)이 있고, 다음으로 中期本系列(漢城圖書本·進明文化本→正音社本), 그리고 近年本系列(全集本系·全篇解說本系 및 民族社本) 등의 세 그룹으로 나눌 수 있다. 여기서 문제가 되는 것으로 文學思想社의 稀貴原本詩集 影印本(facsimile)인 『님의 沈默』(1975)이 있지만 이것은 初版本에 사소한 보충을 시도한(약간의 부호 가필 등 표기 인쇄상 차이) 지엽적 문제에 불과하므로 논의로 한다.

먼저 初版本系列을 살펴보면 먼저 初版 및 再版이 著者 생존시 발행됐으므로 이를 原本으로 확정할 수 있음을 알 수 있다. 이들은 앞에서 말한 대로 出版社名은 다르나(印刷는 똑같이 漢城圖書) 페이지 수, 活字體 및 本文의 誤謬도 거의 一致하는 집에서 <군말>을 빼고는 같은 紙型을 사용한 것으로 보인다.[24] <군말>에 있어서의 차이는 붉은색 인쇄가 검은색으로 바뀌어 있고 띄어쓰기가 좀더 돼 있으며,[25] 表記가／ 긔룬→기른, 조은→좋은／ 등과

23) 이하 「初」는 初期本. 「中」은 中期本 그리고 「近」은 近年本을 지칭한다.
24) 이 점은 송욱 교수의 지적이 있다. 『님의 沈默 全篇解說』(科學社, 1974). p. 4.
25) 그 외 <自由에>가 <自由의>로, <그림자>가 <거림자>로. <도러가는>이 <돌아가

같이 변화돼[26] 있는 정도이다. 이들 두 판본이 문제되는 것은 原本 자체에 誤植이 나다난다는 점이다. 이들 誤植은 송욱 교수가 『전편해설』 통해서 지적하고 교정한 것 이외에도 필자가 발견한 것으로(以下 자세한 것은 別表 참조) 중요하다고 생각되는 것은/ 고통도(고통도·25),[27] 狡滑(狡猾·32), 흔들는(흔들리는·33), 鍜錬(鍛鍊·51), 나는 詩人·나는 黃金(詩行 구분이 없음·52), 꽃싸옴(사옴 등 표기의 비통일성·83)/ 등 여러 군데가 있다. 또한 再版이 初版과 다른 점이 간혹 발견되나 이것은 활자 마모 등 극히 사소한 인쇄 과정상의 문제로서 특기할 만한 것이 되지 못한다. 이렇게 볼 때 初版과 再版과는 큰 차이점이 발견되지 않으므로 동일 계열로 인정하는 데 별무리가 없을 것이다.[28]

두 번째는 中期本系列로서 漢城本과 進明本의 異同을 살펴보기로 한다. 여기에서 무엇보다 큰 문제가 되는 것은 두 책의 정확한 初刊發行年·月·日에 관한 것이다. 왜냐하면 筆者가 가지고 있는 두 책은 刊行日이 같은 1950년 4월로 돼 있으며[29] 커다란 誤謬에 있어서는 비슷하나 세부에 있어서는 많은 차이가 드러난다. 또한 중요 유통본의 하나인 正音社版은 漢城圖書版과는 전혀 다르고 進明本과 거의 똑같은 내용 및 표기로 되어 있으므로[30] 進明本을 基底本으로 한 것이 확실한 점에서 漢城·進明 두 판본의 선후 여부에 관한 문제를 제기할 수 있다.

먼저 漢城本의 특징은 初版·再版을 基底本으로 했겠지만 초판본의 영향이

는>으로 바뀌어 있다.

26) 再版發行 前해(1933.10.19)에 『맞춤법 통일안』이 확정된 것은 좋은 시사를 제공한다.

27) 以後 괄호 안은 옳은 표기이며, 시 번호는 <님의 沈默>을 1번으로 한 次序이다.

28) 그러나 再版에서 <군말> 표기를 초판과 달리 쓴 것은 이후 판본간의 수정과정에서 오류를 유발하는 시초가 된다는 점에서 否定的한 것이 된다.

29) 進明文化社本은 初版이 1950.4.5일로 인쇄되어 있고 重版이 1966년으로 되어 있으나 의문의 여지가 많다. 필자 견해로는 진명본이 한성본을 본딴 것으로 보인다.

30) 이하 판본과의 차이점은 別表 대비표를 참고할 것. 42詩에서/ 가슴에서/ 가 再版에서는/ 슴에서/ 로.

더 큰 것으로 보인다.31) 이 漢城本은 철자를 현대맞춤법으로 고치려 노력했고 띄어쓰기가 대체로 정확한 규칙에 의거했다는 점이 初期本과 다르다. 그러나 더욱 중요한 문제점은 어느 판본보다 표기상 및 인쇄 교정상 誤謬가 많다는 점이다. 도표에서 알 수 있듯이／ 叔情詩人(敍情詩人·9) 이반의 反面에(리별의 反面에·10)／ 구절혼돈 및 생략(10)／ 괴롭지만(그립지만·17) 漢沙(沙漠·19) 님이어 (검이어·18) 순란(絢爛·61) 남이 되고(님이 되고·81)／ 구절탈락(빗이아니라 새는 빗임니다.88) 등과 같은 단순한 인쇄상 誤植이 아닌 내용상의 중요한 誤謬가 발견된다는 점이다. 바로 이처럼 誤植과 誤謬가 많은 漢城本이 이후의 많은 流通本의 基底本이 됨으로써 중첩되는 오류의 근원이 됐다는 점에서 이 판본의 문제점이 지적된다.

한편 進明本(正音社本 동일)은 初刊日字가 漢城本과 同一한 의문점을 지님에도 불구하고 내용상 유사한 誤謬를 답습하고 있음에 비추어 영향 관계를 추정할 수 있다.32) 그럼에도 불구하고 進明本이 正音社本 등의 基底本으로서 流通本에 영향력을 갖고 있으며,／ 적은—작은(이하 앞이 漢城 뒤가 進明)(3)／ 자기자기—아기자기 (4)／ 잠약질—자맥질 (11)／ 쥐짜서—쥐어짜서(16)／ 漢沙—사막 (19)／시친듯—씻은듯 (27)／ 짜를—짧을 (30)／ 싯분—시쁜 (45)／ 바드면서—밟으면서 (45)／ 微笑—微美 (46)／목마친—목에인·빠비—삐비 (52)／ 절망—절벽 (79)／ 우줄거립니다—넘실거립니다 (80) 등의 많은 예처럼 표기가 다르다는 점에서 獨立本으로서의 가능성을 지닌다. 특히 『全集』이 표기에 있어 進明本과의 類似點이 발견된다는 사실은33) 進明本이

31) <군말>에서 自由에(初) 自由의(再) 중 自由에(漢城本)를 취하고 있는 것이 한例이다.

32) 叔情詩人(敍情詩人·9) 이반의 反面에(이별의~10) 구절 탈락 및 구절 誤接(10) 낮(날·52) 순란(絢爛·61) 순玉(숫옥·74) 남이 되고(님이 되고·81) 첫(충·83)／ 탈락 부분(빗이 새는 빗이 아니라·88) 등 중요한 오류가 동일하다.

33) 별표 3,4,16,17,27,30,32,45,52.60,71,88 등의 시에서 進明本을 참고한 흔적이 보인다. 漢城本과 같은 것은 별로 없다.

광복 후 中期本에서 차지하는 비중을 말해 준다. 正音社本은 일일이 예거할 필요없이 進明本과 일치하므로 進明本을 그대로 베낀 것으로 판단된다는 점에서 流通本들의 문제점이 단적으로 드러난다.[34] 이렇게 볼 때 漢城本과 進明本은 광복 후의 基底本으로서의 중요한 위치를 지니는 한편, 그 否定的 영향의 근원이 된다는 점에서 虛와 實이 드러난다.

마지막으로 살펴볼 것은 近年本에 관한 문제이다. 全集本은 일종의 확정完刊本으로서의 권위를 지니며, 解說本은 本格硏究로서의 깊이를 지닌다. 또한 民族社本은 初版의 재현을 시도한 萬海뻬硏究會의 決定本(definitive edition)이라는 점에서 각각 중요성이 인정된다. 그럼에도 불구하고 全集本은 初刊本과 表記의 차이에 따른 詩的 語感(nuance)의 喪失이 지적된다.

먼저 全集本은 본격 완간본 全集이면서도 인용 版本에 대한 검토가 없으며 再版本 및 進明文化社本을 많이 참고하여[35] 무리한 현대어 표기를 襲用함으로써 初刊本에서의 古典情感 및 方言에 의한 鄕土的 情感을 많이 감소시키고 있다.[36] 또한 萬海 個人詩語인 「긔루어요」를 「괴로워요」로(17) 「운명의 가슴에서」를 「운명의 섬에서(42)」 등으로 誤解한 점은 큰 오류로 지적되며 한자를 임의로 한글표기한 것은 原本의 정확한 再構를 이룩하지 못하는 원인이 된다.

全篇解說本은 판본의 비교 대조를 통해 註釋과 解說을 시도함으로써 비교적 정확한 原文의 校閱本(critical text)을 이룩하였다. 그러나 여기서도 漢字를 원본과는 달리 적당히 任意로 사용하는 越權과 무리를 찾아볼 수 있으며

---

34) 별표 進明·正音本이 거의 同一하다.

35) 재판본에 관한 것은 송욱 교수의 지적이 있으며 進明本을 참고하였음은 별표의 예시 3,4,16,17,27,30,32,45,52,60,71,88, <독자에게>의 현대어 표기가 동일한 점에서 나타난다.

36) ／수리박휘→수레바퀴(10)로, 시친듯→씻은듯으로(27), 갈궁이→갈고리로(45), 반비식이→비슥이(81), 슬치는→스치는(3)／으로 고친 것 등이 어감의 감소를 보여준다.

誤植이라고 생각하기 어려운 漢字의 誤記도 발견된다.[37]

民族社本은 지금까지의 판본과는 달리 初版本의 완전한 복원을 목표로 하여 원문 체제와 표기를 살리면서 현대적인 안목의 定本을 確定하려 시도했다는 점에서 意義를 지닌다. 漢字表記의 同一함과 <군말>의 붉은 인쇄, 그리고 만해의 個人語法을 최대한 살리려 노력한 점은 定本으로서 손색이 없을 정도이다. 그러나 凡例를 수록하는 길에 기왕 판본에 대한 해설이 첨가되었으면 어떨까 하는 점과 그 밖에도 몇 가지 오류가 발견된다는 점[38]이 아쉬운 점으로 남는다.

이렇게 본다면 詩集『님이 沈默』은 國語의 표기 변화·印刷術 및 活字의 변화에 따라 현대어적 전한 과정인 中期本에서 진통과 오류를 겪은 다음, 근년에 이르러『全集』을 거쳐『全篇解說』과 民族社本에서 비로소 原本에 가까운 再構가 어느 정도 이루어진 것이라 판단된다. 참고로 판본을 계열화하면 다음과 같이 정리된다.

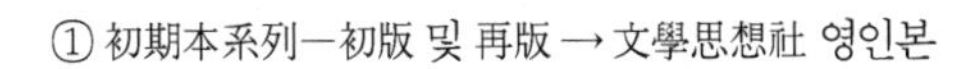

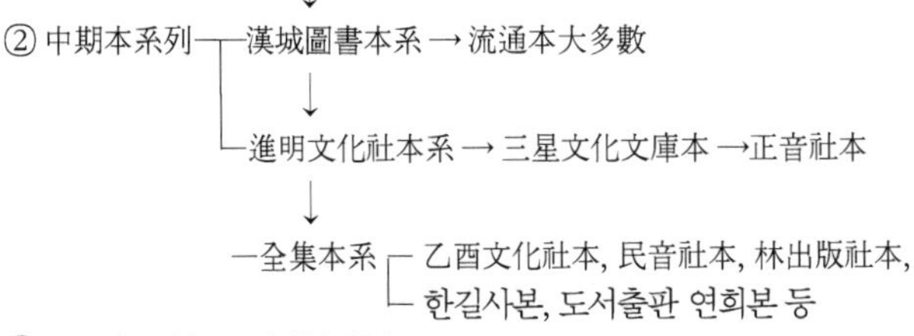

③ 近年本系列 —全篇解說本 / 民族社本 — 初版 및 再版 주로 참고

---

37) <타골의詩(Gardenisto)를 읽고>를 <The Gardener>로 고쳐 썼으며 /歡樂/을 세번 모두 /歡喜/로 誤記하고 있다. 송교수가 미처 발견 못한 원본의 오류는 앞에서 지적한 바 있으므로 생략한다.

38) 민족사본의 오류는 원본의 誤字 /狡滑/을 그대로 쓰고(32) 원문의 '나는' (64)을 탈락하고, 그리고 /기름가튼 검은바다/(74)에서 '검은'을 탈락하고 있다.

(2) 表記體系의 特徵

詩集『님의 沈默』의 表記體系는 版本에 따라 차이가 난다. 初期本系는 開化期的 표기의 殘影이 남아 있으며, 中期本系는 解放空間의 과도적 표기의 혼란상이, 그리고 近年本系는 現代的 語法의 영향이 짙게 나타난다. 그러나 이러한 表記體系의 變化는 萬海 자신에 의한 자발적인 것이 아니라, 時代의 轉移에 따른 國語表記 및 正書法의 변화 그리고 印刷術 등 外部的 要因 및 版本 편찬자의 능력에 基因한 편차인 것이다. 따라서 萬海語法의 變化過程을 추적하여 한국어 문장의 발전을 구명해 낸다는 것은 불가능한 일이다. 이것은 萬海 자신이 시집『님의 沈默』이후時調·漢詩 외에는 自由詩를 발표하지 않음으로써 詩의 변모과정 내지 表記體系를 추적할 수 없는 사정과 좋은 대응이 된다. 그러므로 版本 사이의 表記體系의 異同을 연구하는 것보다는 初版本 表記의 특징을 통하여 萬海의 個人語法 내지 表記體系의 편모를 살펴보는 것이 유익한 일이라 생각된다.

첫째, 띄어쓰기의 문제인데, 이것은 正書法과 관련을 갖는다는 점에 중요성이 있다. 萬海 詩의 띄어쓰기는 매우 불규칙하며 당대의 岸曙·頌兒·素月·巴人 등의 詩人들의 띄어쓰기와도 매우 다르다. 일반적으로 이들의 詩는 民謠詩를 지향한 韻律的 배려로 인해 定型詩에 가까운 律格을 지니므로 자연히 3·4調 등으로 띄어쓰기가 이루어갔다.[39] 그러나 萬海는 줄글 형태의 散文詩的 형태를 주로 하기 때문에 자연히 氣息群(breath group)의 편의에 따라 적당적당 띄어쓰기를 시도한 것으로 보인다. 따라서 萬海의 띄어쓰기는 매우 혼란된 양상을 보이는 것이 사실이며, 그로 인해 철자법도 띄어쓰기 구분에 따라 소리나는 대로 표기하게 된 것이다. 萬海의 띄어쓰기는 대략 체언과 조사(특히 주격과 주제격) 및 접속의 부사어 등을 한 단위로 띄고, 관형격·목적

39) 吳世榮,『韓國浪漫主義詩硏究』(서울: 一志社, 1980) pp. 63~95 참조.

격 조사와 관형어, 부사어 등 수식언은 用言과 합쳐 표음 위주의 표기로 연결해서 묶어 쓰는 경우가 많다.

> 비는 가장큰權威를가지고 가장조흔機會를줌니다
> 비는 해를가리고 세상사람의눈을 가림니다
> 그러나 비는 번개와무지개를 가리지 안슴니다
>
> <비>에서

任意로 뽑은 例詩에서 보듯이 띄어쓰기는 앞에서 지적한 것과 비슷한 無原則의 原則을 지니는 것으로 보인다. 또한 ／ 조흔／ 줌니다／ 안슴니다／ 처럼 소리나는 대로 철자를 표기하고 있다. 이러한 철자의 표기 또한 띄어쓰기처럼 불규칙한 대로 규칙이 있는바, 특히 받침에 있어 8終聲(ㄱ, ㄴ, ㄷ, ㄹ, ㅁ, ㅂ, ㅅ, ㅇ)만을 사용하고 있다.[40] 또한 硬音표기에 있어 ㅼ(ㄸ)／ ㅺ(ㄲ)／ ㅽ(ㅃ)／ㅾ(ㅉ) 등 古語의 合用竝書[41]로 되어 있고 사이시옷(ㅅ) 관형격 조사 내지 경음부호로 사용되고 있는 것[42] 등이다. 또한／ 리별／ 련ᄭᅩᆺ／ 등 頭音法則에 어긋나는 語頭 ㄹ·ㄴ 등의 使用과(특히 『님의 沈默』 전편에서 「리별」을 고수한 것), ／ 픠어서／ 봄긔운／ 긔루어서／ 등의 複母音을 사용한 것 등은 萬海의 특이한 어법의 표현으로 보인다.

둘째, 漢字表記와 관련된 詩語에 대한 感覺을 들 수 있다. 먼지 漢字表記의 문제인데 漢字表記는 그의 著作體系에서 國漢文의 文體變異를 추지할 수 있는 것처럼[43] 『님의 沈默』의 漢字 빈도에 의한 詩文體類型을 엿볼 수 있다. ① 漢字語는 습관적으로 漢字로 표기한 작품 <滿足)<눈물> 등의 漢文套型

---

40) 갓습니다／숩을／거러서／돌러노코／사러젓슴니다(1), 십흡니다／ᄭᅩᆺ밧헤는／(9) 등
41) ᄭᅢ치고／알ᄯᅳᆯ한／ᄲᅣᆷ／ᄶᅥᆯ너서／ᄯᅥ날／ 등의 例
42) 등ㅅ불／ 쇳ㅅ대／ 잔물ㅅ결／ 벼개ㅅ모／ 말ㅅ굽／ 하루ㅅ밤／ 바다ㅅ가／ 등
43) 沈在箕, 「萬海韓龍雲의 文體推移」『白史全光鏞博士 華甲紀念論叢』(紀念論叢刊行委員會, 1979) pp. 267~276.

과, ② 中間型으로서 이것은 漢字語는 可能한 한 漢字로 쓴 형태와 漢字와 한글이 聯에 따라 불균형을 이룬 형태로[44] 다시 구분할 수 있다. ③ 순한글 또는 題目이나 한두 核心單語만 漢字로 된 한글型을 들 수 있다. 이러한 형태의 混用은 『님의 沈默』이 短期間에 씌어진 것인가 持續的으로 씌어진 것인가에 대한 究明과 漢字·한글文章의 대응에 있어[45] 한글의 詩語的 可能性에 관한 문제 해명에 한 단서가 될 수도 있을 것이다. 순 한글 형태의 文法的 竝置性 및 代置性이 誘發하는 詩的 安定感 그리고 整齊된 形態美는 실상 한글의 詩的 可能性을 開發하기에 충분한 實例가 된다.[46] 특히 當代 初期詩壇의 流行詩語가 西歐的 觀念語에 짙게 浸潤된 漢字語套임에 비추어, 萬海의 한글型을 통한 國語美의 추구는 素月의 詩語와 함께 독보적인 것으로 판단된다. 이 점에서 또한 固有語 내지 鄕土的 方言의 과감한 사용이 萬海 詩의 優秀性을 立證하는 한 자료가 된다. 특히 忠淸方言의 과감한 사용은 素月의 北方의 鄕土的 리리시즘(lyricism)에 육박하는 호소력을 지닌다. ／발게버슨／ 새암／ 기서요／ 약할가버서／ 썰너서／ 싯분／ 너머／ 이질가／ 어엽분 등의 忠淸方言과／ 파겁못한／ 도리질／ 갈궁자／ 노르개／ 등의 固有語 사용은 土俗的 親近感을 유발하고 眞率性을 불러일으킴으로써 공감과 설득력을 고양하는 동인이 된다. 그러면서도 ／我空／三昧／刹那／禪師／大解脫／ 등의 佛敎語와 ／ 등의 自由戀愛／낡은女性／新世界／自由／등의 時代性을 反映한 어휘, ／키쓰／장미꽃／칸트／타골／ 등의 당대 유행의 外來語 등을 적절히 구사함으로써 현실적 긴장감도 잃지 않고 있는 것이다.

다음으로 萬海의 個人詩語의 독특한 용법의 문제이다. 이 문제는 앞에서

---

44) <樂園은가시덤풀에서><잠꼬대> 등의 詩.

45) 拙稿, 「韓國詩의 장르선택과 傳統性의 문제」≪忠北大論文集≫ 17집 (忠北大學校, 1978)

46) 漢字가 많은 것은 觀念的 思辨的인 데 비해 한글시는 전통적 서정을 표출한 경우가 많다.

지적한 方言 사용 및 正書法과 밀접히 관련은 갖지만, 항목으로 독립시킨 것은 이러한 個人語體를 初期詩壇에서 거의 볼 수 없다는 점에 연유한다.

①오시랴도 길이막혀서 못오시는 당신이 긔루어요
<길이막혀>에서
②내가 당신을 긔루어하는 것은 까닭이 없는것이 아니요
<사랑하는까닭>에서
③ 당신을 그리워하는 슯음은 곳 나의 생명인 까닭입니다
<의심하지마셔요>에서
④나는 해저믄벌판에서 도러가는 길을 잃고 해매는 어린羊이 긔루어서 이 詩를 쓴다
<군말>에서 (傍點一筆者)

引用詩에서 /긔루다/는 /그립다(그리워하다: 戀慕)/로 쓰이면서도 따로 /그리워하는/이 사용되고 있다. 또한 ④에서는 무엇이라고 규정하기 어려울 미묘한 의미(대략 「사랑스럽고 불쌍한」의 의미?)로 사용되고 있다. 여기에서 /긔루다/는 萬海의 詩에서 특징적으로 드러나는 個人的 固有語法임에 틀림이 없다. /긔루다/ 이외에도 /슬치다/목마친/써로다/ 및 /참어/ 등의 萬海 個人詩語의 특이한 用法이 있다.

푸른산빗을깨치고 단풍나무숩을향하야난 적은길을 거러서 참어 썰치고 갓습니다
<님의 沈默>에서
그럼으로 사랑은 참어죽지못하고 참어리별하는 사랑보다 더큰사랑은 업는 것이다
<리별>에서

위의 두 시에서 /참어/[47]는 「차마」라는 부사적 용법으로도 쓰이는 반

면 「참다」(忍)의 부사형으로도 쓰이고 있다. 또 두 가지로 다 쓰일 수 있는 섬세한 語法의 특징을 보여 준다는 점에서 이것도 萬海의 個人的 固有語法이 된다. 20년대 초기 시단에서 이러한 個人詩語 및 固有語法을 가진 특유한 시인으로서의 萬海는 그 어느 당대의 專門詩人보다도 詩史的 우위에 놓일 수 있음이 확실하다. 따라서 萬海의 表記體系와 詩語感覺 및 固有語法은 개화기 이래 현재까지의 國語의 語法 변천과 詩的 意味의 深化와 擴大 과정을 한눈에 살펴볼 수 있는 좋은 자료를 제공한다.

지금까지 살펴본 것처럼 『님의 沈默』의 연구에 있어 版本의 確定은 그 學問的 정확성을 확보할 수 있는 첫걸음이 된다. 실상 本稿에서 지적한 해방 후 版本의 誤謬는 『님의 沈默』뿐만 아니라 『진달래꽃』 등 이름있는 시집들에 있어서도 마찬가지 사정일 것이다. 이러한 版本에 대한 書誌的인 연구 그 자체가 문학 연구는 될 수 없지만 격동기를 거쳐온 한국 新文學史研究에 있어선 불가결의 선결요건이 아닐 수 없다. 특히 萬海의 경우는 日帝下의 初期本, 광복 후의 中期本 및 최근의 近年本의 변천과정을 고찰함으로써 萬海의 詩에 대한 感覺 및 表現에 대한 미세한 편차를 확인할 수 있었다. 萬海 詩集의 여러 版本의 異同을 통해서 오히려 國語의 表記體系 및 印刷文化의 변화 과정까지도 가늠할 수 있었던 것이다. 『님의 沈默』 版本의 다양한 異同은 지금까지의 무분별한 轉載式 選詩集 發刊과 原典의 典考 없는 많은 『님의 沈默』 연구에 반성을 요구한다.

---

47) "참어"에 관한 考察로는 김현. 「시인의 말씨」 ≪心象≫ 60호(1978.9) pp. 54~58.참조

Ⅲ. 장르的 接近

1. 漢詩

(1) 漢詩 槪觀

萬海의 漢詩는 현재 164首가 전해지고 있다.[1] 이것은 『님의 沈默』 88篇의 두 배 가까운 숫자이며, 『님의 沈默』이 1925년 한 해에 집필된 데 비해 이것은 韓日合邦 前後부터 1939년까지의 약 30년간에 걸쳐 씌어졌다. 대략 作品內容과 年譜를 종합하여 創作時期를 推定해 보면 出家·受戒(1905.1.26 雪嶽山 百潭寺)부터 日本旅行(1908.4～10) 前後까지의 初期詩와, 『朝鮮佛敎維新論』 脫稿(1910.12) 이후 滿洲亡命(1911.8) 寺刹巡禮를 거쳐 ≪惟心≫誌까지의 中期詩, 그리고 己未獨立運動 이후부터 回甲(1939.7.12)에 이르는 後期詩로 구분할 수 있다. 汎博하게 살펴보면 初期詩는 ／海國兵聲接絶嶙 眞倒湖

1) 以下 漢詩는 『萬海先生詩集』(서울: 寶蓮閣, 1975) 그리고 『全集』 卷一 所收의 原文과 李元燮의 번역을 많이 참조하였다.
李丙疇는 萬海遺稿인 「雜著」에 147首, 崔凡述影印 『卍海先生詩集』에 보충한 3首, 그리고 李元燮 번역본인 『全集』 추가 14수 및 송광사 사진판 2수가 있어 도합 166首가 된다고 주장한다.

山飛欲去／(<避亂途中滯雨有感>)와 같이 日帝의 侵略에 대한 울분을 토로하거나, <映湖和尙에게 보내 面識이 없는 뜻을 나타내다>(贈映湖和尙述未嘗見)처럼 佛家의 交友에 대한 바램을 피력한 작품이 많다. 또한 <登禪房後園>, <山家曉日>, <玩月> 등과 같은 自然觀照의 시와 <馬關舟中>, <和淺田教授> 등 日本紀行詩가 대부분이 시기의 작품이다. 中期詩는 <京城逢映湖錦峯兩佰同唫二首>, <仙巖寺病後作二首>, <榮山浦舟中>, <藥師庵途中> 등 山寺生活과 交友生活을 주로 한 작품으로 疑情頗釋의 眞理를 깨우쳤다는 <丁巳十二月三日夜十一時頃坐禪中忽聞風打墜物聲疑情頓釋仍得一詩>(1917.12.3)가 그 代表作이 된다. 後期詩는 3·1 運動後 獄에서 쓴 <獄中感懷>, <病監의 後園> 등 獄中詩와 <新聞廢刊>, <安海州>, <黃梅泉> 등의 先烈詩 등을 포괄한다. 여기에서 한 가지 문제가 되는 것은 後期詩가 비교적 긴 기간에 걸쳐 있는 데 비해 篇數가 비교적 적다는 점이다. 이것은 萬海가 出獄(1922.3) 후엔 주로 講演과 團體活動(新幹會·卍黨 등) 및 ≪佛教≫誌 경영 등 社會啓蒙活動에 진력하였으며, 더구나 이 시기에 『님의 沈默』 집필과 論規 및 隨筆寄稿, ≪黑風≫을 連載하는 등 小說創作에 주로 힘을 기울였기 때문인 것으로 판단된다. 따라서 漢詩는 『朝鮮佛教維新論』, 『佛教大典』 등 大著가 집필되던 시기에 역시 가장 왕성하게 創作되었으며, 20년대 이후엔 國漢文混用表記(한글 統辭構造의 것)와 한글로 저술이 이루어졌기 때문에 漢詩보다는 時調·現代詩가 주로 씌어진 것을 알 수 있다. 이렇게 볼 때 漢詩는 萬海의 生活過程이 직접 간접으로 表出된 生活詩로서의 의미를 지니는 것이다.

詩體別로 살펴보면 古體詩는 5首뿐이고 나머지 159首는 近體詩로서 絶句 125首(五言 60首, 七言 65首)와 律詩(五言 11首, 七言 23首)로 돼 있다. 이것은 비교적 자유로운 형식의 古體詩보다는 平仄과 句數 및 字數에 일정한 법칙이 있는 近體詩가 韓國漢詩의 主流였기 때문에[2] 萬海도 별다른 생각없이 이에 따른 것으로 보인다. 따라서 萬海 漢詩는 形態의 變化나 韻의 破格을 시

2) 전형대 外, 『韓國古典詩學史』(서울: 弘盛社, 1979.10) pp. 360~361.

도하지 않고 있으며 用事[3]를 많이 활용하고 있다.

漢詩에 나타나는 用事의 중요한 예를 뽑아 정리하면 다음과 같다.[4]

萬海詩		古典	
題目	句節	作家·作品	句節
<別玩豪學士>	萍水蕭蕭不禁別	王勃<滕王閣序>	萍水相逢
<秋夜雨>	吹起香灰	李遠	秋風吹起九皐禽
<即事>	杲杲	『詩經』	杲杲出日
<暮歲寒雨有感>	盡地又滄溟		桑田碧海의 故事
<雪曉>	乾坤歷歷浮	杜甫	乾坤日夜浮
<獨金>	渺渺	蘇軾<赤壁斌>	渺渺兮余懷
<曉景>	木羽然更做夢	莊子	夢爲胡蝶木羽木羽胡蝶
<宮島舟中>	桃源	陶淵明<桃花源記>	桃源
<思夜聽雨>	雁書		蘇武의 故事
<遣悶>	須彌納芥	『華嚴經』	
<養眞庵>	別有地	李白<山中問答>	別有天地非人間
<巴陵漁父棹歌>	滄浪曲	屈原(漁父辭>	
<過九曲嶺>	去天無尺	李白<蜀途難>	連峯去天不盈尺
<一日與隣房通話~>	僱山鸚鵡能言語	唐詩	僱山鸚鵡能言語
<秋懷>	水莖白髮又秋風	張說	一夕秋風白髮生
<見櫻花有感>	昨冬雪如花今春花如雪		去歲刑南梅似雪今年薊北雪如梅
<謹賀啓礎先生晬辰>	祝壽南山	詩經<小雅天保>	如南山之壽

이상 例文에서 우리는 用事의 특징이 『詩經』, 『華嚴經』 등을 제외하고는 주로 漢詩와 故事 및 成語에서 由來함을 알 수 있다. 이것은 在來의 漢詩가

3) 用事란 經書나 史經 또는 諸家의 詩文이 가지는 特徵的인 觀念이나 史述을 二·三의 語彙에 集約시켜서 元觀念을 補助하는 觀念蘇生이나 觀念倍化에 援用하는 修辭法이다. 崔信浩, 「初期詩話에 나타난 用事理論의 樣相」 『古典文學研究』 第一輯(韓國古典文學研究會, 1973) p. 117.

4) 『全集』 卷一, 李元燮의 註釋을 주로 參考하였음.

經書와 史書의 典考에 얽매인 것과 비교해 볼 때 萬海의 詩가 훨씬 文學的 性向을 지니고 있음을 알게 해 준다. 또한 修辭的인 면에서 살펴보면 隱喩와 象徵이 많이 사용된다(傍點—筆者).

① 雄辯銀兮沈默金 此金買盡自由花 <一日與隣房通話~>
流水英雄淚 落花才子愁 <無題八首>
孤枕長夜聽崧琴 玉林垂露月如霰 <獨夜二首>
暮雨寒鐘伴送春 不堪壽髮又生新 <養眞庵餞春>

② 看盡白花正可愛 縱橫芳草踏烟露
一樹寒梅將不得 共如滿地風雪何 <贈古友禪話>
枯樹寒花收夜香 分明枝上冷精魄 <內院庵有牧丹樹古枝受雪如花因唫>

①에서는 「雄辯=銀, 沈默=金」이라는 평범한 隱喩가 들어 있다. 그러나 「自由花」란 말은 「自山=꽃」의 의미로서 성공적인 隱喩에 속한다. 自由의 소중함이라는 精神的 內包와 아름다움이라는 外延이 함축되어 있는 것이다. 또한 /松琴/玉林/ 등의 은유는 共感覺的 心象을 形成하여 審美的 價値를 高揚시킨다. 특히 마지막 例文에서 보듯이 /暮雨/寒鐘/蒼髮/ 등 觸覺, 聽覺, 視覺의 共感覺的 隱喩結合은 漢詩의 도처에서 想像力을 전개시키는 효과적 방법으로 활용된다. ②에서 「百花」와 「芳草」는 世俗的인 美와 經驗世界인 데 비해, 「寒梅」는 眞理 또는 理念的인 것이고 「風雪」은 현실적인 어려움의 상징인 것이다. 또한 다음 음 시에서는 「寒花」가 눈을 상징하며 「枝上冷精魄」은 눈꽃이 생명을 갖고 살아서 움직이는 精靈으로 擬人化되어 있는 것이다. 이러한 隱喩와 象徵이 漢詩에 많이 쓰이고 또 그것이 성공적인 것은 漢文이 갖는 意味의 幽玄性과 象徵的 깊이가 詩想과 잘 조화되기 때문인 것으로 보인다.

(2) 素材의 分析

漢詩의 特性은 무엇보다도 素材와 題材[5]의 多樣性에 있다. 이것이 우선『님의 沈默』과 다른 점이다.『님의 沈默』은 님에 대한 사랑을 노래한 것이기 때문에 자연히 素材가 좁혀질 수밖에 없다. 그러나 漢詩는 生活過程 전반을 形象化한 것이므로 素材가 다양해지는 것이다. 漢詩의 素材는 대략 自然, 時間, 佛事, 植物, 動物, 紀行, 風流. 現實, 人事 등으로 구분할 수 있다.

먼저 自然은 山, 川, 森, 海 등의 背景과 아울러 月, 雪, 雲, 雨, 등의 自然現象까지도 포괄하는 개념이다.

萬木森涼孤明月	숲은 썰렁한데 밝은 달빛이
碧雲層雪夜生溟	구름과 눈 비추니 완연한 바다
十萬珠玉收不得	나무마다 덮인 눈 하도 고와서
不知是鬼是丹青	조화(調和)인 줄 모르고 그림인가고

<次映湖和尙香積韻>

이 작품은 /森/月/雲/雪/木/溟/ 등 自然의 온갖 素材들이 결합하여 눈내린 숲속에 비치는 달빛의 아름다움을 묘사하고 있다. 자연에 대한 순수한 讚嘆이 표출돼 있는 것이다. 이중에서도 특히 달은 대표적인 田園象徵(natural symbo1ism)으로서[6] 자연의 아름다움과 인간의 本源的 그리움을 表出하는 觸媒로 활용된다.

蒼岡白玉出	산 위에 흰 달(白玉)이 불끈 솟으니

---

5) 여기서 素材(matter)란 글을 쓰는 데 필요한 여러 材料이며, 題材(subject matter)는 素材 중에서 中心이 되는 것을 의미한다. 여기서는 두 의미를 포괄하여 素材를 사용하기로 한다.

6) 이 점은 이미지論에서 論議되겠지만 萬海 想像力이 「달빛의 想像力」(lunar imagination)의 범주에 속해 있음을 말해 준다.

碧潤黃金遊　　시내에는 황금빛 찬란히 빛나고
山家貧莫恨　　산골사람 가난을 한하지 말라
天寶不勝收　　하늘이 주는 보배 끝이 없거니!

<月初生>

이처럼 달빛은 자연의 아름다움을 나타내는 대표적 心像이며 동시에 인간의 靈魂을 감싸 주는 安息處의 表象이기도 하다. 대부분의 漢詩가 田園的 素材로 가득차 있는 것은 萬海의 詩精神이 抒情性에 基底하고 있음을 말해 준다.

漢詩에는 自然과 時間이 素材로서의 상대적 중요성을 지닌다. 시간이란[7] 시의 背景으로도 중요하지만 對象(object)으로서도 의미가 있다.

萬海 漢詩에서 시간은 夕陽, 밤, 새벽이 중심을 이루며 계절적으로는 겨울, 가을, 봄의 순서로 나타난다.[8] 이러한 時間的 素材들은 田園的 素材들과 같이 喚情性을 지니는 것이 특징이다.

① 山窓睡起雪初下　　일어나니 창밖에는 흰눈 날리어
況復千林欲曙時　　온산을 가득 메웠구나 이 새벽 녘
漁家野戶皆圖畫　　마을집 아득하여 그림 같은데
病裡尋詩情亦奇　　샘솟는 시정에는 病도 잊느니

<山家曉日>

---

7) H. Meyerhoff에 의하면 時間은 客觀的 개념인 自然的 時間(objective time)과 經驗의 배경으로 의식되는 經驗的 時間(private experience time)으로 구별된다. 自然的 時間이란 事象의 因果關係에 의해 直接性으로 나타나는 데 비해 經驗的 時間은 獨自的인 個人的 秩序로 나타난다 한다. *Time in Literature*(Berkeley: Univ. of California Press. 1974) p. 5. 萬海의 時間은 印象的이라는 점에서 다분히 經驗的 時間에 속한다.

8) 대낮과 여름이 素材로 등장하지 않는 것은 상상력이 달빛의 想像力에 기초할 뿐 아니라 情緒 역시 理智나 熱情보다는 抒情과 瞑想에 자리잡고 있기 때문인 것으로 풀이된다. 金禹昌도 萬海 漢詩가 주로 "고요와 靜止의 傳統的 詩想에 근거하고 있음"을 지적한 바 있다. 『地上의 尺度』(서울: 民音社, 1981) pp. 202~214.

② 床頭禪味澹如水　　禪에 드니 담담하기 물 같은 심정
吹起香灰夜欲闌　　향불 다시 피어나고 밤도 깊은 듯
萬葉梧桐秋雨急　　문득 오동잎 두들기는 가을 빗소리
虛窓殘夢不勝寒　　새삼스레 으스스 밤이 가구나

<秋夜雨>

①에서는 ／山／雪／林／野／ 등의 田園的 素材가 ／새벽／이라는 時間的 背景과 결합되어 더욱 新鮮하고 抒情的인 詩想을 형성한다. 시가 저절로 써질 수밖에 없는 분위기인 것이다. ②에서도 ／가을／밤／이라는 두 時間的 素材가 詩想의 뼈대를 이룬다. 여기에 ／禪／香／梧桐／雨／라는 補助心像들이 연결되어 가을밤의 禪的 寂寞感을 효과적으로 表出하게 되는 것이다. 또한 <重陽>, <冬至> 등의 시처럼 節候가 직접 시의 제목이 된 경우도 있다.

佛事도 빈번히 나타나는 素材이다. 이것은 萬海의 생활이 佛事를 중심으로 전개됐기 때문에 당연한 일이다. 여기서 佛事란 僧侶와 佛寺 및 禪 등을 포괄하는 개념이다.

宇宙百年大活計　　우주의 크나큰 조화로 하여
寒梅依舊滿禪家　　禪院 가득 예전대로 梅花가 벌어
回頭欲問三生事　　머리 돌려 三生의 일 물으렸더니
一秋維摩半落花　　한 가을 維摩네집 반은 꽃졌네

<觀落梅有感>

이 시는 ／禪家／三生／維摩 등 佛家的 詩語가 ／梅花／와 詩的 照應을 이룬다. 이러한 佛事素材의 시로는 <釋王寺逢映湖乳雲兩和尙作二首>, <內院庵有牧丹樹古枝爻雪如花因唫>, <訪白華庵>, <養眞庵餞春>, <養眞庵臨發贈鶴鳴禪伯二首>, <仙巖寺病後作二首>, <香爐庵夜唫> 등 많은 작품이 있다. 여기에서 漢詩는 萬海의 佛家的 交友關係와 行蹟이 선명히 드러

남을 알 수 있다. 그러나 佛事의 시에는 佛教的 求道나 精進 혹은 說法이 깊이 있게 표출되지 않은 점에 특징이 있다. 시의 배경이나 분위기를 형성하는 素材的 수단으로 사용될 뿐 佛道의 專門的 修道나 布教와는 비교적 관련이 없는 것이다.[9]

또한 植物과 動物(주로 鳥類)도 중요한 소재가 된다. 식물은 특히 梅花, 菊花 등이 主를 이루며 梧桐, 松, 竹 등 古典情感의 소재가 많이 나타난다.

群峯蝟集到窓中	봉우리 창에 비쳐 그림인 듯하고
風雲凄然去歲同	눈바람 몰아쳐 지난해인 듯
人境寥寥晝氣冷	인경이 고요하고 낮기운 찬 달
梅花落處三生空	매화꽃 지는 곳에 三生이 空이어 라

<山晝>

天下逢未易	천하에서 만나기도 쉽지 않네만
獄中別亦奇	옥중에서 헤어짐도 또한 기이해
舊盟猶未冷	옛 맹세 아직도 식지 않거든
莫負黃花期	국화와의 기약을 저버리지 말게

<贈別>

梅花와 菊花는 서로 對照的으로 나타난다. 梅花는 봄이 표상하는 희망과 보람을 주로 뜻한다. 菊花는 가을이 의미하는 슬픔과 凋落의 이미지이다. 그러면서도 梅花는 勁寒孤節을, 菊花는 傲霜孤節을 의미하는 공통적인 象徵性을 지닌다.[10] 梅花는 ／待月梅向鶴／(<淸寒>) ／鶴守梅花月／(<無題·8>)

---

9) 이 점은 前述한 대로 萬海가 어디까지나 詩를 生活感情의 表出方法 내지 人生에 맛과 香氣를 더하는 餘技로 생각하였음을 말해 주는 것이 된다. 또한 이 점이 漢詩가 禪詩와 근본적으로 구별되는 점이기도 하다.

10) 정병욱은 梅花와 菊花가 古典詩 특히 時調에서 가장 많이 나타나는 까닭이 꽃들이 지닌 아름다움 때문이 아니라 다른 꽃들의 나약함을 비웃는 그 속성을 찬양하는 마음 때문이라는 점을 강조한다. 「고전시가의 특질」『한국고전 시가론1(서울: 신

등과 같이 鶴, 月과 客觀的 相關性을 이룬다. 또한 菊花는/南國黃花北地雁/(<遠思>)/南國黃花早未開 雁影山河人似遠/(<香爐庵夜唫>)과 같이 기러기와 의미 연관을 맺는다. 이처럼 梅花와 菊花는 鶴과 雁과 對應되는 典型的 象徵으로서 古典情感을 표출하는 傳統的 素材로 사용되는 것이다. 이외에도 桃花, 牧丹, 丹楓 등도 가끔 나타난다.

紀行도 중요한 소재이다. 佛寺의 巡禮와 아울러 日本旅行이 소재로 등장한다.

天涯孤與化爲愁	먼 異域 외로운 興은 시름이 되고
滿舟廷心自不收	배에 가득 봄의 情 걷잡지 못해
洽似桃源烟雨裡	모두가 보슬비 오는 桃源만 같아
落花餘夢過瀛洲	꿈인 듯 꽃지는 날 영주를 지나간다

<宮島舟中>

紀行詩는 旅路에서의 哀愁와 鄕愁를 주로 표출한다. 異域日本의 風物을 보며 느낀 感懷와 故國에 대한 鄕愁가 중요한 소재가 되고 있는 것이다. 이외에도 國內를 여행하며 쓴 시에는 <榮山浦舟中>, <漁笛>, (巴陵漁父棹歌> 등이 있다.

風流의 소재로는 詩와 酒가 主流를 이룬다.

春愁春雨不勝寒	봄시름과 봄비는 으스스 춥구나
春酒一壺排萬難	봄술 한 병이면 온갖 시름 잊으니
一酣春酒作春夢	봄술에 취하여서 문득 꿈꾸니
須彌納芥亦復寬	겨자씨에 수미산 넣어도 남네

<遣悶>

예로부터 술은 시와 짝하여 漢詩의 중요 소재가 되어 왔으며, 萬海 詩에도

구문화사, 1979).

그대로 나타난다. /詩酒人多病 文章客亦老/(<次映湖和尙>)라는 구절처럼 詩와 酒를 벗하여 사는 風流로운 삶이 묘사된다. 禪僧인 萬海의 시에 술이 많이 등장하는 것은 실제적인 의미보다도 風流的인 興趣를 북돋우는 媒介物의 성격을 지니는 것으로 보인다. 이런 점에서도 萬海 漢詩는 道學者의 것으로서보다는 전통적인 詩人墨客으로서의 浪漫的 色彩를 강하게 지니는 것이 특징이다.

다음은 現實的인 素材가 있다. 현실적 소재로는 獄中詩와 先烈詩 및 獻詩 등 人間事에 관한 것이 여기에 속한다.

四山圍獄雪如海　　감옥 둘레마다 퍼붓는 눈발
衾寒如鐵夢如灰　　이불은 차갑고 꿈도 추워서
鐵窓猶有鎖不得　　철창도 매어놓지 못하는가
夜聞鐘聲向處來　　어디서 들려오는 깊은 밤 종소리를

<雪夜>

匆匆六十一年光　　바쁘게 지난 예순 한 해
云是人間永劫桑　　이 세상엔 긴 생애라고
歲月縱令白髮短　　세월이 흰 머리를 가늘게 하고
風霜無奈丹心長　　풍상도 일편단심 어쩌지 못해
聽貧已覺換凡骨　　가난에 만족하니 凡骨로 바뀐 듯
任病誰知得妙方　　病을 버려두니 묘방을 누가 알랴.
流水餘生君莫問　　숲에 가득 매미소리
蟬聲萬樹趁斜陽　　사양 향해 가는 이 몸을!

<周甲日即興>

獄中詩는 囹圄의 狀況에서 겪는 現實的 艱難과 苦楚를 소재로 한다. /감옥/눈발/鐵窓/이불/鐘소리/추위/ 등 여러 소재가 삶의 어려움과 그에 대한 超克意志를 표출하고 있다. 현실적인 소재를 사용해서 씌어진 것으로는 獄中의 현실적 어려움을 노래한 것 이외에도 <安海州>, <黃梅泉> 등의 先烈에 대

한 讚揚과 追慕詩, <代萬化和尙輓林鄕長> 등의 輓詩, <謹賀啓礎先生晬辰> 등의 祝詩, 그리고 回甲에 即한 感懷를 읊은 即興詩가 있다. 이처럼 現實感覺도 萬海 漢詩의 중요한 소재가 된다. 이러한 素材의 多様性은 漢詩가 即景即事[11]를 주로 한 生活詩로 창작되었다는 사실을 말해 준다.

(3) 詩世界의 特徵

앞에서는 素材와 題材를 중심으로 詩의 片貌를 살펴보았다. 여기서는 詩를 內容的인 特性에 따라 몇 종류로 나누어 고찰해 보기로 한다. 漢詩는 주제별로 볼 때 思鄕의 詩, 賞自然의 詩, 禪感覺의 詩, 先烈詩, 獄中詩 등으로 구분할 수 있다.

思鄕詩는 故鄕에 대한 인간적 그리움을 노래한 시다.

歲暮寒窓方夜永　　한 해가 가려는데 밤은 길구나
低頭不侵幾驚魂　　뒤채이며 몇 번이나 놀라 깨었나
抹雲談月成孤夢　　구름 걸린 희미한 달 외로운 꿈을
不向滄洲向故園　　神仙 아닌 故鄕으로 마음 향하네

<思鄕>

寒燈未剔紅連結　　심지를 안 돋워도 등잔불 밝은 밤
百髓低低未見魂　　온몸은 혼곤하고 넋 또한 잃어
梅花入夢化新鶴　　꿈꾸니 매화가 학 되어 날고
引把衣裳說故園　　옷자락 이끌어 고향을 손짓 하네

<思鄕苦>

俗世를 떠난 修道僧으로서의 萬海가 修道過程이 어려우면 어려울수록 속

---

11) ≪惟心≫誌의 卷末 懸賞文藝募集에 "漢詩(即景即事)"라는 但書가 있다.

세의 고향이 그리워지는 것은 당연한 일이다. /不向滄洲向故園/이란 구절 속에는 思鄕이 理想鄕을 지향하는 것이 아니라 속세의 고향을 동경하는 것[12]임이 확연히 드러난다. 여기에서 상상력의 촉매가 되는 것이 「月」과 「燈」이라는 점은 흥미로운 일이다. 달빛과 등불의 불빛(光彩)은 萬海에게 삶의 根源에 대한 그리움과 哀愁를 불러일으키는 內省的 集中의 實體化[13]인 것이다. 또한 <思鄕>은 <思鄕苦>처럼 단순한 그리움이 아닌 本源的인 渴望의 괴로움과 슬픔으로 변모하게 된다. 따라서 思鄕詩는 詠月詩로서 삶의 외로움과 쓸쓸함에 대한 客愁와 悲哀를 노래하게 되는 것이다.

賞自然의 詩란 自然의 아름다움을 觀照하고 安分하는 경향의 시를 말한다. 富貴를 浮雲으로 여기고 雅懷를 物外에 붙여 江湖生活 속에서 眞을 발견하는 것[14]을 일컫음이다. 官能的 享樂의 風流를 배격하고 抒情으로서의 自然의 美를 발견하려는 전통적인 自然觀인 것이다.

十里猶堪半日行	십 리도 반나절쯤 구경하며 갈 만도 하니
白雲有路向幽長	구름 속 오솔길이 이리도 그윽한 줄이야
緣溪轉入水窮處	시내 따라 가노라니 물도 다한 곳
深樹無花山自香	꽃도 없는데 숲에서 풍겨오는 아, 山의 香氣여

<藥師庵途中>

遠林烟似柳	먼 숲에 안개 끼니 버들인 양하고
古木雪爲花	눈 내린 고목에는 꽃이 피었네
無言句自得	이것은 자연의 詩가 아닌가
不奈天機多.	하늘의 조화는 끝이 없어라

<曉日>

---

12) "越鳥는 南枝를 思하고 胡馬는 北風을 嘶하느니 此는 其本을 忘치 아니 함이라 動物도 猶然하거든 況萬物의 靈長인 人이 어찌 其本을 忘하리요"라는 「朝鮮獨立의 書」의 구절은 이에 대한 좋은 示唆를 제공한다. 『全集』 卷一, p. 358.

13) 바슐라르에 의하면 불빛의 實體化는 깊고 지속적인 것(profond et durable)으로서 實體의 集中作用(concentration substantielle)을 가능하게 하는 것이라 한다. *La Psych -analyse du Feu*(Paris: Gallimard, 1949) pp. 106~107.

14) 崔珍源, 『國文學과 自然』(서울: 成均館大學校 出版部, 1977) p. 45.

自然 속에 沒入할 때 자연은 스스로 생명을 가지고 인간에게 다가온다. /꽃도 없는데 숲에서 풍겨오는 아, 山의 香氣여(深樹無花山自香)/이라는 구절은 賞自然의 眞髓를 터득한 깊이있는 美意識의 發現이다. 또한 자연의 아름다운 풍경을 한 편의/자연의 詩/로 볼 줄 아는 눈과 大自然 속에서 宇宙의 調和와 秩序를 感知할 수 있는 詩魂[15]은 실로 값진 것이 아닐 수 없다. 이 점에서 萬海 漢詩에 있어서의 傳統의 계승과 深化가 새롭게 논의될 수 있는 것이다.

禪感覺의 詩란 시 속에 삶에 관한 究竟的 探究와 認識이 담겨져 있는 시를 말한다. 萬海의 漢詩에는 『님의 沈默』에서 찾아보기 힘든 禪的 깨달음과 瞑想이 곳곳에 直敍되어 있다. 이것은 漢詩가 詩的 表現과 詩想이 分離되지 않고 合著됨으로써 禪의 세계를 표현하는 데 적합한 形式이기 때문[16]인 것이다.

① 男兒到處是故鄕	남아란 어디메나 고향인 것을
幾人長在客愁中	客愁에 갇힌 사람 그 얼마인가
一聲喝破三千界	한마디 버럭 질러 三千世界 뒤흔드노니
雪裡桃花片片紅.	눈 속에 복사꽃 붉게 흩날리네

<丁巳十二月三日夜十時頃坐禪中忽聞風打墜物聲疑情頓釋仍得一詩>

② 一念但覺淨無塵	물처럼 맑은 심경 티끌하나 없는 밤
鐵窓明月自生新	철창으로 새로 돋는 달빛 고와라
憂樂本空唯心在	근심 걱정 모두 허공, 마음만 있으니
釋迦原來尋常人.	석가도 원래는 보통사람인 것을

<獄中感懷>

---

15) 天地의 心이 숨쉬면 言語가 나타나고 言語가 나타나서 文章의 모습을 맑게 드러낸다. 物의 形體가 確立되면 스스로 文彩가 形成되고 音聲이 發하게 되면 音樂性이 나타나게 된다. 意識이 없는 萬物도 이와 같이 盛大한 裝飾이 있다.(下略) 劉勰, 『文心雕龍』「原道」(서울: 玄岩社, 1976) pp. 8~11.

16) 高亨坤. 『禪의 世界』(서울: 三英社, 1977) p. 382.

①詩는 五歲庵에서 坐禪中에 물건이 바람에 날려 떨어지는 소리를 듣고 오랫동안 의심하던 것들에 대한 眞理를 깨우쳐서 쓴 시라고 한다. 世俗의 故鄕을 그리워하는 思鄕의 시가 아니라, 마음의 고향인 道의 世界가 萬物 자체 속에 자리잡고 있음에 대한 깨달음[17]의 시인 것이다. 이러한 깨달음이 /한마디 버럭 질러 三千世界 뒤흔드노니/와 같은 할(喝)의 聽覺心像을 통해 劇的으로 표출되어 있으며, 이것이 結句에서/눈 속에 복사꽃 붉게 흩날리네/라는 視覺心像과 結合함으로써 詩的 昇華를 얻게 되는 것이다. ②詩도 삶의 憂樂이 모두 空이라는 깨달음과 함께 佛性을 갖는 人間의 普遍性에 대한 새삼스런 인식을 표출한다. 이론으로 따져 배우고 아는 것이 아니라 囹圄의 쓰라린 苦楚를 몸소 體得하고 깨달음으로써 自信·自肯·自證·自得[18]의 禪定의 境地를 보여 주는 것이다. /물처럼 맑은 心境/철창으로 새로 돋는 달빛 고와라/라는 구절 속에는 脫俗한 禪僧의 모습을 그려 볼 수 있게 한다. 그러므로 /석가도 원래는 보통사람인 것을(釋迦原來尋常人)/이라는 人間의 本原性에 대한 깊은 洞察을 평범하게 서술할 수 있게 되는 것이다. 見性의 宗敎的 깨달음을 표출하면서도 萬海 漢詩가 예술성을 잃지 않는 이유는 이러한 佛敎的 認識이 그것 자체로서 표출되는 것이 아니라 詩的 補助心像들과 적절히 결합하고 있기 때문인 것으로 판단된다.

先烈詩는 忠節과 氣槪의 至高함을 찬양한 시로서 安重根과 黃玹 통해 參與意識을 표출하고 있다.

就義從容永報國	당당히 義에 나아가 나라 위해 죽으니
一瞑萬古劫和新	萬古에 그 절개 새롭게 꽃피네
莫留不盡泉臺恨	못다한 恨은 남기지 말라

17) 小林一郎著, 『維摩經講義』 李法華譯, 上卷(서울: 靈山法華寺出版部, 1979) pp. 369~370. 無處是菩提無形色故 假名是菩提名子空處 如化是菩提

18) 高亨坤, *op. cit.*, pp. 78~79.

大慰苦忠日有人　　　　그 忠節 위로하는 사람 많으리니

<黃梅泉>

萬斛熱血十斗膽　　　　萬석의 뜨거운 피 열 말의 膽!
淬盡一劒霜有韜　　　　한 칼을 버려 내니 서리가 뻗쳐
霹靂忽破夜寂寞　　　　고요한 밤 갑자기 벼락이 치며
鐵花亂飛秋色高　　　　불꽃튀는 그곳에 가을하늘 높아라

<安海州>

周知하다시피 梅泉 黃玹(1855~1910)은 鄕里에 隱居하면서도 현실을 날카롭게 비판한 著書『梅泉野錄』을 남기고, 韓日合邦에 抗拒하여 자살한 韓末의 대표적 愛國志士이다. 또한 安重根(1879~1910)도 侵略의 元兇인 伊藤博文을 暗殺하고 殉國한 愛國志士이다. 萬海가 이들 殉國先烈에 대한 追慕와 讀揚의 시를 쓴 것은 萬海 자신의 忠節과 氣魄에 대한 確信과 決意를 갖기 위한 다짐 때문인 것으로 보인다. 따라서 祖國의 어두운 현실에 대한 날카로운 비판과 民族意識이 시의 밑바탕에 자라잡게 되는 것이다.

獄中詩는 囹圄生活의 괴로움과 한께 칼날 같은 志操와 抵抗精神을 표출한 시를 말한다.

① 十年報國劒全空　　　　나라 위한 십 년이 허망해지고
只許一身在獄中　　　　겨우 한몸 옥에 갇혔네
捷使不來虫語急　　　　기쁜 소식 안 오고 벌레울음만 요란하니
數莖白髮又秋風　　　　몇 오리 흰 머리칼 가을바람에 나부끼네

<秋懷>

② 瓦全生爲恥　　　　치사스럽게 사는 것은 부끄러운 일
玉碎死亦也　　　　玉으로 부서지면 죽어도 행복한 것을
滿天斬荊棘　　　　칼 들어 하늘 가린 가시나무를 베고

長嘯月明多　　휘파람 길게 부니 달만 밝구나

<寄學生>

①詩는 日帝에 맨손으로 抵抗하는 한 인간의 無力感과 限界意識, 그리고 고달픔과 저항없는 기다림이 표출돼 있다. 또한 목숨의 덧없음과 歎老의 쓸쓸함이 깊게 깔려 있다. 한편 ②詩에서는 義에 살고 苦難과 荊棘을 이겨 나가겠다는 超克의 意志가 번득이고 있음을 알 수 있다. 또한 <一日與隣房通話爲看守窃聽雙手被輕縛二分間卽唫>이라는 詩에서는 /이 金으로 자유의 꽃 모두 사리라(此金買盡自由花)/라는 구절처럼 自由에 대한 뼈아픈 갈망이 직접적으로 드러나 있다.

지금까지 살펴본 바와 같이 漢詩는 萬海의 人生과 思考가 직접적으로 표현된 生活詩임을 알 수 있다. 특히 思鄕詩는 萬海의 인간으로서의 진솔한 면모가, 賞自然의 詩는 전통적 선비 또는 詩人으로서의, 禪感覺의 詩는 佛僧으로서의, 先烈詩는 民族主義者로서의, 그리고 獄中詩는 獨立運動家로서의 모습이 각각 드러남으로써 萬海의 生活歷程과 人間像이 總體的으로 具現돼 있는 것이다.

2. 時 調

(1) 時調의 性格

현재까지 발견된 時調는 『全集』에 수록된 32首를 비롯하여 대략 35首 정도이다.[19] 이것은 漢詩나 現代詩에 비해 劣勢에 놓인다. 그러나 時調는 漢詩

---

19) 『全集』 수록 이외의 세 작품은 <還家>(≪佛敎≫ 84·85合倂號), <긴>(≪佛敎≫ 93號), (尋牛莊·三)(≪民聲≫ 제14권 9·10호) 등이 있다. 本稿에서는 수필 가운데 삽입돼 있는 時調는 다루지 않기로 한다. 왜냐하면 이 작품들은 수필의 일부분을 이룸으로써 시조로서의 獨自性이 없기 때문이다.

와 現代詩의 特性을 共有하고 있다는 점에서 중요성을 지닌다. 漢詩나 現代詩『님의 沈默』의 장르적 特性과 文學的 特質을 밝히는 데는 時調와의 相關關係를 면밀히 검토할 필요가 있기 때문이다. 또한 時調는 漢詩가 집중적으로 씌어진 1920년대 초에 첫 작품 <無窮花심으과저>≪≪開闢≫ 27호 1922.9)가 창작되고『님의 沈默』이후에 본격적으로 발표된다는 점에서 萬海 詩의 發展過程과 總體性을 구명하는 데 긴요한 자료가 된다.[20] 따라서 本項目에서는 時調의 特性을 살펴보고 아울러 漢詩와『님의 沈默』과의 連繫性을 드러내는 데 主眼點을 두기로 한다.

먼저 形式面에서 살펴보면 時調는 初·中章이 連結되고 終章이 分離되는 形式이 가장 일반적으로 사용된다.

따슨별 둥에지고 維摩經 읽노라니
가볍게 나는꽃이 글자를 가린다.
구태여 꽃밑글자를 읽어무삼하리오

<春晝·1>

이 형태는 初·中章이 前一大節로 分斷되고 終章이 後小節로 分立되는 가장 傳統的인 時調形式이다.[21] 이러한 前·後節 分斷性과 終章의 分立性은 音樂(唱)과의 관련성 때문에 형성된 것으로 韓國 古典詩歌, 특히 時調의 傳統的 特徵인 것이다.[22] 인용時調에서도 이러한 前·後節의 區分에 의한 意味와 形

20) 鄭漢模는 <心>(1918)에서『님의 沈默』(1926)에 이르는 거리를 <무궁화심으과저>(1922)한 편만으로 실마리를 풀기에는 막연함을 지적하여 時調에 관한 解明이 萬海詩의 發展過程을 추적하는 데 필요한 요건임을 示唆하였다.「萬海詩의 發展過程序說」≪冠嶽語文研究≫ 第一輯(서울대 國語國文學科, 1976) pp. 107~113.

21) 趙潤濟는 前大節, 後小節의 分斷性과 後小節 첫 구에 '아으' 등 感嘆詞가 붙는 것을 韓國詩歌形式의 基本理念으로 보았다.「時調의 終章 第一句에 대한 연구」『陶南雜識』(서울: 乙酉文化社, 1964) pp. 6~9.

22) 崔東元,『古時調研究』(서울: 螢雪出版社. 1977) p. 107.

式의 分立이 드러나 있다. 봄날에 悠悠自適하는 모습이 初·中章에 敍述되고 終章에 이르러는 閑興이 結構를 이루게 되는 것이다. 다음에는 3章이 각각 獨立的인 形態가 있다.

> 까마귀 검다하고 해오라기 희다말라
> 검은들 모자라며 희다고 남을소냐
> 일없는 사람들이 옳다 그르다 하더라
>
> <禪境>

이 時調는 初章에 命令型, 中章에 疑問型, 그리고 終章에 感嘆型 終結語尾가 각각 사용되는 分立性을 보인다. 初章에선 /검다·희다/, 中章에선 /모자르다·남다/終章에신 /옳다·그르다/가 각각 對應되는 形式인 것이다. 이와는 대조적으로 3章이 한 文章으로 連結되는 형식도 있다.

> 대실로 비단짜고 솔잎으로 바늘삼아
> 만고청청 수를놓아 옷을지어 두었다가
> 어즈버 해가 차거든 우리님께 드리리라
>
> <우리님>

이 형식은 時間的 推移에 따라 詩想을 전개하는 방법이다. 이 시조는/비단짜고/수를놓아/옷을지어/님께 드리리라/와 같이 단일한 내용이 漸層的 持續을 이루고 있다. 기타 變化를 시도한 형식도 발견된다.

> 山에가 玉을 캘까 바다에가 진주를 캘까
> 하늘에가 별을 딸까 잠에 들어 꿈을 꿀까
> 두어라 님의 품에서 기른 회포 풀리라
>
> <無題·12>

이 형태는 初·中章을 다시 前·後 네 句節로 分離하는 독특한 변화를 보여준다. 「ㄹ까」의 反復으로 音樂性을 誘發하고 終章에서 詩想을 整理하는 방법이다. 이 형식은 古時調에서 찾아보기 힘든 語感의 變化와 形態의 破格을 이룬다. 그러나 形式上의 變化에도 불구하고 內容面에서는 대부분의 시조들이 前·後節로 兩立된다는 점에서 傳統的인 範疇에 속함을 알 수 있다. 실상 終止法에 있어서도 疑問型, 感嘆型, 命令型, 敍述型 및 名詞型의 文語體가 活用됨으로써 萬海 時調가 傳統性에 接脈되어 있음을 말해 준다.

(2) 措 辭 法

萬海의 時調는 感覺的인 契機(moment)에서 發想法이 비롯된다.

① 가을밤 빗소리에 놀라깨니 꿈이로다.
오셨던님 간곳없고 등잔불만 흐리구나
그꿈을 또 꾸라한들 잠못이뤄하노라 <秋夜夢·1>

② 봄날이 고요키로 香을피고 앉았더니
삽살개 꿈을꾸고 거미는 줄을친다
어디서 꾸꾸기소리는 산을넘어오더라 <春晝·2>

③ 푸른山 맑은물에 고기낚는 저늙은이
갈삿갓 숙여쓰고 무슨꿈을 꾸었던가
우습다 새소리에놀라 낚싯대를 드는고녀 <溪漁>

①에서는 聽覺 「빗소리」가 想像力의 端初가 된다. 또한 「빗소리」는 現實을 일깨워 주는 수단으로서의 의미도 지닌다. 이 聽覺心像 「빗소리」는 中章에서 視覺心像 「등잔불」과 결합되어 그리움과 안타까움의 情緖를 불러일으킨

다. ②에서는 嗅覺心像인 「香」과 聽覺心像인 「구구기소리」가 共感覺的 心像(synaesthetic imagery)을[23] 形成하여 고요한 禪感覺을 表出한다. ③에서 「푸른山 맑은물」의 視覺的 이미지는 自然의 調和와 秩序를 표상한다. 더구나 「새소리에 놀라」라는 聽覺的 心像의 狀況 설정은 物外閑景의 寂寞感을 강조하기 위한 詩的 技巧인 것이다. 이처럼 感覺的인 心像의 共感覺的 結合은 詩의 發想法으로서뿐만 아니라 想像力을 전개시키고 主題를 凝集시키는 데 중요한 역할을 수행한다. 이러한 感覺的 契機에 의한 發想과 詩想 展開는 佛敎的 思惟方法에서 비롯되는 것으로 보인다. 원래 부처님은 말로 說法하지 않고 다만 香氣를 풍김으로써 가르침을 드리우며 보살들도 이 향기를 맡는 것으로써 瞑想에 들어가 일체의 功德을 얻는 것[24]이라 한다. 이렇게 볼 때 佛敎的 思惟方法에 익숙해 온 萬海로서 그의 詩的 發想이 感覺的인 것에 모티브를 두리라는 것은 쉽게 짐작할 수 있다. 이처럼 시조는 그 發想과 詩想의 전개에 있어서 感覺的인 것이 契機가 된다. 한편 시조에 주로 나타나는 修辭法은 隱喩이다. 『님의 沈默』에서처럼 隱喩가 다양하고 깊이있게 사용되지는 않지만 몇 가지 類型이 특징적으로 사용되는 것이다.

시조에 가장 많이 사용되는 形態는 繫辭型의 隱喩이다.[25]

> 가벼운 가을바람에 나부끼는 코스모스
> 꽃잎이 날개냐 날개가 꽃잎이냐
> 아마도 너의 魂은 蝴蝶인가 하노라
>
> <코스모스>

---

23) R. Wellek & A. Warren, *Theory of Literature*(London; Penguin Books. 1976) p. 187.

24) 石田瑞麿, 『般若維摩經의 智慧』. 李元燮譯(서울: 玄岩社, 1976) pp. 316—317.

25) 隱喩形態는 拙稿, 「韓國現代詩의 隱喩形態分析論」 ≪月刊文學≫ 34호(1971.10) 및 C. Brooke－Rose 의 *A Grammar* 0f *Metaphor*(London: Secker & Warbourg, 1958) 을 참조할 것.

코스모스의 靜的 모습은 /꽃잎=날개/魂=蝴蝶/의 隱喩的 等値(Metaphorical equivalence)[26]를 형성하여 나비의 動的 形象으로 바뀌게 된다. 植物的 想像力이 隱喩에 의해 動物的 想像力으로 변모함으로써 「꽃잎」의 視覺的 아름다움이 「날개」의 力動的인 律感과 調和를 성취하게 되는 것이다. 특히 「魂=蝴蝶」의 은유적 결합은 「魂」의 無形性이 「나비」의 有形性과 調和를 이루어 상상적으로 魂의 아름다운 飛翔을 가능하게 만든다. 나비는 원래 靈魂의 表象이며 빛에 대한 向性을 암시하기 때문에[27] 魂과 나비의 類推는 성공적인 意味照應을 이루게 되는 것이다.

두 번째는 動詞隱喩가 活用된다.

> 대질로 비단짜고 솔잎으로 바늘삼아
> 萬古靑靑 수를놓아 옷을지어 두었다가
> 어즈버 해가 차거든 우리님께 드리리라
>
> <우리님>

여기에서 /대실로 비단짜고/솔잎으로 바늘삼아/수를놓아/옷을지어/라는 動詞隱喩의 轉移는 想像力의 持續的 擴大를 가능하게 하는 原動力이 된다. 「대실」과 「솔잎」의 은유적 결합은 裝飾的 표현이 아니라 대(竹)와 솔(松)이 내포하는 節操의 의미를 강조하는 것으로 보인다.

다음으로는 擬人隱喩와 頓呼隱喩의 結合形態가 있다.

> 달아달아 님의 거울 비춘 달아
> 쇠창을 넘어와서 나의품에 안긴달아
> 이지러짐 있을때에 사랑으로 도우고자
>
> <無窮花심으과저>에서

---

26) B.H. Smith, *Poetic Closure*(Chicago: The Univ. of Chicago Press, 1974) p. 137.
27) T.E. Cirlot, *Dictionary of Symbol*(New York: Philosophical Library, 1962) p. 33.

이 시에서 「달」은 님과 나를 맺어 주는 사랑의 隱喩的 表象이다. /달아달아/님의 거울 비춘 달아/라는 頓呼隱喩와 /쇠창을 넘어와서 나의 품에 안긴달아/라는 擬人隱喩의 結合은 想像力에 詩的 彈力性과 柔軟性을 불어넣는 촉매가 된다.

그러나 萬海 時調의 가장 특징적인 방법은 活物變質型 隱喩이다.

> 이별로 죽은사람 웅당히 말하리라.
> 그 무덤의 풀을베어 그 풀로 칼 만들어
> 고적한 긴긴밤을 도막도막 끊으리라
>
> <無題·7>

/무덤의 풀을 베어 그 풀로 칼 만들어/라는 것은 動詞隱喩이다. 이 動詞隱喩가/긴긴밤을 도막도막 끊으리라/라는 活物變質型 隱喩를 가능하게 한다. 「풀=칼」의 植物→鑛物의 類推도 참신하지만/밤을 도막도막 끊으리라/라는 時間의 物質化는 高度의 精神能力에서만 가능한 것이라는 점에서 비유의 우수성이 드러난다. 이 隱喩法은/동짓달 기나긴 밤을 한 허리에 들헤내여/春風이불아래 서리서리 넣었다가/어른님 오신날에 구비구비 펴리라/라는 黃眞伊의 시조와 脈絡이 닿는다. 또한/그러나 당신이 오시면 나는 사랑의 칼을 가지고 긴 밤을 베어서 일천도막을 내겠읍니다/(<여름밤이 길어요>)라는 『님의 沈默』의 隱喩와도 相關關係가 맺어지는 것이다. 이처럼 時調는 定型詩라는 形式面에서는 漢詩와 연관되지만, 比喩的인 面에서는 『님의 沈默』에 더 가까운 中間的 특성을 지닌다.

(3) 詩世界의 特徵

時調는 內容面에서 몇 가지로 구분할 수 있다. 『님의 沈默』이 「님」을 중심으로 한 사랑과 離別을 노래하는 데 비해 時調는 漢詩처럼 생활을 둘러싼 다양한 내용을 포괄하는 것이 특징이다.

먼저 時調에는 自然과의 親和와 交感을 노래한 작품이 많다.

① 푸른山 맑은물에 고기낚는 저늙은이
갈삿갓 숙여쓰고 무슨꿈을 꾸었던가
우습다 새소리에놀라 낚싯대를 드는고녀

<溪漁>

② 青山이 萬古라면 流水는 몇날인고
물을 좇아 山에드니 오간사람 몇이던고
青山은 말이없고 물만흘러 가더라

<無題·12>

時調 ①에는 /山/물/고기/새소리/라는 自然과 /늙은이/갈삿갓/낚싯대/라는 人間的 素材가 對應을 이룬다. 그러나 自然과 人間은 調和로서의 개념이지 葛藤으로서 존재하지는 않는다. 자연은 자연 자체로서보다는 인간과 親和와 交感을 이루고 조화될 때 참뜻이 놓여지는 것임을 알 수 있다. 그러므로 ②에서는 자연이 인간에게 萬物의 循環의 원리를 깨닫게 하는 規範的인 象徵으로 나타난다. 인간의 觀照와 思索을 거쳐서 主觀化된 자연의 세계를 노래한 것이다.[28] 특히 /漁翁/青山/萬古/流水/ 등의 詩語는 古時調의 套語(cliché)로서 친숙한 素材이다. 이런 점에서 보면 萬海 時調의 自然觀은 古時調의 傳統的 脈絡에 깊이 연결되고 있음을 알 수 있다.

두 번째는 사랑과 恨의 情感을 표출한다.

야속다 그 빗소리 공연히 잠을 깨노
님의손길 어디가고 이불귀만 잡았는가

28) 정병욱, 「고전시가의 특질」『한국 고전시가론』(서울: 신구문화사, 1979) p. 255.

베개위 눈물흔적 씻어무삼하리오

<秋夜夢·2>

꿈이거든 깨지말자 백번이나 별렀건만
꿈깨자 님보내니 허망할손 맹세로다
이후는 꿈깰지라도 잡은손은 안노리라

<秋夜夢·3>

이러한 恨의 情感은 사랑을 前提로 成立된다. 恨이란 좌절과 미련의 갈등이며 동시에 원망과 자책의 相反되는 感情이다.[29] 이 시조에서 恨의 情感은 님의 不在로부터 비롯된다. 不在하는 님에 대한 그리움과 안타까움, 허망과 좌절감이 서로 갈등을 이루며 恨의 情感을 形成하는 것이다. 이 점에서 사랑과 恨도 시조의 중요한 내용이 되며 萬海 時調가 情感에 있어서도 傳統詩에 연결되고 있음을 알 수 있다.

다음은 佛敎的인 내용을 표현한 시조가 있다.

① 천하의 善知識아 너의 家風高峻한다
바위밑에 喝一喝과 구름새의 痛棒이라
묻노라, 苦海衆生 누가 濟定하리오 <禪友에게>

② 따슨볕 등에지고 維摩經 읽노라니
가볍게 나는꽃이 글자를 가린다
구태여 꽃밑글자를 읽어무삼하리오 <春晝· 1>

①에서 衆生濟度라는 佛敎의 大乘的 理念이 직접적으로 표출되어 있다. 다른 작품에 비해 漢字가 두드러지게 많이 사용된 것도 내용이 觀念的·主張

---

29) 吳世榮, 『韓國浪漫主義詩硏究』(서울: 一志社, 1980) p. 333.

的이기 때문이다. ①이 직접적인 發言임에 비해 ②는 佛經이다만 背景으로 나타난다. 여기에서 알 수 있는 것은 思想이나 主張이 직접적으로 노출되면 시로서의 藝術的 形象性이 뒤떨어진다는 점이다.[30] ①보다 ②가 더 詩的 美感을 주는 이유도 여기에 있다. 또한 시조가 佛事를 직접적으로 표현하고 있다는 점에서 漢詩와 近親關係를 형성하고 있음을 알 수 있다.

다음으로는 民族意識 또는 祖國愛를 표출한 작품이 있다.

① 李舜臣 사공삼고 乙支文德 마부삼아
破邪劍 높이들고 南船北馬 하여볼까
아마도 님찾는 길은 그뿐인가하노라 <無題·1>

② 달아달아 밝은달아 네나라에 비춘달아
쇠창살 넘어와서 나의마음 비춘달아
桂樹나무 베어내고 無窮花를 심고저 <무궁화심으과저>에서

①은 歷史感覺을 素材로 하여 民族意識을 표출한다. 이 시조에서 「님」은 祖國을 의미한다. 따라서 님을 찾는 행위는 조국을 찾는 일이 된다. 그러므로 /破邪劍 높이들고/라는 구절에는 님(祖國)을 잃은 現實的 狀況이 심히 부당한 일이며 邪惡한 것이기 때문에 正義(光復)를 위해 투쟁해야 한다는 論理가 내포돼 있다. 이러한 現實的 發言의 性格은 ②에서 더욱 선명히 드러난다. 終章/桂樹나무 베어내고 無窮花를 심고저/라는 구절에는 日帝의 억압을 물리치고 잃어버린 조국을 되찾고자 하는 所望이 직접적으로 드러나 있는 것이다. ②는 獄中詩라는 副題가 붙어 있는 점으로 보아 漢詩 <獄中詩>를 쓰는 과정

30) A. Tate는 실용적 意志의 詩와 순수한 想像의 詩를 구별하여 실용적 의지의 작품을 劣等한 것으로 보고 있다. 왜냐하면 경험의 내면적 의미를 창조하는 참된 힘으로서 상상력이 발휘되기 때문이라는 것이다. *On the Limits of Literature*(1948)
金洙暎·李相沃 共譯, 『現代文學의 領域』(서울: 中央文化社, 1962) pp. 126~139

에서 詩想이 얻어진 것으로 보인다. 특히 初章은 古時調/달아달아 밝은 달아 李太白이와 노던 달아/[31]를 그대로 借用한 것이다. 이처럼 時調의 民族意識과 祖國愛 表出은 시조가 先烈詩, 獄中詩 등의 漢詩와 詩精神의 共通性을 지니고 있음을 말해 준다.

다음에는 現實生活을 소재로 한 작품이 있다.

첫새벽 굽은길을 곧게가는 저마누라
工場인심 어떻던고 후하던가 박하던가
말없이 손만젓고 더욱 빨리 가더라

<職業婦人>

이 작품은 다른 작품들과 비교해 볼 때 異色的인 느낌을 준다. 무엇보다도 「工場人心」, 「職業婦人」이라는 일상생활의 소재가 사용되었기 때문이다. 자연이나 사랑, 佛敎, 民族, 祖國과 같은 萬海 특유의 詩風과는 전혀 다르게 현실적인 生活感覺이 표출된 것이다. 이 점에서 보면 時調는 漢詩보다도 더욱 生活的인 것을 素材로 하며. 餘技的인 特性을 강하게 지니고 있음을 알 수 있다.

마지막으로 살펴볼 것은 많은 시조에서 女性主體 내지 女性話者가 등장한다는 점이다.

시내의 물소리에 간밤 비를 알리로다
먼산의 꽃소식이 어제와 다르리라
술빚고 봄옷지어 오시는 님을 맞을까

<無題·9>

대실로 비단삼고 솔잎으로 바늘삼아
만고청청 수를놓아 옷을지어 두었다가

31) 정병욱 편저, 『時調文學事典』(서울: 신구문화사. 1966) p. 147.

어스버 해가차거든 우리님께 드리리라

<우리님>

例詩에서 보듯이 萬海 時調는 많은 시편들의 詩的 主體가 女性으로되어 있다. 「옷 짓는 일」과 「술 빚는 일」은 여성의 固有한 일에 속하기 때문이다. 이러한 女性主體 내지 女性話者라는 時調의 특징은 古典文學的인 傳統에 淵源한 것이다. 대부분의 古典詩歌 특히 한글 작품들은 女性主體 내지 女性話者로 이루어진 특징[32]을 지니는 것이다. 이러한 시조의 女性主體는 /당신의 편지가 왓다기에 바느질그릇을 치워놓고 뜯어 보앗습니다/(<당신의편지>)라는 구절이나/나는 당신의 옷을 다 지어 노앗습니다/(<繡의秘密>)와 같이 시집 『님의 沈默』의 세계와 連繫性이 맺어진다.

결국 時調는 漢詩나 『님의 沈默』과 분리해서 생각할 수 없는 交互的·中間的 특성을 지닌다. 시조는 情緖와 形式이 傳統文學에 根源을 두고 있으며 生活詩的 特性을 지닌다는 점에서는 漢詩와 공통성을 갖는다. 한편 시조는 님의 表象性과 女性主體, 그리고 比喩的 技法에 있어서는 『님의 沈默』과 연결되는 것이다. 이렇게 볼 때 시조는 독립적인 특성보다는 漢詩와 現代詩의 中間的 장르로서 다분히 餘技的·卽興的 성격을 지니는 것이다.

3. 『님의 沈默』論

(1) 消滅과 生成의 辨證法

萬海의 詩集 『님의 沈默』은 消滅하는 데서 출발한다.

---

32) 정병욱은 한국문학의 내용상의 특징의 하나로 女性 위주의 文學思想을 들고 있다. op. cit., pp. 225~256.

① 님은갓슴니다 아아 사랑하는나의님은 갓슴니다
② 푸른산빗을ᄭᆡ치고 단풍나무숩을향하야난 적은길을 거러서 참어ᄯᅥᆯ치고 갓슴니다
③ 黃金의ᄭᅩᆺ가티 굿고빗나든 옛盟誓는 차듸찬ᄯᅴᄭᅳᆯ이되야서 한숨의微風에 나러갓슴니다
④ 날카로은 첫「키쓰」의追憶은 나의運命의指針을 돌너노코 뒤ㅅ거름처서 사러젓슴니다
⑤ 나는 향긔로은 님의말소리에 귀먹고 ᄭᅩᆺ다은 님의얼골에 눈머럿슴니다
⑥ 사랑도 사람의일이라 맛날ᄯᅢ에 미리 ᄯᅥ날것을 염녀하고경계하지 아니한 것은아니지만 리별은 ᄯᅳᆺ밧긔일이되고 놀난가슴은 새로은슯음에 터짐니다
⑦ 그러나 리별을 쓸데업는 눈물의源泉을만들고 마는것은 스스로 사랑을 ᄭᆡ치는것인줄 아는ᄭᅡ닭에 것잡을수업는 슯음의힘을 옴겨서 새希望의 정수박이에 드러부엇슴니다
⑧ 우리는 맛날ᄯᅢ에 ᄯᅥ날것을염녀하는것과가티 ᄯᅥ날ᄯᅢ에 다시맛날것을 밋슴니다
⑨ 아아 님은갓지마는 나는 님을보내지 아니하얏슴니다
⑩ 제곡조를못이기는 사랑의노래는 님의沈默을 휩싸고돔니다

<님의沈默> 全文

詩集『님의 沈默』 88篇 중의 첫 詩인 <님의 沈默>은 님이떠나갔음, 즉 離別을 自覺하고 確認하는 구절로부터 시작된다. /참어ᄯᅥᆯ치고 갓슴니다/한숨의微風에 나러갓슴니다/나의運命의指針을 돌너노코 뒤ㅅ거름처서 사러젓슴니다/와 같이 漸層的인 反復을 통해 離別의 상황을 거듭 강조한다. 이 점에서 님과의 離別(消滅)이 <님의沈默>의 發想法(motivation)을 이루고 있으며 아울러 「님」은 想像力의 求心點이 됨을 알 수 있다. 님이 떠나게 된 원인과 이유가 전혀 外延돼 있지 않고 떠나버린 다음의 결과만이 드러나 있다. 모든 事緣을 去頭截尾하고 本論으로 直逼한 것이다.[33] 現實的 狀況에 대한 冷徹한 自覺과 自我에 대한 明澄한 認識만이 있을 뿐이다. 그러면 이 작품의 全體的

인 構成을 통해 離別의 의미를 찾아보기로 하자. 이 작품은 10行 4聯으로 구분할 수 있다.[34)]

聯	行	主體	述語	時制	核心	交體印象
起	1	님	갓습니다	과거	離別의	事實的
	2	(님)	썰치고 습니다	과거	自覺	回想的
	3	(님과의)盟誓	나러갓습니다	과거	離別의	回想的
	4	(님과의)追憶	사러 젓습니다	과거	自覺	回想的
承	5	나	눈머럿습니다	(과거)현재	現實認識	感情的
	6	(나의)가슴은	슯음에 터집니다	현재		感情的
轉	7	(나는)	드러부엇습니다	현재(과거)	슬픔一希望	希望的
	8	우리	밋습니다	현재	떠남一만남	信念的
結	9	(님)나	아니하얏습니다	과거(현재)	信念	意志的
	10	(사랑의)노래	휩싸고돕니다	현재	사랑一沈默	印象的

첫째 聯은 님이 떠나간 사실에 대한 명확한 인식을 표출한다. ①행에서의 /사랑하는/은 님에 대한 사랑을 새삼스럽게 告白하는 意味를 지닌다. ②행에서는 /참어/가 曖昧模糊性(ambiguity)을 誘發한다. 즉「참다」의 副詞形인가 아니면「차마」라는 副詞인가 하는 것이 문제가 된다. 그러나 여기서는 어렵게 離別하는 모습을 形象化한 점과「차마」가 否定型을 수반해야 한다는 점에서「참고」(忍)의 뜻으로 보는 것이 옳다고 본다. 그러나「참고」와「차마」가 意味交錯을 통해 오히려 안타까움과 해듯함을[35)] 표출하게 되는 것도 사

33) 이 점에서 萬海의 詩精神이 특징적으로 드러나며 素月과對照가 된다. 素月이 <진달래꽃>에서 /나보기가 역겨워 가실 때에는/처럼 이별의 原因이 님에게 있다는 사실을 굳이 밝히는 것은 詩가 排除의 原理에 기초한다는 점에서 볼 때 短點으로 지적이 된다.

34) 이것은 內容面에서 2聯(1~6)(7~10)으로 구분할 수도 있으며, 形式的인 面에서 3聯(1~6)(7,8)(9,10)으로 나눌 수도 있다. 그러나 위 두 가지 사실을 고려해서 4聯으로 나누는 것이 가장 合理的인 것으로 생각된다. 金泰玉,「현대시의 언어기호학적 고찰」≪어학연구≫ 16원 1호 (1980.6.)도 같은 견해이다.

35) 蘇斗永.「構造文體論의 方法」≪언어학≫ 1호 (1976.4.)

실이다. ③행에서는 /黃金의곳/과/차듸찬띄쓸/의 對照를 통해 無常感을 표출하며 ④행은/날카로은 첫「키쓰」/運命의指針/이라는 鑛物的 이미지가 사랑의 運命性과 운명의 냉혹함을 극명하게 인식시키는 계기가 된다. 둘째 聯은 님이 떠나감으로 해서 비로소 님이 내게서 차지하고 있던 엄청난 비중을 자각하며 /귀먹고 눈다은 님의얼골에 눈머릿습니다/의 비통한 현실 속에서 /사랑도 사람의일이라/와 같이 사랑의 새로운 의미를 깨닫는다. 즉 관념적 사랑이 현실로 분명하게 다가온 것이다. 셋째 聯은 /그러나/에서 詩想의 急轉이 이루어진다. 냉혹한 현실에 대한 자각과 사방에 대한 새로운 인식이 절망과 좌절에서 벗어날 것을 스스로 요구한 것이다. 따라서 /눈물의源泉을만들고 마는 것은 스스로 사랑을깨치는것인줄 아는까닭에/라는 사랑의 形而上學的 깨달음을 얻게 되고 마침내/슯음의힘을 옴겨서 새希望의 정수박이에 드러부엇습니다/와 같이 희망의 숭고한 信念化에 도달하게 된다. ⑧行에서는 佛教的 輪廻說을 이끌어들여 희망이 만남(生成)에 대한 갈망과 동경, 그리고 확신에 근거하고 있음을 보여 준다. 마지막 結聯에서는 이별이 영원한 헤어짐이 아니요 만남의 端緖이며 豫備임을 확신하며 도달할 길 없는 님에의 가없는 사랑을 호소한다. /제곡조를못이기는 사랑의노래/는 세속적 사랑 속에서 自己完成을 갈망하는 번민과 갈등을 표출한 것이다. 특히 /아아/라는 落句는 사랑의 본질적 의미에 대한 깨달음을 이루는 순간에 무의식적으로 발해지는 感嘆詞이며, 동시에 詩想을 完結로 이르게 하는 단서가 되며, / 님의沈漠을 휩싸고돔니다 / 라는 구절은 사랑의 감정이 이미 宗教的인 次元으로 昇華(sublimation)를 성취하고 있음을 말해 준다. 이렇게 볼 때 <님의 沈默>은[36]36) 이별을 통해 만남을 이루는 消滅과 生成의 辨證法的 原理에 바탕을 둔 것이며, 또한 세

---

36) 36) 여기서 「沈默」은 보다 적극적 의미를 지닌 逆說的 意味의 沈默인 것으로 해석된다. "維摩의 一漠은 萬雷와 같다. 沈默이 모든 行動이나 言語表現의 원천이며. 깨달음의 경지 자체의 나다남인 것이다"라는 진술은 沈默이 단순한 沈默이 아니라 적극적 의미를 내포한 침묵임을 말해 준다. 石田瑞麻. op. cit., pp. 303~304.

속적 사랑의 宗教的 승화에 대한 理念的 憧憬을 노래한 것으로 볼 수 있다. 그러므로 <님의 沈默>에서 이별이라는 消滅의 發想法 設定은 存在의 無化的 衝擊을 통해 再生과 生成을 이룩하려는 意圖的인 「無의 通過過程」인[37] 것으로 보인다. 따라서 그것은 他律的인 것이 아니라 自律的인 原理를 지니게 되어, 自律的인 消滅은 그것이 方法的인 것이기 때문에 당연히 自律的인 生成으로 回歸하게 된다는 離別의 辨證法的 原理가 내포돼 있는 것이다. 이러한 離別의 方法的 意味와 自律的 原理는 다음의 시편들에서 확실히 드러난다.

① 리별은 美의創造임니다

님이어 리별이아니면 나는 눈물에서죽엇다가 우슴에서 다시사러날수가 업슴니다 오오 리별이어

<리별은 美의 創造>에서

② 이세상에는 진정한 사랑의리별은 잇슬수가업는것이다

죽엄으로 사람을바꾸는 님과님에게야 무슨리별이 잇스랴

리별의눈물은 물거품의꽃이오 鍍金한金방울이다

………中 略………

사랑의리별은 리별의反面에 반듯이 리별하는사랑보다 더큰사랑이 잇는 것이다

………中 略………

아니다아니다 「참」 보다도참인 님의사랑엔 죽엄보다도 리별이 훨씬偉大하다

그럼으로 사랑은 참어죽지못하고 참어리별하는 사랑보다 더큰사랑은 업는 것이다

진정한사랑은 愛人의抱擁만 사랑할샏아니라 愛人의리별도 사랑하는 것이다

---

37) J. P. Sartre. *Être et Néant* : 梁元達 譯, 『存在와 無』(서울 : 乙酉文化社. 1971). p.88.

………中 略………
아아 리별의눈물은 眞이오 善이오 美다
아아 리별의눈물은 釋迦요 모세요 짠크다

<리별>에서

①의 시는 이별이 無의 通過를 통해 만남을 成就하는 前提原理가 됨을 제시한다. / 눈물에서죽엇다가 / 라는 無化를 겪어, 비로소 / 다시사러날수/ 있는 再生이 可能해지는 것이다. 또한 이렇게 볼 때 / 리별 / 은 참된 의미에서의 / 美의 創造 / 를 成就하는 方法的 原理로 작용하고 있음을 알 수 있다. ②詩에서는 離別의 本質的 意味가 다양하게 드러나 있다. 첫째는 이별이 本質的인 것이 아니라 現象的인 것이라는 점에 대한 인식이다. / 진정한 사랑의리별은 잇슬수가업는 것이다 / 리별의反面에 반듯이 리별하는사랑보다 더큰사랑이 잇는 것이다 / 물거품의꼿이오 鍍金 한金방울이다 / 라는 구절들은 이별이 더 큰 사랑을 이루기 위해 現象的 이고, 潛在的인 것이며, 方法的인 것이라는 점을 분명히 드러내 주며, 다음에는 이별이 / 죽음 / 을 뛰어넘는 超越的인 偉大性을 지니고 있음을 말해 준다. / 죽엄보다도 리별이 훨씬偉大하다 / 라는 구절 속에는 죽음보다도 강한 사람의 확신이 내포돼 있는 것이다. 그러므로 이별은 참고 이별할 수밖에 없는 運命的인 것이며, 이별을 사랑할 수밖에 없다는 逆稅的 肯定이 가능해지는 것이다. 따라서 이별은 사랑이 진실한 것(眞)이고, 착한 것(善)이며, 아름다운 것(美)이라는 命題를 성립시키는 전제가 된다. 또한 사랑은 이별을 통해 비로소 敬虔性을 획득하게 되며 宗教的인 것으로 上昇한다는 점을 강조[38]하여, 이별의 눈물 속에서 참된 사랑의 의미가 본질적인 모습을 드러내게 된다.

38) 이 점에서 萬海의 의도의 오류의 한 양상이 드러난다. 이별이 사랑의 完成을 이루기 위한 方法的 原理임을 지나치게 강조하는 나머지 이별 그 자체가 目的的인 것으로 변모하는 모습도 발견되는 것이다.

① 당신과나와 리별한째가 언제인지 아심닛가

가령 우리가 조홀째로말하는것과가티 거짓리별이라할지라도 나의입설이 당신의입설에 다치못하는것은 事實임니다

<거짓리별>에서

② 苦痛의가시덤풀뒤에 歡喜의樂園을 建設하기위하야 님을써난나는 아아 幸福임니다

<樂園은가시덤풀에서>에서

③ 그럼으로 만나지안는것도 님이아니오 리별이업는것도 님이아님니다

<最初의 님>에서

①詩는『님의 沈默』의 離別이 方法的인 것이라는 점을 더욱 확실히 해 준다. 바로「거짓리별」이라는 구체적인 구절이 雄辯해 주는 것이다.

②詩에는 現象的 離別인「苦痛의가시덤풀」을 통해서 本質的인 만남이라는「歡喜의 樂園」을 建設하기 위한「거짓리별」의 理由가 선명히 드러나 있다.

詩 <리별>에서의「더큰사랑」이라는 구절은 사랑의 완성을 위한 方法的 離別이라는 점을 강조한 것이다. 그러므로 ③에서처럼「리별」은 사랑의 前提原理이며 엄연한 現實的 條件으로서 理念的 當爲性을 지니게 되는 것이다.

이렇게 볼 때 離別은 萬海 詩 전체의 大前提로서 生成에 이르는 길이며, 사랑의 완성을 이룩하는 方法的 原理임을 알 수 있다.

이러한 離別의 詩學, 消滅의 詩學[39]은 金禹昌이 지적한 바[40] 있는 悲劇的 世界觀에서 비롯된 것으로 보여진다. 비극적 세계관이란 서로 모순되는 두 요구, 自我의 眞實과 世上의 虛僞 속에 苦惱하는 인간이 생각할 수 있는 인생 태도를 말한다. 萬海의 離別詩學은 萬海가 當代를 자유와 평화가 없는 悲劇

---

39) 이 점에서 필자는 萬海 詩의 가장 중요한 특징의 하나를「離別의 詩學」또는「消滅의 詩學」이라 부르기로 한다.

40) 金禹昌,「궁핍한 시대의 詩人」≪文學思想≫ 4 호 (1973.1.), p. 46.

의 時代, 矛盾의 時代로 파악하는 데서[41] 비롯된다. 日帝라는 모순의 시대에는 正常的인 論理와 秩序가 통용되지 않는다. 萬海는 바로 이 점에 대한 분명한 인식을 보여 준 것이다. 萬海는 自律的인 離別이 자율적인 만남을 성취하게 하는 前提原理가 된다는 점에 대한 투철한 인식을 통해 현실의 모순을 극복하고자 한 것이다. 따라서 個體的 離別의 原理를 公的 現實로 上昇시킬 때 祖國은 빼앗긴 것이 아니라 自律的으로 消滅한 것으로서 언젠가는 보다 完成된 모습으로 새로운 生成 즉 光復이 가능해지리라 확신한 것이다.

(2) 否定的 世界觀

『님의 沈默』의 두 번째 특징은 否定的 世界觀을 표출하고 있는 점이다.[42]

① 가을하늘이 놉다기로
情하늘을 따를소냐
봄마다가 깁다기로
恨바다만 못하리라

놉고놉흔 情하늘이
시른것은 아니지만
손이 나저서
오르지 못하고
깁고깁흔 恨바다가

41) "自由는 萬有의 生命이요 平和는 人生의 幸福이라, 故로 自由가 無한 人은 死骸와 同하고 平和가 無한 者는 最苦痛의 者라. 壓迫을 被하는 者의 周圍의 空氣는 墳墓로 化하고……日本이 朝鮮을 合併한 後 朝鮮에 對한 施政方針은 武力壓迫 四字로 代表하기 足하도다…… 朝鮮人은 是와 如한 虐政下에서 奴隷되고 牛馬되언서 ……"(『全集』 卷一, pp. 354~359.)

42) 이 점을 「否定의 詩學」 또는 「抵抗의 詩學」이라 부르기로 한다.

병될것은 업지마는
다리가 썰너서
건느지 못한다

<情天恨海>에서

② 마서요 제발마서요
보면서 못보는체마서요
마서요 제발마서요
입설을다물고 눈으로말하지마서요
마서요 제발마서요
쓰거은사랑에 우스면서 차듸찬부끄럼에 울지마서요

<첫「키스」)>에서

① 詩는 / 싸를소냐 / 못하리라 / 아니지만 / 못하고 / 업지마는 / 못한다 / 와 같이 모든 敍述語가 否定(negative)動詞로 構成돼 있다. ②詩도 前提가 否定命令型으로 終結되어 있다. 이처럼 敍述語가 否定終結語尾로 이루어져 있는 것은 認識의 方法이 肯定的인 것이 아닌 否定的 世界觀에 바탕을 두었기 때문인 것으로 보인다.[43] 이러한 否定은 存在의 拒否로서 否定으로 말미암아 하나의 存在의 立點이 成立되고 뒤이어 이것이 無로 던져짐으로써 有의 根據가 된다.[44] 이렇게 볼 때 否定的 思惟는 존재를 긍정하기 위한 전제 조건임을 알 수 있다. 消滅이 生成의 原理 이듯이 否定은 더 크고 올바른 肯定의 前提 原理로 작용하는 것이다. "否定的인 것은 그저 否定的인 것이 아니요 바로 辨證法의 成果 속에 있는 것이기 때문에 그것은 同時에 肯定的인 것, 積極的인

---

43) 이것은 『朝鮮佛教維新論』에서 "維新이란 무엇인가, 破壞의 자손이다. 破壞란 무엇인가, 維新의 어머니다. 천하에 어머니 없는 자식이 없다는 것을 온 인류가 말하지만, 파괴가 없이 유신이 없다는 것은 알지 못한다"라는 파격적 宣言이 萬海의 첫 著作의 골자를 이룬다는 점과도 무관하지 않다. 萬海思想의 출발이 부천한 부정정신으로부터 비롯되는 것임을 말해 주는 것이다. : 『全集』 卷二. p.105.

44) Sartre, *op, cit.*, p.44.

것"[45]으로서 의미를 지니는 것이다. 萬海 詩가 이러한 否定的 論理에 기초를 두고 있다는 것은 바로 批判과 否定을 통해 보다 확실하고 적극적인 긍정에 도달 하고자 하기 때문이다.

① 아아 님은갓지마는 나는 님을보내지 아니하얏슴니다

<님의沈默>에서

② 리별의美는 아츰의 바탕(質)업는 黃金과 밤의 올(糸)업는 검은비단과 죽엄업는 永遠의生命과 시들지안는 하늘의푸른쏫에도 업슴니다

<리별은美의創造>에서

③ 아아 님이어 죽엄을 芳香이라고하는 나의님이어 거름을돌니서요 거긔를 가지마저요 나는시 려요

<가지마서요>에서

④ 하늘에는 달이업고 싸에는 바람이업슴니다

<고적한밤>에서

⑤ 당신이오기로 못올것이 무엇이며
내가가기로 못갈것이 업지마는
산에는 사다리가업고
물에는 배가업서요

<길이막혀>에서

⑥ 아니여요 님의주신눈물은 眞珠눈물이여요

<눈물>에서

⑦ 나의팔은 그대의사랑의 分身인줄을 그대는 웨모르서요

<슯음의三昧>에서

45) 朴鍾鴻, 『辨證法的 論理』(서물 : 博英社. 1980). p.49.

⑧ 秘密임닛가 祕密이라니요 나에게 무슨祕密이 잇것슴닛가

<秘密>에서

⑨ 容恕하서요 님이어 아모리 참이지은허물이라도 님이 罰을주신다면 그罰을 참을주기는 실습니다

<잠꼬대>에서

『님의 沈默』에는 거의 모든 시에서 否定的 表現이 사용되고 있다. 이것은 思惟의 基本構造가 否定的 ;認識에 기초를 두고 있음을 말해 준다.[46] 이것은 「山은 山이요, 물은 물이다(見山是山 見水是水)" 山은 山이 아니요, 물은 물이 아니다(見山不是山 見水不是水)" 山은 眞實로 山이요, 물은 眞實로 물이도다(見山祇是山 見水祇是水)」라는 佛教的 辨證法[47]에 바탕을 둔 것이다. 실상 佛教의 根本思想이 空이요 無라고 볼 때 萬海의 思惟가 여기에 根源을 둘 것[48]임은 당연한 이치이다. 위의 構文에서도 ①은 逆脫的 否定의 放任構文을 통하여 / 님은갓지마는 나는 님을보내지 아니하얏습니다 / 라는 確固한 肯定과 信念을 成就하게 된다.

②는 / 업는 / 과 / 안는 / 의 否定修飾과 / 업습니다 / 라는 否定敍述을 통해 강력한 否定的 世界觀을 표출한다. ③에는 / 거긔를가지마서요 / 와 같이 否定命令으로 挽留와 哀訴가 드러난다. ④는 / 하늘 / 과 / 싸 / 의 否定對稱構文 속에 역시 현실에 대한 絶望的 認識이 표출돼 있다. ⑤는 전체가 否定構文으로 돼 있다. ⑥은 / 眞珠눈물 / 을 强調하기 위한 技巧的인 否定形式이다. ⑦, ⑧은 / 웨모르서요 / 잇것슴닛가 / 와 같이 否定的인 設疑形式을 취한다. ⑨에도 感情의 否定反應이 드러나 있다. 결국 이와 같은 否定的 思惟는 萬海가 當

46) "인간의 본질적 사유의 구조와 존재의 구조는 상호 일치한다는 뜻이다." : 高亨坤. 『禪의 世界』(서울:三英社, 1977), p. 64.

47) *Ibid*, pp. 16~76.

48) 『全集』 卷二, pp. 289~291.

代社會를 矛盾과 不在의 시대로 파악한 데서 보다 확실하게 문학적 표현을 얻게 된 것으로 볼 수 있다. 이러한 思惟는 佛教的 認識方法에 기인한 것이 분명하지만 또 다른 뿌리는 傳統的 文學思想에서 淵源한 것으로 보인다. 鄭炳昱의 다음과 같은 지적은 바로 이에 대한 論據를 제공한다.

"……그래서 우리의 固有思想의 結晶이라 할 수 있는 東學思想이 人乃天의 사상으로 굳어졌을지도 모를 일이다. 그런데 이러한 인본사상에 따르는 비극이 있다. 그것은 곧 인간능력의 한계가 빚은 비극이다…… 인간능력이 어떤 한계에 다다랐을 때에 필연적으로 철망적인 극한 상태에 빠져들게 마련이다…… 그러나 우리에게는 자연이나 神이 용납되지 않았다. 그래서 시조의 어휘빈도에서 긍정적인 '오다' 보다는 부정적인 '가다' 가 더 많이 쓰였고…… 곧 이 부정의 미학이 그 바탕을 이루고 있기 때문이라고 보인다…… 대부분의 작품들이 님을 노래하되 멀리 떨어져 있거나 죽은 '임' 즉 '눈앞에 없는 임'에 대한 사랑의 노래들이다……"[49] 이는 韓國文學의 古典的 特質의 하나로서 連綿히 이어져 내려온 否定的 認識은 傳統的인 것이라는 要旨이다. 이렇게 본다면 앞에서 논술한 離別의 詩學도 실상 古典的인 否定的 文學精神에서 비롯된 것으로 볼 수 있으며, 이 항목에서 논한 否定的 世界觀과도 관련을 갖게 된다. 이 점에서 萬海 詩精神의 傳統的 形質이 선명히 드러나는 것이다.[50] 그러나 萬海의 경우는 현실의 모순에 대한 보다 투철한 인과식 抵抗精神에 근거했다는 점이 전통적인 것에서 한 걸음 더 나아가 現實的 說得力을 지니게 되는 要因으로 판단된다.

---

49) 정병욱, 『한국고전시가론』 (서울 : 신구문화사. 1979). pp. 257~258.
金大幸, 『韓國詩의 傳統硏究』 (서울 : 開文社. 1980). p. 166.

50) 萬海 詩精神의 이러한 否定精神에 기인한 批判的 知性의 확립은 은유· 역설 등 현대적 詩方法論의 확립과 함께 萬海 詩가 내용과 방법의 양면에서 현대시적 전환의 起點이 됨을 證明해 주는 자료가 된다.

(3) 世俗과 神聖의 葛藤

萬海 詩의 또 다른 特質은 世俗(the profane)과 神聖(the sacred)의 葛藤[51]이 드러난다는 점이다.

> ① 의심하지마서요 당신과써러져잇는 나에게 조금도 의심을두지 마서요
> 의심을둔대야 나에게는 별로관계가업스나 부지럽시 당신에게 苦痛의數字만 더 할쑨임니다
>
> 나는 당신의첫사랑의팔에 안길째에 왼갓거짓의옷을 다벗고 세상에나온그대로의 발게버슨몸을 당신의압헤 노앗슴니다 지금까지도 당신의압헤는 그째에 노아둔몸을 그대로밧들고 잇슴니다
>
> 만일 人爲가잇다면 「엇지하여야 츰마음을변치안코 쯧쯧내 거짓업는 몸을 님에게바칠고」하는 마음쑨임니다
> 당신의命令이라면 生命의옷까지도 벗것슴니다
>
> <의심하지마서요>에서
>
> ② 나의노래가락의 고저장단은 대중이 업슴니다.
> 그레서 세속의노래곡조와는 조금도 맛지안슴니다
> 그러나 나는 나의노래가 세속곡조에 맛지안는것을 조금도 애닯어하지안슴니다
>
> 나의노래는 세속의노래와 다르지 아니하면 아니되는 까닭임니다
> 나의노래는 님의귀에드러가서는 天國의音樂이되고 님의쑴에드러가서는 눈물이됨니다
>
> 나의노래가 산과들을지나서 멀니게신님에게 들니는줄을 나는암니다

51) 이 점에서 『님의 沈默』을 또한 「葛藤의 詩學」 또는 「矛盾의 詩學」이라 부르기로 한다.

나는 나의노래가 님에게들니는것을 생각할째에 光榮에넘치는 나의 적은 가슴은 발발발썰면서 沈默의音譜를 그립니다

<나의 노래>에서

①詩를 읽어보면 일견 大衆歌謠와 유사한 느낌을 받게 된다. 본능적이면서도 진솔한 世俗的 情感이 시의 밑바탕에 짙게 깔려 있기 때문이다. 이러한 印象은 『님의 沈默』 全篇을 通讀하면 더욱 강렬하게 부딪쳐온다. 詩篇의 도처에 感情的이면서도 本能的인 표현을 쉽게 찾을 수 있는 것이다. ①詩에서 / 의심하지마서요 / 라는 題目부터가 市井의 匹夫匹婦들의 語套를 聯想시킨다. / 의심을둔대야 나에게는 별로관계가업스나 부지럽시 당신에게 苦痛의數字만 더할뿐 / 이라는 說明的 表現도 마찬가지다. 더구나 / 첫사랑의팔에 안길째에 / 발게버슨몸을 당신의 압헤노앗슴니다 / 라는 구절은 사랑의 肉感的인 모습을 노골적으로 드러냄으로써 世俗的인 面貌를 유감없이 제시한다. 또한 / 당신의命令이라면 生命의옷까지도 벗것슴니다 / 라는 膽大한 告白은 시의 표현으로서는 지나치게 노골적이라 할 만큼 世俗的이며 誇張的 表現인 것이다. 한편 ②詩는 ①詩와 매우 대조적이다. 무엇보다도 / 나의노래가 세속의노래곡조와는 조금도 맛지안슴니다 / 라는 구절처럼 世俗的인 것과의 違和感을 표출한다. 이러한 위화감은 / 나의노래는 세속의노래와 다르지 아니하면 아니되는 까닭임니다/와 같이 神聖한 것에 대한 理念的 志向으로 인해갈등을 내포하게 된다. 따라서 나의 노래는 / 天國의音樂이되고 / 멀니게신님에게 들릴 / 수 있는 超越的 이미지로 변모하게 된다. 그러나 님의 사랑의 神聖性으로 인해 / 나의 적은 가슴은 발발발썰면서 沈默의 音譜를 그립니다/라는 구절처럼 宗教的 敬虔性을 획득하게 되는 것이다. 이처럼 ②詩는 세속적인 사망의 情感이 아닌 종교적이며 초월적인 神聖性을 形象化한 데 특징이 있다. 『님의 沈默』의 詩的 優秀性은 바로 이 점에서 드러난다. 세속적 사랑을 표출하면서도 世俗事에 떨어지지 않고 藝術的 緊張을 지속하는 것은 神聖事에 대한 志向

과 渴望이 잠재해 있기 때문이다. 세속적인 情感의 眞率性이 불러일으키는 親近感과 神聖性이 주는 形而上學的 깊이가 서로 갈등하면서도 조화를 이룸으로써 情緖와 思想이 예술적 等價를 이루게 되는 것이다.

그러면 世俗的인 삶의 모습을 구체적으로 살펴보기로 한다.

①적은새인 나의生命을 님의가슴에 으서지도록 껴안어주서요

<생명>에서 → <生命>에서

당신이가실째에 나는 다른시골에 병드러누어서 리별의키쓰도 못하얏슴니다

<당신가신째>에서

② 당신이 나를버리지아니하면 나는 服從의百科全書가되야서 당신의 要求를 酬應하것슴니다

<버리지 아니하면>에서

나를울니는것은 사랑이아니고 무엇이여요

<사랑의測量>에서

③ 당신이 어듸 그진주를 가지고기서요 잠시라도 웨 남을빌녀주서요

<眞珠>에서

④ 正直한당신이 狡猾한誘惑에 속혀서 靑樓에 드러갓다고 당신을 志操가업다고할수는 업슴니다 당신에게 誹謗과猜忌가 잇슬지라도 關心치마서요

<誹謗>에서

⑤ 이웃사람도 도러가고 버러지소리도 긋첫는데 당신의가리처주시든 노래를 부르랴다가 조는고양이가 부끄러워서 부르지못하얏슴니다

<藝術家>에서

⑥ 나는 님을기다리면서 괴로움을먹고 살이짐니다

<自由貞操>에서

世俗事的인 것은 일상생활의 喜· 怒·哀· 樂·愛·惡·欲을 바탕으로 이루어져 있다. ①은 / 서안어주서요 / 리별의키쓰 / 처럼 肉體的인 接觸을 시사한다. ②는 / 나를버리지아니하면 / 나를울니는것은 사랑 / 과 같이 通俗的 情感을, ③은 투정과 앙탈의 모습을 표출하였다. ④에는 世俗事의 단면이 가장 잘 드러나 있다. / 狡猾 / 誘惑 / 青樓 / 誹謗 / 猜忌 / 등 俗世의 때묻은 實相이 생생하게 제시돼 있는 것이다. ⑤도 / 이웃사람 / 버러지소리 / 노래/ 고양이 / 등과 같은 日常生活的 素材와 情感이 묘사돼 있다. ⑥도 사랑의 그리움과 괴로움을 적나라하게 표출하고 있다. 이처럼 『님의 沈默』의 많은 詩篇들은 世俗事的 側面인 肉體性, 感傷性. 通俗性, 本能性, 物質性, 現實性 등 일상생활의 哀歡을 솔직하게 드러내면서 전개되는 것이다.[52]

① 사랑의神聖은 表現에잇지안코 비밀에잇슴니다

<七夕>에서

② 그러나 그祕密은 소리업는 매아리와 가터서 表現할수가 업슴니다

<秘密>에서

③ 당신을기다리는것은 貞操보다도 사랑입니다

<自由貞操>에서

④ 天國의音樂은 님의노래의反響임니다. 아름다은별들은 님의눈빗

52) 이것은 小林一郎.『維摩經講義』: 李法華 譯(서울 : 靈山法華寺 出版部. 1979), 上卷. p.57의 "진정한 불교는 실생활을 떠나서 존재할 수 없다"라는 구절과도 관련성이 맺어진다.

의化現임니다

<님의얼골>에서

⑤ 님이어 당신은 百番이나鍛鍊한金결임니다

<讚頌>에서

⑥ 사랑의쑴에서 不滅을엇것슴니다

<쑴이라면>에서

한편 이 引用詩들은 神聖性을 志向하고 있다. ①은 사랑의 神聖性이 無形의 敬虔性에 바탕을 두고 있음을 역설한다. ②도 진정한 사랑이 不立文字의 次元에서 理念的인 모습으로 나타나는 것임을 말해 주며 ③에서는 사랑의 참모습이 肉體的인 것보다는 精神的 超克性에 있음을 제시해 준다. ④에서는 님의 사랑이 天上的 秩序에서 理想性을 지니는 것으로 나타나며, ⑤는 사랑의 모습이 「金」처럼 굳고 빛나며 고귀한 것으로 인식돼 있다. ⑥은 사랑을 통한 精神의 不滅性을 갈망한다. 이처럼 神聖志向은 精神性, 理念性, 超克性, 觀念性, 永遠性 등 天上的 秩序에 대한 등경과 갈망을 표출하는 것이다.

그러므로 『님의 沈默』은 世俗事에 바탕을 두고 있으면서도 세속에서 벗어나기를 갈망하는 노력, 즉 世俗과 神聖志向과의 葛藤 속에 삶의 진정한 의미가 存在한다는 점을 말해 주고 있다.[53] 이 점에서 『님의 沈默』이 世俗과 神聖의 對立이 빚어내는 「葛藤의 詩學」이라 규정할 수 있다.

---

53) 이에 관해서는 "『님의 沈默』에 수록된 88편이, 이상에서 살펴본 見惑 「88使」와 관련 된다고 보는 견해가 수락된다고 한다면 만해의 『님의 沈默』은 現實的 世界(苦·集)와 理想的 世界(滅·道)의 갈등과 부조화에서 빚이지는 사상적 고뇌를 노래한 것이 될 것이다"라는 지적이 있다.
: 宋在甲, 「萬海의 佛教思想과 詩世界」 ≪東岳語文論集≫, 九輯 (東國大 東岳語文學會,197.12.), P. 288.

(4) 「님」과 사랑의 問題

『님의 沈默』에서 님은 想像力의 求心點이다.[54] 『님의 沈默』은 님과의 離別 즉 消滅로부터 시 작하여 님과의 만남인 生成으로 詩가 完結되기때문이다. 따라서 지금까지의 많은 연구들은 『님의 沈默』을 연구하기위해서 「님」의 正體를 밝히는 데 힘을 기울여왔다.

> ① 선생의 평생의 '님'은 '민족'이었다. 한국의 중생 곧 우리 민족이 그 님이었다. 시집 님의 沈默의 序詩로 실린 그 사상의 大綱이다.[55]

> ② 그의 님은 祖國도 佛陀도 異性도 아닌 바로 日帝에 빼앗긴 祖國이았다. [56]
> 두말할 것 없이 만해의 님은 「조선」일 것이다.[57]

> ③ 임의 본질은 불타와의 合一體로서 '眞如'와 '現實'의 合一된 次元위에서 우주의 절대지 진리를 실현하는 形과 思念을 초월한 자비의 像인 法身으로 볼 수 있다[58]

> ④ 님은 어떤 때는 佛陀도 되고 자연도 되고 日帝에 빼앗긴 조국이 되기도 하였다. [59]

> ⑤ 님의 의미는 본질적으로 그리워하는 대상이다.[60]

---

54) "만해의 모든 詩作品들은 단 한 개의 촛점을 中心으로 회전한다. 모든 생각과 영상과 이미지와 서술들은 그 촛점에서 시작하여 그 촛집으로 되돌아온다. 그것이 (님)이다." : 염무웅, 「님이 침묵하는 시대」≪나라사랑≫ 2집 (1971.4.), p. 74.
55) 趙芝薰, 「민족주의자 한용운」≪思潮≫ 1권 제5호 (1958.10)
56) 鄭泰榕, 「現代詩人硏究 Ⅲ」≪현대문학≫ 29호, (1957.5), p. 192.
57) 辛夕汀, 「시인으로서의 卍海」≪나라사랑≫ 2집, 외솔회, (1971.4.), p. 26.
58) 宋皙來, 「님의 침묵 연구」≪東國大國語國文學論集≫ 5집(東國大國語國文學科. 1964. 7), p.110.
59) 趙演鉉, 『韓國現代文學史』(서울 : 성문각, 1969) p. 434.
60) 高 銀, 「한용운론」≪月刊文學≫ 8 호 (1969.6.1), p. 219.

님은 우리가 사랑하고 찬송해야 할 모든 대상과 깨달음을 뜻한다[61]

⑥ 만해의 불교사상을 제대로 이해하련 그의 ·님'이 과연 누구냐 하는 의문은 저절로 풀린다. '님' 이 한 여인의 사랑하는 남성이자 시인이 잃어버린 祖國과 自由요 또 불교적 진리이자 중생이기도 하다는 것— 그 모든 것이면서 그것이 그때그때 중첩되어 보이기도 하는 것— 그것은 가장 이성적인 사고방식이며, 존재의 참모습에 대한 가장 온당한 일컬음인 것이다.[62]

⑦ 일체 諸法으로부터 生命을 넘어 불러낸 眞如·眞諦로서의 님[63]
生命的인 것의 根源으로 귀일하는 님[64]
열반의 경지에 들게 하는 참다운 無我(anatman)[65]
「님」이란 어떤 對象이나 境地가 아니라 차라리 그러한 것을 깨달을 수 있는 認識論飭 根源인 「心」이 될 수 있다. [66]

⑧ 그러나 임과 나의 존재는 따로따로 독립된 개체가 아니다. 임의 존재와 나의 존재는 상관적인 관계를 유지하고 있다. [67]

⑨ 님은 완전한 모습으로 이 세계 안에 존재하지도 전혀 不在하지도 않고 그것을 갈구하는 者의 끊임없는 豫期와 모색의 실천 속에 불완전한 모습으로 나타난다.[68]

①과 ②의 진술은 「님」을 祖國과 民族 등 구체적인 表象으로 보는 공통점

61) 宋 稶, 『님의 沈默 全篇解說1(서울 :科學社, 1974), p. 18.
62) 白樂晴, 「시민문학론」≪創作과 批評≫ 14 호 (1969. 여름)
63) 廉武雄, *op. cit.*, p.79.
64) 金澤東, 『韓國近代詩人硏究』(서울 : 一潮閣, 1974), p. 55.
65) 吳世榮, 「沈默하는 님의 逆說」≪국어국문학≫ 65·66합병호. (1974.12). p. 267.
66) 李仁福, 『素月과 萬海』(서울 :淑明女大 出版部, 1979.), p. 109
67) 金相善, 「韓龍雲論序說」≪국어국문학≫ 65·66합병호 (1974.12.). p. 254
68) 金興圭, 「님의 所在와 진정한 역사」『文學과 역자적 인간』(서울 : 創作과 批評社, 1980.), p. 21

이 있다. 日帝下의 現實狀況에 대한 否定的 認識이 님을 조국과 민족으로 單純化하게 된 것이다. ③은 「님」을 佛敎思想的인 각도에서 佛陀 혹은 法身으로 파악한다. ④는 ①·②·③의 견해에 自然을 덧붙여서 多元的으로 파악한다. ⑤는 <군말>의 뜻을 종합하여 님이 그리워하고 찬양하는 對象으로서 總稱을 指示하는 槪念이다. ⑥의 견해는 「님」을 立體的으로 파악하는 동시에 그 님의 立體性이 存在의 原相(urbild) 임을 看破하고 있다. ⑦의 견해들은 抽象的인 것이 특징이다. / 眞如·眞諦 / 生命的인 것의 根源 / 無我 / 心 / 이라는 「님」의 意味規定은 「님」이 理念的인 것으로 존재한다는 것을 지적한 것이다. ⑧의 견해는 「님」을 「나」와의 관련성 속에서 비로소 의미 지니는 依存的關係로 파악한 것이 특징이다. ⑨도 「님」이 / 끊임없는 豫期와 모색의 실천 속에 불완전한 모습으로 나다나는 / 不定形·未完成의 可能態임을 지적한 데서 ⑧과 유사한 견해이다. 이렇게 본다면 「님」의 의미에 대한 論點은 單一體(①·②·③), 複合體(④·⑤·⑥), 理念態(⑦), 不定態(⑧·⑨)등으로 要約할 수 있다.

이러한 「님」의 문제는 <군말>을 보다 자세히 검토하는 데서 보다 타당한 결론을 이끌어낼 수 있으리라 생각한다.

> 「님」만 님이아니라 긔룬 것은 다 님이다 ① 衆生이 釋迦의 님이라면哲學은 칸트의 님이다 薔薇花의 님이 봄비라면 마시니의 님은伊太利다 ② 님은 내가 사랑할뿐아니라 나를 사랑하나니 라 ③
> 戀愛가 自由라면 님도 自由일것이다 ④ 그러나 너희는 이름조흔自由의 알뜰한拘束을 밧지 안너냐 너에게도 님이잇너냐 잇다면 님이 아니라 너의 그림자니라 ⑤
> 나는 해저믄벌판에서 도러가는길을 일코 헤매는 어린羊이 긔루어서 이詩를 쓴다 ⑥
>
> <군말> 全文

①은 總稱으로서의 「님」을 의미한다. /긔룬것은 다 님 / 이라는 진술속에

는 「님」이 特定한 固定概念이 아니라 總體的인 象徵으로 존재함을 말해 준다. ②는 主觀的인 「님」이다. 「님」은 客觀的인 實體가 아니라 주관에 의해 상대적으로 규정되는 個人的인 表象인 것이다. 따라서 ③과 같이 「님」은 相對的이고 相互依存的인 屬性이 드러난다. ④는 앞의 진술의 綜合을 指向한다. 「님」을 總體性으로 보든 主觀性으로 보든 依存性으로 보든 아무런 제한이 없이 오직 자유로운 상상력과 판단력에 의해 결정될 성질의 것이라는 점이다. ⑤는 現實的 상황에서 事物의 現象만을 보는 태도에 대한 비판이다. / 님이 아니라 너의 그림자니라 / 라는 지적은 現象的인 것에만 매달려 本質的인 것을 꿰뚫어보지 못하는 世態를 예리하게 지적한 것이다. 따라서 님이 「本質的인 그 무엇」을 複合的으로 指稱하는 것임을 알 수 있다. ⑥은 詩集 『님의 沈默』의 직접적인 發想과 動機가 / 해저믄벌판에서 도러가는길을 일코 헤매는 어린羊이 긔루어서 이詩를 쓴다 / 라는 구절에서 보듯이 理論的이고 觀念的인 것을 떠나서 直接的이고 情緖的인 衝動에 의해서 비롯된 것임을 말해 준다. 이렇게 볼 때 지금까지 연구의 문제점이 쉽게 드러난다. 대부분의 연구들이 「님」을 꼭 「그 무엇」으로 규정하려는 데서 誤謬가 빚어진 것이다. 실상 詩가 單一하게 解釋되고 規定될 수 없는 成層構造性(stratified structure)[69]를 지닌다는 점에서도 이러한 「님」의 의미의 固定化는 詩의 다양한 可能性을 制約하는 것이 된다. 萬海가 이 <군말>에서 暗示한 것이 바로 이러한 「님」이 複合的인 成層構造로 존재함을 의미하는 것으로 보인다. 그러므로 필자는 「님」을 다음과 같이 파악하고자 한다.

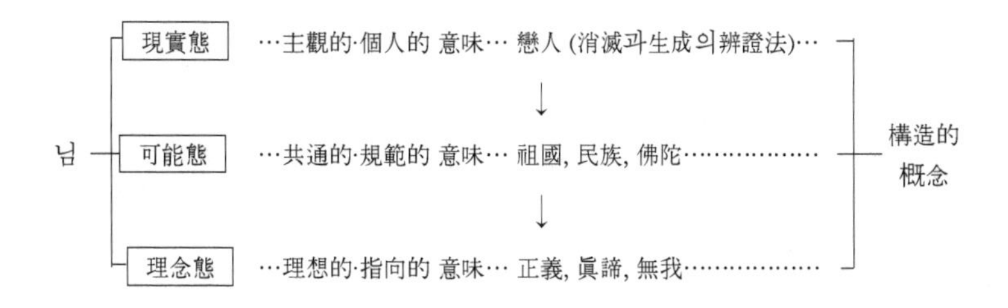

69) Wellek & Warren. op. cit., pp. 151~156.

「님」이 戀人이나 祖國, 眞諦 등 어느 하나만으로 규정될 경우에는 88편의 시가 그에 알맞는 논리로 演繹되어야 한다는 모순이 뒤따르게 된다. 따라서 「님」은 戀人이 라는 現實態로부터 출발하여 可能態, 理念態의 모두를 포괄하는 構造的 概念으로 파악하는 것이 온당하다고 본다. 왜냐하면 戀人으로서의 「님」[70]은 절실한 個人的 經驗世界와 詩的 形象의 體系사이에 美的 緊張

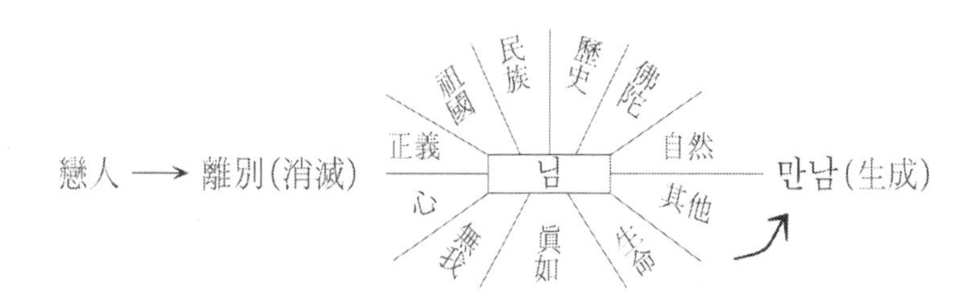

體系를 形成시킴으로써 詩的 感動과 說得力을 불러일으킬 수 있기 때문이다. 앞에서 우리는 『님의 沈默』을 離別의 詩, 즉 消滅과 生成의 辨證法的 原理로 파악하였었다. 이별은 자율적인 것으로서 만남을 성취하기 위한 방법적인 前提라는 내용이 그것이다. 바로 여기에서 戀人의 경우를 代入해 보면 된다. 戀人이 떠난 것이 자율적인 것이어야만 역시 自律的인 回歸가 가능한 것이다. 自律的 原理로서의 이별이기 때문에 自律的이고 主體的인 生成과 만남이 가능해지는 것이다. 이러한 消滅과 生成이라는 個體的 原理를 次元으로 上昇시켜 祖國과 歷史的 現實에 適用한다면 역시 잃어버린 祖國과 歷史가 결코 빼

---

70) "가갸날에 대한 인상을 구태여 말하자면 오래간만에 문득 만난 님처럼 익숙하면서도 새롭고 깃브면서도 슯흐고자 하여 그 衝動은 아름답고 그 感激은 곱습니다…… 이 인상은 무론 혼히 연상하기 쉬운 민족관념이니 조국관념이니 하는 것을 써나서 또는 무슨 까닭만한 이론을 떠나서 직감적 거의 무의식적으로 받은바 인상입니다. 그러나 그렇게 단순한 감각적 인상 그것이 곧 인생의 모든 것인지도 모르겟습니다" : <가갸날에 대하여>(≪東亞日報≫ 1926.12.7) 이 글에서 볼 수 있듯이 「감각적 인상=인생의 모든 것」이라는 구절은 詩的 發想이 直感的인 「님」 즉 戀人에 대한 정감에서 비롯되는 것임을 암시하는 내용으로 해석할 수 있다.

앗긴 것이 아니기 때문에 언젠가는 새롭게 자율적으로 생성되리라는 的 象徵的 意味를 획득하게 되는 것이다[71] 따라서 消滅과 生成에는 戀人·祖國·民族·佛陀·正義·民族精氣·歷史·自然·心·無 我 등이 構造的으로 收斂될 수 있는 것이다. 그러므로 「님」은 現實態와 可能態 및 理念態가 종합된 成層의 構造概念으로 파악하는 것이 타당하다고 본다.

다음에는 「님」과 관련하여 나타나는 사랑에 관하여 살펴보기로 한다.

① 사랑도 사람의일이라 맛날때에 미리 써날것을 염녀하고경계하지 아니한 것은아니지만 리별은 뜻밧긔일이되고 놀난가슴은 새로은 슯음에 터짐니다

<님의沈默>에서

② 진정 한사랑을위하야는 괴롭게사는것이 죽엄보다도 더큰犧牲이다

그럼으로 사랑은 참어죽지못하고 참어리별하는 사랑보다 더큰사랑은 업는것이다

진정한사랑은 愛人의抱擁만 사랑할뿐아니라 愛人의리별도 사랑하는것이다

진정한사랑은 間斷이업서서 리별은愛人의肉뿐이오 사랑은 無窮이다

<리별>에서

③ 그러나 늙고 병들고 죽기까지라도 당신때문이라면 나는 실치안하여요 나에게 생명을주던지 죽엄을주던지 당신의 뜻대로만 하서요

나는 곳당신이여요

<당신이아니더면>에서

---

71) 이 점에서 萬海 詩의 社會意識과 歷史意識이 드러난다. 『님의 沈默』에는 漢詩나 時調처럼 직접적인 參與意識이 表現돼 있지 않다. 人名만 하더라도 <論介><桂月香><타고르>밖에 등장하지 않는다. 이 점에서 『님의 沈默』에서의 社會意識과 歷史意識은 象徵的인 것으로서의 暗示的 의미를 지녀야 하는 것이 확실하다.

④ 그것은 모든사람의 나를미워하는 怨恨의豆滿江이 깁흘수록 나의당신을 사랑하는 幸福의白頭山이 놉허지는 까닭입니다

<幸福>에서

⑤ 사람을 「사랑」이라고하면 발써 사랑은아닙니다
사랑을 이름지을만한 말이나글이 어데 잇슴닛가

<사랑의 存在>에서

⑥ 님의사랑은 鋼鐵을녹이는불보다도 뜨거은데 님의손ㅅ길은 너머차서 限度가업슴니다

<님의손ㅅ길>에서

⑦사랑의줄에 묵기운것이 압흐기는 압흐지만 사방의줄을끈으면 죽는것보다도 더압흔줄을 모르는말입니다
사랑의束縛은 단단히 얼거매는것이 푸러주는것입니다

<禪師의說法>에서

⑧ 내가 당신을사랑하는것은 까닭이업는것이 아닙니다
다른사람들은 나의紅顔만을 사랑하지마는 당신은 나의 白髮도 사랑하는 까닭입니다

<사랑하는까닭>에서

⑨一切萬法이 꿈이라면
사랑의꿈에서 不滅을엇것슴니다

<꿈이라면>에서

⑩山川草木에 붓는불은 燧人氏가 내섯습니다
靑春의音樂에舞蹈하는 나의가슴을 태우는불은 가는님이 내섯슴니다

<사랑의불>에서

⑪ 왼세상사람이 나를사랑하지아니할째에 당신만이 나를사랑하

얏슴니다

나는 당신을사랑하야요 나는 당신의 「사랑」을 사랑하야요

<「사랑」을사랑하야요>에서

⑫ 진정 한사랑은 表現할수가 업슴니다

사랑의神聖은 表現에 잇지 안코 秘密에 잇슴니다

<七夕>에서

『님의 沈默』에는 「님」의 의미가 항상 「사랑」과 연관돼서 나타난다. 「님」이라는 말 자체가 사랑을 전제로 성립되는 것이기 때문에 「님」과 「사랑」은 不可分離의 關係에 놓이는 것이다. 「님」이 거의 모든 시에서 볼 수 있듯이 「사랑」의 표현도 例擧하기 힘들 정도로 많이 나타난다.

①은 / 사랑도 사람의일이라 / 처럼 사랑이 世俗的 삶에 뿌리를 두고 있으며 그 원리가 이별과 만남(消滅과 生成)의 價値軸으로 이루어지고 있음을 제시해 준다. ②는 / 죽엄 / 을 超克한 사랑의 永遠性올 드러낸다. ③은 / 생명을 주던지 죽엄을주던지 당신의 뜻대로만 하서요 / 와 같이 사랑의 絶對性을 표출한다. ④에는 사랑의 唯一性이 드러나며 ⑤는 사랑이 표출할 수 없는 것, 즉 無形의 精神的 次元에 존재하는 것임을 말해 준다. 佛敎의 不立文字說[72]이 드러나 있는 것이다. ⑥은 사랑의 熱情을 의미한다. / 님의사랑은 鋼鐵을 녹이는불보다도 쓰거은데 님의손 ㅅ길은 너머차서 / 라는 구절은 사랑의 情炎과 님의 理智의 對應 속에 사방의 갈등이 노출되어 있다. ⑦에는 사랑의 兩面性이 드러나 있다. 사랑의 拘束性과 함께 그 구속 속에 진정한 자유와 기쁨이 놓여질 수 있다는 逆說的 깨달음이 내포돼 있는 것이다. 진정한 자유는 얽매이면서도 얽매이지 않고 얽매이지 않으면서도 벗어남이 없는, 이른바 自律속의 他律과 他律속의 自律이 서로 얽매임이 없는 데 존재하는 것[73]임을 갈

72) 法無名字 言語斷故 法無有說 離覺觀故 法無形相 如虛空故 法無戱論 畢竟空故 法無我所: <維摩詰所說經講義>≪『全集』 卷 3.) pp. 276~277.

파한 것이다. ⑧은 사랑이 目性 속에 合目的性을 지니는 것임을 밝혀 준다. ⑨에는 / 사랑=꿈=不滅 / 이라는 等式이 성립돼 있다. 사랑이 허무한 꿈이면서도 그 속에 不滅性이 깃들여 있음을 말해 주는 것이다. ⑩에는 사방이 情炎의 불로 隱喩化되어 있다. 이것은 古詩歌에서 흔히 찾아볼 수 있는 보편적인 사랑의 은유이다.[74] ⑪는 ⑧처럼 사랑의 相對性과 目的性이 드러나 있다. ⑫는 사랑이 / 表現할수가 업습니다 / 祕密에잇습니다 / 라는 구절처럼 사랑의 不立文字說과 神聖性을 동시에 표출하고 있다.

이외에도 사랑의 隱喩的 表現 속에는 사랑의 本性과 原理가 집중적으로 표현돼 있다.

㉠ 사방의神<나의노래>
사랑의神聖<七夕>
사랑의女神<가지마서요>
사랑의聖殿<눈물>
사랑의祭壇<가지마시요>

㉡ 사랑의언덕<거짓리별>
사랑의팔<의심하지마서요>
사랑의褓<차라리>
사랑의바다<가지마서요>
사랑의뒤웅박<잠ᄭᅩᆫ대>

㉢ 사랑의동아줄<의심하지마서요>
사랑의酷法<의심하지마서오>
사람의쇠사실(禪師의 說法>
사랑의줄<禪師의 說法>
사랑의束縛<禪師의 說法>

㉣ 사랑의날개<가지마서요>
사랑의꿈<꿈이라면>
사랑의불<사랑의불>
사랑의칼<여름밤이기러요>

㉤ 永遠의사랑<당신을보앗습니다>
天國의사랑<讚頌>
사랑의눈물<잠ᄭᅩᆫ대>
사랑의祕密<사랑의 存在>

---

73) 若求法者於-切法應無所求 : <不思議品>『維摩經講義』op. cit., pp.7—8.『全集』卷 3. p.316.

74) 春山의 불이나니 못다핀곳 다붓는다
져뫼 져불은 ᄭᅳᆯ물이나 잇거니와
이몸의 ᄂᆡ업슨 불은 ᄭᅳᆯ물업서하노라
: 정병욱,『시조문학사전』(서울 : 신구문화사, 1966.), p. 501.

㉠에는 사랑의 神聖性이, ㉡에는 包容性이, ㉢에는 拘束性이 각각 드러나 있다. ㉣에는 自由性(날개), 虛無性(꿈), 情炎性(불). 사랑의 힘(칼)이 集約的으로 표현돼 있다. ㉤에는 永遠性(永遠), 理想性(天國). 眞實性(눈물). 奧妙性(祕密)이 각각 暗示돼 있다.

이처럼 「의」의 隱喩만 단편적으로 살펴보더라도 사랑의 本性과 原理에 대한 다양한 해석과 洞察이 제시돼 있음을 알 수 있다. 특히 ㉢에서의 사랑의 拘束性과 ㉣에서의 自由性은 人間存在의 兩面性을 극명히 드러낸 것으로 보인다. 運命的 拘束에 지배당하면서도 自由에로의 길을 끊임없이 추구하는 인간 존재의 二元的 本質이 透視돼 있는 것이다.

결국 『님의 沈默』은 님을 求心點으로 한 「사랑의 詩學」이라는 또 하나의 해적을 제시할 수 있다.

(5) 女性主義의 意味

『님의 沈默』에서 사랑을 호소하는 주체는 女性이다. 또한 語調(tone)와 詩的 雰圍氣도 女性的인 受動的 情緖에 바탕을 두고 있다. 이러한 점에서 女性主義는 『님의 沈默』의 특징을 드러내는 중요한 성격이 된다. 이런 女性主義는 다음 몇 가지의 客觀的 相關物(objective correlative)[75]로 表象된다.

1. 女性韻(femine rhyme)과 존칭보조어간
2. 女性主體가 具體的으로 表現된 것
3. 女性的 相關物

---

75) The 0nly way of expressing emotion in the form of art is by finding an "objective correlative"; in other words, a set of objects, a situation. a chain of events which shall be the formula of that particular emotion.: T.S. Eliot, *Selected Essays* (London: Faber & Faber, 1976). p. 145.

4. 女性的 情感 혹은 態度

5. 마조히즘(masochism)

먼저 女性主義[76]는 文體的 特性에서 드러난다.

> 아아 님이어 情에殉死하랴는 나의님이어 거름을돌니서요 거긔를 가지마서요 나는시려요
>
> <가지마서요>에서
>
> 당신은 나를보면 웨늘 웃기만하서요
> 나는 당신을보고 찡그리기는 시려요
>
> <당신은>에서
>
> 그것이참말인가요. 님이어 속임업시 말씀하야주서요
>
> <참말인가요>에서

『님의 沈默』의 終止法은 「음니다」와 「어요」의 두 文體로 구성돼 있다. 「음니다」體가 무겁고 정중한 인상을 주는 데 비해 「어요」體는 이른바 女姓韻으로서 가볍고 부드러우며 情感的인 語感을 형성한다. 또한 이 文體는 / 돌니서요 / 마서요 / 하서요 / 말씀하야주서요/ 등과 같이 客體尊待의 補助語幹과 함께 사용됨으로써 더욱 女性的인 語調와 분위기를 느끼게 한다. 語調란 "그의 이야기를 듣는 사람에 대하여 갖는 어떤 態度" 혹은 "客體에 대한 主體의 關係認識에서 자연스럽게 나타나는 雰圍氣"[77]로서 詩의 意味를 결정짓는 基本要素를 말한다. 이 점에서 女性韻의 文體와 尊稱補助語幹은 『님의 沈默』의 全體的인 語感과 意味形成에 중요한 영향을 미치는 것이다.

두 번째는 詩의 主體가 구체적으로 女性化되어 나타난다.

---

76) 女性主義(feminism)란 用語는 M. Vetterling-Braggin의 *Feminism & Philosophy*(Totowa: Littlefield. Adams & Co. 1978)에서 借用한다.

77) I.A. Richards. *Practical Criticism*(London: Routledge & Kegan Paul. 1973), pp.179~188. Furthermore, speaker has ordinarily an attitude to his listener. He chooses or arranges his words differently…… recognition of his relation to them.
語感은 意味(sense), 情感(feeling), 意圖(intention)와 함께 詩의 意味를 결정짓는 네 요소이다.

남들은 나더러 時代에뒤진 낡은女性이라고 삐죽거림니다 區區한 貞操를지킨다고

<自由貞操>에서

나는 집도업고 다른까닭을겸하야 民籍이업습니다
「民籍업는者는 人權이업다 人權이업는너에게 무슨貞操냐」하고 凌辱하랴는將軍이 잇섯습니다

<당신을 보앗습니다>에서

당신의 最後의接觸을바든 나의입설을 다른男子의입설에 대일수는 업습니다

<因果律>에서

/ 낡은女性 / 貞操 / 凌辱하라는將軍 / 다른男子의입설 / 등과 같이 이시의 主體는 女性으로 具體化되어 있다. 특히 두 번째 시에서는 / 民籍 / 人權 / 將軍 / 등과 같이 象徵的인 詩語를 통해서 當代의 狀況을 暗喩한다. 日帝의 抑壓이 / 將軍 / 처럼 男性的 支配와 暴力으로 象徵化돼 있는 것이다. 또한 / 다른男子의입설 / 도 主體가 女性임을 말해 준다. 세 번째는 女性的 相關物이 등장하는 경우가 있다.

언제인지 내가 바다ㅅ가에가서 조개를주섯지요 당신은 나의치마를 거더주섯서요 진흙뭇는다고

<眞珠>에서

야속한 봄바람은 나는꽃을부러서 경대위에노임니다 그려

<海棠花>에서

당신의 편지가 왓다기에 바느질그릇 치어노코 떼여보앗습니다

<당신의편지>에서

나는당신의옷을 다지어노앗습니다

심의도지코 도포도지코 자리옷도지엇습니다
지치아니한것은 적은주머니에 수놋는것뿐입니다

<繡의祕密>에서

가을바람과 아츰볏에 마치맛게익은 향긔로은포도를 사서 술을비젓습니다

<葡萄酒>에서

引用詩에서 / 치마 / 경대 / 바느질그릇 / 수놋는것/ 등은 女性의 固有한 象徵物이다. 특히 / 옷짓는일 / 과 / 술빗는일 / 은 여성들의 가장 博統的인 일에 속하는 것이다. 이러한 옷 짓는 일은 松江의 (思美人曲> 등 文學作品에서 많이 나타난다.

네 번째는 女性的인 情感 혹은 .態度가 표출된다.

① 나는 당신의첫사랑의팔에 안길때에 왼갓거짓의옷을 다벗고 세상에나온그대로의 발게버슨몸을 당신의입헤 노앗습니다

<의심하지마서요>에서

② 오서요 당신은 오실때가되얏습니다 어서오서요
당신은 나의품에로오서요 나의품에는 보드러은가슴이 잇습니다

<오서요>에서

③ 뜰압헤 버들을심어
님의 말을 매럇드니
님은 가실때에
버들을꺽어 말채칙을 하얏습니다

<심은버들>에서

④ 리별한恨이냐 너쁜이라마는
울내야 울지도못하는 나는

<두견새>에서

먼저 ①에는 / 팔에 안길째에 / 발게버슨몸 / 과 같이 女性의 受動的인 태도가 드러나 있다. 또한 ②에는 기다림과 그리움의 안타까운 哀訴를 바탕으로 / 나의품에는 보드러은가슴 / 처럼 女性的 情感이 표출돼 있다. ③에는 / 버들 / 님의말 / 이 表象하는 古典的인 그리움의 情緖가 선명히 드러난다. ④에도 傳統的인 恨의 情感이 / 두견새 / 에 表象돼 있다.

다섯째는 女性偏向의 마조히즘的의 性向인 드러난다.

① 당신이 나를버리지아니하면 나는 服從의百科全書가되야서 당신의 要求를 酬應하겟슴니다

<버리지아니하면>에서

② 당신의 사랑의동아줄에 휘감기는 體刑도 사양치안컷습니다
당신의 사랑의酷法아레에 일만가지로服從하는 自由刑도 밧겟슴니다

<의심하지마서요>에서

③ 나는 당신가신뒤에 이제상에서 엇기어려은 快樂이 잇슴니다 그것은 다른것이아니라 잇다금 실컷우는것임니다

<快樂>에서

마조히즘이란 새디즘(sadism)의 攻擊性과 달리 被虐的 快感을 의미하는 것으로서 주로 女性의 性的 衝動을 특징짓는 요소라 한다.[78] ①에서는 / 당신이 나를버리지아니하면 / 나는 服從의 百科全書가되야서 / 처럼 男子에게 수동

78) 平凡社 :『心理學事典』(東京, 昭和 32年) p. 23.

적으로 지배 당하는 여인의 모습을 연상케 된다. ②에서도 / 사랑의동아줄에 휘감기는 軆刑 / 사랑의酷法 / 自由刑 / 등과 같이 被虐的인 性向을 보여 준다. ③의 경우에도 / 실것우는것=快樂 / 이라는 逆說的인 自己虐待의 표현이 발견된다. 이러한 마조히즘的 性向은 『님의 沈默』의 情調가 男性的인 積極的, 能動的 情緖에 바탕을 둔 것이 아니라 消極的, 受動的인 女性的 情感에 자리 잡고 있음을 밝혀 주는 또 하나의 단서가 된다.

이렇게 볼 때 女性主義는 『님의 沈默』의 情緖的 形質을 構成하는 가장 중요한 특질이 된다. 이러한 女性主義는 佛敎의 觀音思想 또는 印度의 傳統的인 女4生思想에 起因한다는 주장[79]도 있지만, 그보다는 韓國의 傳統에서 淵源된 것으로 보는 것이 옳은 것으로 생각된다. 古典詩歌의 중요한 傳統이 女性話者 및 女性主體로 구성돼 있다는 점[80]이 바로 그 이유가 된다.

> …올저긔비슨머리허틀언디삼년일쇠연지분잇ᄂᆡ마ᄂᆞᆫ눌위ᄒᆞ야고
> 이ᄒᆞᆯ고ᄆᆞ옴의 ᄆᆡ친실음텹텹이빠혀이셔것ᄂᆞ니……원앙금버혀노코
> 오ᄉᆡᆨ션플텨내여금자히견화이셔님의옷지어내니……슈품은ᄏᆞ니와
> 졔도도ᄀᆞ줄시고……홍샹을니믜ᄎᆞ고취슈ᄅᆞᆯ반만거더일모슈듁의 혬
> 가림도하도할샤……님의옷ᄉᆡᆨ올므리라님이야날인줄모ᄅᆞ셔도 내님
> 조ᄎᆞ려ᄒᆞ노라
>
> <思美人曲>에서

<思美人曲>은 『님의 沈默』에서와 마찬가지로 女性主體와 女性表象으로 구성되어 있다. / 연지분 / 님의옷지어내니 / 紅裳 / 翠袖 / 등의 詩語는 이 작품이 女性主義的 發想法에서 비롯됨을 말해 준다. 여성화자와 여성주체를 통

79) 宋在甲, *op. cit.*, pp. 222-223.

80) "한국의 고전시가를 일률적으로 이렇게 볼 수는 없을지 모르겠으나. 특히 우리의 심금을 울리거나 애송돼온 대부분의 시가는 그 작품 話者가 女性인 경우가 많다… 따라서 한국문학의 내용상의 특징의 하나로 여성위주의 문학사상을 들 수 있으리라고 생각한다" : 정병욱, op. cit., p. 255.

해 그리움과 기다림을 표출함으로써 詩的인 안타까움과 애절함을 高潮시킬 수 있는 것이다.

이러한 松江의 女性主義는 임금(宣祖)이 象徵하는 男性的 힘에 對應하여 流配의 현실적인 어려움과 절망적 상황을 이겨 나가려는 精神的 應戰方式으로 해적할 수 있다. 昌平에 流配되어서의 絶望感과 復職에의 渴望이 女性으로 象徵化되어 님(임금)에게 사랑을 호소하게 되는 것이다. 이렇게 볼 때 女性主義는 情感的 呼訴力을 誘發하기 위한 表面的技法일 뿐이고 실상은 抵抗과 克服精神이 그 內面에 잠재해 있음을 알게 해 준다. 『님의 沈默』도 이와 관련해서 생각할 수 있다. 松江이 王權으로부터의 疎外에 즉하여 <思美人曲>을 쓴 것처럼 萬海도 님이 沈默하는 時代, 잃어버린 祖國과 民族에 대한 回復의 所望을 女性主義的인 表象의 逆銳的 方法으로 形象化[81]한 것으로 볼 수 있다. 日帝라는 支配的暴力에 對應하는 길은 직접적인 투쟁이 있을 수 있는 한편 女性的인 抵抗과 克服[82]의 隱喩的 方法이 있을 수 있는 것이다. 『님의 沈默』의 女性主義도 이와 같은 현실의 어려움을 극복하는 정신적 방법으로 사용되었다는 점에서 『님의 沈默』은 「克服의 詩學」으로서의 참다운 의미를 지니는 것이다.

(6) 構成(plot)의 分析

詩集 『님의 沈默』은 88편의 시가 劇的 構成(dramatic plot)을 지닌 한 편의 連作詩로 볼 수 있다.[83] 즉, 첫 詩 <님의 沈默>의 첫 行이 / 님은갓슴니다 아

81) 이 점에서 『님의 沈默』을 抵抗詩로 볼 수 있는 가능성이 제시된다. 만약 抵抗精神이 直接的으로 表出됐다면 『님의 沈默』은 詩的으로 실패했을 것이다. 女性主義라는 表面的象徵性과 抵抗과 克服精神의 象徵性이 內密의 緊張關係를 유지하고 있다는 점에서 『님의 沈默』의 예술적 形象性이 비로소 설득력을 지닌 수 있기 때문이다.

82) 시의 주제로 <論介><桂月香> 등 女性만이 『님의 沈默』에 등장하는 것도 한 暗喩가 된다.

83) 이것은 維摩經이 劇的 構成을 지닌 것과 關聯된 것으로 보인다, 또한 連作詩에 관

아 사랑하는나의님은 갓습니다 / 로 시작되어 끝 詩 <사랑의씃판>의 마지막 행이 / 네 네 가요 이제곳가요 / 로 끝이 나 詩篇 전체가 離別과 만남을 相對軸으로 한 한 篇의 存在論的 드라마를 구성하고 있는 것이다. 그러나 실상 <님의 沈默> 등 몇 편의 시를 제외하면 많은 시가 독자적 완결성이 부족한 것이 사실이다.[84] 따라서 필자는 『님의沈默』의 전체적인 구성을 앞의 도표와 같이 起·承·轉·結의 네 단락으로 구분해 보고자 한다.

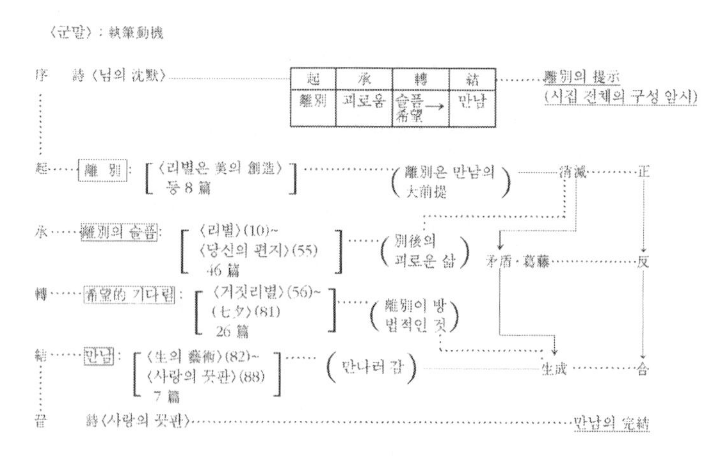

<讀者에게> : 脫稿所感

해서는 白樂晴이 "특히 『님의 沈默』을 內的 統一性이 없는 평범한 作品으로서가 아니라. 그 첫머리의 <군말>로부터 <讀者에게>라는 後記까지 『님의 沈默』을 일관된 주제를 가진 하나의 連作詩로 읽을 때 作品으로서의 효과가 더해짐은 물론 그 문화사적 비중도 커진다" 라고 주장한 바 있다. : *op. cit.*, p. 490.

84) 이 점은 『님의 沈默』의 집필 시기에 대한 해명을 가능하게 한다. 즉 『님의 沈默』은 오랜 기간에 걸쳐 쓴 作品을 모은 것이 아니라, 비교적 단기간(1925.6.7 「十玄談註解」 以後~同 8.29)에 집필된 것으로 보인다. <님의 沈默> 이전에 時調와 漢詩 이외에는 시가發表된 바가 없으며 이들과는 生活詩 對 象徵詩로 확연히 구분되기 때문이다. 또한 『님의 沈默』 이후 단편적으로 發表된 現代詩도 극히 주변적인 日常事를 다루고 있을 뿐인 것이다. 이처럼 連作詩로 보게 되면 장기간에 걸쳐 집필됐으리라는 추측들은 근거가 회박하게 된다. 착상과 메모는 지속적이었을지 모르나 집필 기간은 비교적 짧은 기간에 이루어진 것으로 보인다.

먼저 詩 <님의 沈默>은 詩集 전체의 構成과 主題를 暗示하는 序詩의 性格을 지닌다. <님의 沈默>은 그 자체가 起 ·承·轉· 結의 네 단계로 이루어져 있으며, 그 각각은 「離別→別後의 슬픔→슬픔은 希望의 前提(떠남→만남)→만남」의 劇的 構成形式을 지니고 있다. 시 <님의 沈默>에는 消滅과 生成의 辨證法으로서의 시집 『님의 沈默』의 全體的 성격과 原理가 壓縮되어 있는 것이다.

起의 부분은 <리별은美의創造>에서 시작되어 <藝術家>에 이르는 8편이 여기에 속한다. (필자주: 이하 사선 앞은 주제, 사선 뒤는 핵심 구절)

② 리별은美의創造…離別은 사랑의 完成 / 리별은 美의創造임니다

③ 알ㅅ수업서요…타는 가슴 / 그칠줄을모르고타는 나의 가슴은 누구의 밤을지키는 약한등ㅅ불임닛가

④ 나는잇고저…괴로움 / 아아 잇치지안는 생각보다 / 잇고저하는 그것이 더욱괴롭습니다

⑤ 가지마서요…만류와 哀訴 / 나의님이어 거름을돌니서요 거기를 가지마서요

⑥ 고적한방…죽엄으로 확인되는 사랑 / 죽엄은 사랑인가요

⑦ 나의길…運命的 사방 / 아아 이세상에는 님이아니고는 나의길을 내일수가 업습니다

⑧ 숨쌔고서…그리움 / 아아 발자최소리나 아니더면 숨이나 아니 쌔엿스련마는

⑨ 藝術家…自我省察 / 나는 敍情詩人이되기에는 너머도 素質이업나버요

이 부분의 특징은 떠나간 님에 대한 아쉬움과 안타까움, 만류와 함께 왜소한 나에 대한 부정적 인식이 표출되어 있는 점이다. <리별은美의創造>라는 大前提로부터 님이 떠난 직후의 絶望的 심정과 함께 새삼스런 사랑의 인식이 나타나 있는 것이다.

承의 부분은 <리별>로부터 <당신의편지>까지의 46편이 해당된다. 먼저 <리별>에는 離別에 대한 萬海의 정감과 해석이 본격적으로 제시되어있다. 아울러 이러한 해석을 마당으로 님을 이별한 후의 ,心理的 葛藤과 變化가 생생하게 묘사되어 있는 것이다.

⑩ 리별…離別의 슬픔 / 아아 리별의눈물은 眞이오 善이오 美다

⑪ 길이막혀…그리움 / 오시라도 길이막혀서 못오시는 당신이 그루어요

⑫ 自由貞操…기다림 / 나는 님을기다리면서 괴로움을먹고 살이짐니다

⑬ 하나가되야주서요…苦痛 / 님의주시는고통을 사랑하것습니다

⑭ 나루ㅅ배와行人…기다림 / 나는 당신을기다리면서 날마다날마다 낡어감니다

⑮ 차라리…葛藤 / 님이어 오서요 오시지아니하랴면 차라리가서요

⑯ 나의노래…葛藤 / 나의노래는 세속의노래와 다르지아니하면 아니되는까닭임니다

⑰ 당신이아니더면…사랑은 목숨의 原理 / 그러나 늙고 병들고 죽기까지라도 당신때문이라면 나는 실치안하여요

⑱ 잠없는꿈…虛妄 / 나는 나의님을 힘껏 껴안엇습니다…虛空은 나의팔을 뒤에두고 이어젓습니다

⑲ 生命…가엾은 나 / 沙漠에 한가지의 깃듸일나무도업는 적은새인 나의生命

⑳사랑의測量…사랑의 確認 / 나를울니는것은 사랑이아니고 무엇이여요

㉑ 眞珠…嫉妬 / 당신이 어듸 그眞珠를 가지고기서요 잠시라도 웨 남을빌녀주서요

㉒ 슯음의三昧…슬픔 / 나는 슯음의三昧에 「我空」이되얏습니다

㉓ 의심하지마서요…人間的 사랑 / 의심하지마서요…부지럽시 당신에게 苦痛의숫자만 더할뿐임니다

㉔ 당신은…嫉妬의 슬픔 / 울고십헛습니다 / 그레서 금실로수노은 수건으로 얼골을가렷습니다

㉕ 幸福…愛憎 / 그사람을미워하는고통도 나에게는 幸福임니다

㉖ 錯認…虛妄 / 부끄럽든마음이 갑작히 무서워서 떨녀짐니다

㉗ 밤은고요하고…사랑하는 마음 / 그러나 그를사랑하는 나의마음은 오히려식지 아니 하얏니다

㉘ 秘密…사람의 秘密 / 그秘密은 소리업는 매아리와 가터서 表現할수가 업습니다

㉙ 사람의存在… 사랑의 原理 / 사랑을 「사랑」이라고하면 발써 사랑은 아님니다

㉚ 슮과근심…근심 / 근심에서 근심으로 / 끗간데를 모르것다

㉛ 葡萄酒…눈물·眞實 / 또한밤을지나면 나의눈물이 다른포도주가 됨니다 오오 님이어

㉜ 誹謗…誹謗과 猜忌 / 당신에게 비방과猜忌가 잇슬지라도 關心치 마서요

㉝ ?…人生無常 / 아아 佛이냐 魔냐 人生이 띄끌이냐 슮이 黃金이냐

㉞ 님의손ㅅ길…사랑의 兩面性 / 님의사랑은 불보다도 쓸거워서…님의손ㅅ길은 너머 도차서

㉟ 海棠花…기다림·눈물 / 끗은 말도업시 나의 눈물에비처서 둘도 되고 셋도됩니다

㊱ 당신을보앗습니다…苦難과 슬픔 / 남에대한激憤이 스스로의슯음으로化하는刹那에

㊲ 비 …만남·所望 / 당신에게가서 사랑의팔에 감기고자함니다

㊳ 服從…사람 / 服從하고십흔데 服從하는것은 아름다은自由보다도 달금함니다 그것이 나의幸福임니다

㊴ 참어주서요…葛藤 / 당신은 나를사랑하지말고 나로하야금 당신을사랑할수 가업도록 하야주서요

㊵ 어늬것이참이냐…눈물·한숨 / 시내물은 물ㅅ결을보태랴고 나의 눈물을 바드면서 흐르지안습니다

㊶ 情天恨海…情恨 / 情하늘을 짜를소냐…恨바다만 못하리라

㊷ 첫「키쓰」…부끄러움 / 마서요 제발마서요 / 보면서 못보는체 마서요

㊸ 禪師의說法…사랑의 拘束性 / 사랑의 束縛은 단단히 얼거매는것이 푸러주는것입니다

㊹ 그를보내며…사랑의 原理 / 사람이머러질수록 마음은가까워지고 마음이가까워질수록 사람은머러진다

㊺ 金剛山…祖國愛 / 萬二千峯! 無恙하냐 金剛山아

㊻ 님의얼골…님의 禮讚 / 아아 나는 님의그림자여요

㊼ 심은버들…情恨 / 남은가지 千萬絲는 / 해마다 해마다 보낸恨을 잡에맵니다

㊽ 樂園은가시덤풀에서…苦痛을 통한 歡喜 / 苦痛의가시덤풀뒤에 歡喜의樂園을 建設하기위하야 님을떠난 나는 아아 幸福입니다

㊾ 참말인가요…사랑 / 나의피를 더운눈물에 석거서 피에목마른 그들의 칼에 뿌리고

㊿ 꽃이먼저아러…눈물 / 아아 나의눈물이 떠러진줄이야 꽃이먼저아럿슴니다

51 讚頌…님·사랑 / 님이어 사랑이어 어름바다에 봄바람이어

52 論介의愛人이되야그의廟에…祖國·先烈愛 / 千秋에 죽지안는 論介의

53 後悔…뉘우침·눈물 / 당신이가신뒤에 떠난근심보다 뉘우치는눈물이만슴니다

54 사랑하는까닭…眞正한 사랑 / 당신은 나의죽엄도 사랑하는 까닭입니다

55 당신의편지…기다림 / 당신의 편지가왓다기에…떠낫다고 하얏슬터인데

가장 많은 詩篇으로 구성된 이 承의 부분은 悲劇的인 世界認識에 바탕을 두고 있다. 이별의 슬픔과 恨, 기다림과 그리움. 虛妄과 葛藤, 사랑의 虛像과 實相, 祖國愛 등 사랑과 삶의 存在論的 고뇌와 葛藤이 主流를 이룬다. 이러한 存在論的 葛藤은 이별한 뒤에 비로소 깨닫게 되는 님의 중요성과 사랑의 의미가 님의 不在에 대한 絶望的 認識과 결합됨으로써 드러나게 된다. 神이 숨

은 時代, 님이 없는 세계에 대한 絶望과 否定的 認識이 적나라하게 표출되어 있는 것이다.

(56) 거짓리별…希望 / 거짓리별이 언제든지 우리에게서 써날줄만은 아러요 希望의바다엔 물ㅅ결이 쒸노러요

(57) 숢이라면…不滅 / 一切萬法이 숢이라면 / 사랑의숢에서 不滅을 엇것슴니다

(58) 달을보며…合一 / 아아 당신의얼골이 달이기에 나의얼골도 달이되얏슴니다

(59) 因果律…만남은 必然的 인과율 / 참盟誓를해치고가는 리별은 옛盟誓로 도러올줄을 암니다 그것은 嚴肅한因果律임니다

(60) 잠ㅅ대…그리움의 絶頂/짐의나라에서 몸부림치든 사랑의눈물은 어늬덧 벼개를적싯슴니다

(61) 桂月香에게…祖國·先烈愛 / 나는 黃金의소반에 아츰볏을바치고 梅花가지에 새봄을걸어서 그대의 잠자는겻헤 가만히 노아드리것슴니다

(62) 滿足…幸福 / 아즈랑이가튼숢과 金실가튼幻想이 님기신쏫동산에 둘닐째에아아 나는 滿足을어덧노라

(63) 反比例…希望 / 당신의그림자는 光明이여요

(64) 눈물…사랑의完成 / 아아 언제나 空間과時間을 눈물로채워서 사랑의世界를 完成할ㅅ가요

(65) 어데라도…님은 나의 모든 것 / 어데라도 눈에보이는데마다 당신이게니시기에

(66) 써날써의님의얼골…消滅의 아름다운 승화 / 님의 써날써의얼골이 더욱여엽븜니다

(67) 最初의님…다시 만남 / 아아 님이어 우리의 다시맛나는우슴은 어늬째에 잇슴닛가

(68) 두견새…恨의 絶頂 / 두견새는 실컷운다 / 울다가 못다울면 / 피를흘녀 운다

(69) 나의숢…님과의 不可分離性 / 나의숢은 적은별이되야서 당신

의 머리위에 지키고잇것습니다

⑦⓪ 우는때…눈물 / 우름을삼켜서 눈물을 속으로 창자를향하야 흘님니다

⑦① 타골의詩(GARDENISTO)를 읽고…讚揚 / 벗이어 나의벗이어 愛人의무덤위의 픠여잇는 쏫처럼 나를울니는 벗이어

⑦② 繡의秘密…기다림 / 나는 당신의옷을 다지어노앗습니다

⑦③ 사랑의불…情炎 / 나의가슴을 태우는불은 가신님이 내섯습니다

⑦④ 「사랑」을사랑하야요…사당의 告白 / 나는 당신을사랑하야요

⑦⑤ 버리지아니하면…사랑은 삶의 原理 / 나를버리지아니하면 나는 마음의거울이되야서 속임업시 당신의苦樂을 가치하것습니다

⑦⑥ 당신가신때…만남 / 나는 永遠의시간에서 당신가신때를 끈어내것습니다

⑦⑦ 妖術…方法的 離別 / 지금의리별이 사랑의最後는 아닙니다

⑦⑧ 당신의마음…사랑의 트릭 / 그러나 당신의마음을 보지못하얏습니다

⑦⑨ 여름밤이기러요…기다림의 애달픔 / 그러나 당신이오시면 나는 사랑의칼을가지고 긴밤을베혀서 一千도막을 내것습니다

⑧⓪ 冥想…님=天國 / 그러나 나는 님이오시면 그의가슴에 天國을 꾸미랴고 도러왓습니다

⑧① 七夕…神聖한 사랑 / 사당의神聖은 表現에잇지안코 秘密에 잇습니다 / 지금은 七月七夕날밤임니다

이 부분을 轉으로 設定한 이유는 承의 부분에 있어서의 悲劇的 世界觀과 葛藤이 차츰 절정을 이루면서 肯定的인 希望을 내포하게 되기 때문이다. 첫 詩 (거짓리별>에서는 / 가령 우리가 조흘때로말하는것과가티 거짓리별이라 아니할지라도 / 처럼 이별이 他律이나 本質에서 비롯된 것이 아니고 現象的, 方法的 離別이었음이 밝혀짐으로써 劇的 轉換이 일어나게 된 것이다. 그러므로 <因果律>에서 / 참盟誓를깨치고가는 리별은 옛盟誓로 도러올줄을 암니다. 그것은 嚴肅한因果律임니다 / 와 같이 새로운 만남이 필연적인 것이며 /

당신과써날째의 입마춘입설이 마르기전에 당신이도러와서 다시입마추기를 기다림니다 / 와 같이 만남에 대한 소망과 확신을 긍정적으로 표출하게 된다. <妖術>에서는 이별이 방법적인 것이었음이 더욱 확실히 드러난다. 따라서 님이 돌아옴으로써 진정한 만남이 반드시 성취되리라는 肯定的 認識으로 轉換하게 되는 것이다.

이러한 희망적 인식은 마침내 詩的 絶頂에 이르게 된다. 이별의 한숨과 눈물은 이제 / 한숨의봄바람과 눈물의水晶은 써난님을그루어하는 情의秋收임니다 / 저리고쓰린 슯음은 힘이되고 熱이되야서 어린羊과가튼 적은목숨을 사러움지기게함니다 /85)라는 <生의 藝術>과 같이 「힘과 熱」로 변화되어 希望과 樂觀의 肯定的 世界觀을 형성하게 된 것이다.

⑫ 生의藝術…사랑=한숨과 눈물 / 님이주시는 한숨과눈물은 아름다은 生의 藝術임니다

⑬ 쏫싸음…하소연 / 쏫은픠여서 시드러가는대 당신은 옛맹서를 이즈시고 아니오심닛가

⑭ 거문고탈째…그리움 / 당신은 거문고줄에서 그늬를쀱니다

⑮ 오서요…간청 / 오서요 당신은 오실때가되얏서요 어서오서요

⑯ 快樂…「오라」는 역설적 강조 / 나는 당신가신뒤에 이제상에서 엇기어려은 快樂이 잇슴니다

⑰ 苦待…기다림의 絶頂 / 나의 「기다림」은 나를찻다가 못찻고 저의 自身싸지 이러버렷슴니다

⑱ 사랑의씃판…만남의 成就 / 네 네 가요 이제곳가요

離別은 슬픔과 한탄, 눈물과 한숨, 절망과 갈등을 넘어서서 마침내 만남을 성

85) 이 구절은 / 그러나 리별을 쓸데업는 눈물의 源泉을 만들고 마는것은 스스로 사랑을 깨치는것인줄 아는싸닭에 것잡을수업는 슯음의힘을옴겨서 새希望의 정수박이에 드러부엇슴니다 / <님의 沈默> 轉의 ⑦行과 대응됨으로써 『님의침묵』의 기승전결 구분의 타당성을 방증해 준다.

취하게 된다. 通過過程으로서의 離別을 겪고난 다음 새로운 만남의 世界가 눈앞에 비로소 전개되는 것이다. 특히 마지막 詩의 劇的 緊迫感은 未完의 만남을 통해 詩的 緊張을 高潮시킴으로서 / 제곡조를 못이기는 사랑의노래는 님의沈默을 휩싸고돕니다 / 라는 첫 詩 마지막 구절과 圓成[86]의 照應을 이루고 있는 것이다.

네 네 가요 지금곳가요
에그 등ㅅ불을켜라다가 초를 거꾸로꼬젓습니다 그려 저를 엇저나 저사람들이 숭보것네
님이어 나는 이러케밧붐니다 님은 나를 게으르다고 꾸짓습니다 에그 저것좀보아 「밧분것이 게으른것이다」하시네
내가 님의꾸지럼을듯기로 무엇이실컷습닛가 다만 님의거문고줄이 緩急을이를까 접허함니다
님이어 하늘도업는바다를 거처서 느름나무그늘을 지어버리는것은 달빗이아니라 새는빗임니다
홰를탄 닭은 날개를움직임니다
마구에매인 말은 굽을침니다
네 네 가요 이제곳가요

<사랑의끗판> 全文

『님의 沈默』이 劇的 構成을 지니고 있는 것은 이 마지막 시에서 가장 선명히 드러난다. 8行 2聯으로 구성된 이 시는 前半에서는 이별의 갈등이 해소되어 만남을 서두르는 모습이 / 등ㅅ불을켜라다가 초를 거꾸로꼬젓습니다 / 처럼 박진감있게 묘사되어 있다. 후반에서는 시간적 背景 부터가 달라진다. 『님의 沈默』에 가득찼던 어둠의 이미지는 / 새는빗 / 처럼 희망적인 새벽의

---

86) "마지막 作品은 첫째 작품 <님의 沈默>과 對應한다. 따라서 「不離文字는 性의 圓成」이라는 萬海의 생각이 바로 詩集 『님의 沈默』의 構造가 지닌 「圓成」에서도 具現되고 있는 셈이다. 우리는 이런 점으로 보아서도 이 詩集이 하나의 全體, 그것도 「圓成된 全體」를 이루고 있음을 알 수 있다." :宋稶. 『님의 沈默 全篇解說』(서울:科學社. 1974). pp,367~368

이미지로 전환하는 것이다. 아울러 / 닭은 날개를 움직입니다 / 말은 굽을침니다 / 와 같이 生動感 있는 표현으로 劇的 緊迫感을 高潮시킨다. 따라서 /네네 가요 이제곳가요 / 라는 만남의 성취가 가능해지는 것이다. 오랜 동안의 갈등과 고뇌의 어둠이 걷히고 벅찬 기대와 희망의 출발로 인해 설레이게 되는 것이다.

결국 『님의 沈默』은 이별이나 이별의 슬픔 그 자체를 노래한 시가 아니다. 오히려 이별에서 절망과 갈등의 辨證法的 矛盾을 겪고난 다음 참다운 「님」과 사랑의 의미를 새롭게 발견함으로써 크고 빛나는 만남을 성취하는 生成과 克服의 시라고 볼 수 있다. 이렇게 볼 때 『님의 沈默』에서 沈默의 의미는 단순한 默想의 沈默이 아니라 "維摩의 一默은 萬雷와 같다"[87]라는 구절처럼 몸부림과 깨달음이 용솟음치는 生成의 積極的인 沈默인 것이다.

4. 小說論

(1) 敍事장르 선택의 이유

萬海는 대략 5편의 소설을 창작 발표한 것으로 알려지고 있다. 漢詩·時調·現代詩 등 주로 詩作에 몰두하던 그가 뒤늦게 신문 연재소설을 창작한 것은 그 나름대로의 이유가 있었던 것으로 보인다. 먼저 다섯 편의 소설을 살펴보면 다음과 같다.

<黑風>-57세 때 작품; (1935. 4. 9~1936. 2. 4) ≪朝鮮日報≫ 연재
<後悔>-58세 때 : (1936. 6. 27~1936. 7. 31) ≪朝鮮中央日報≫ 연재중 중단
<鐵血美人>-59세 때 : (1937. 3~4월호) ≪佛教≫誌 연재중 중단
<薄命>-60세 때 ; (1938. 5. 18~1939. 3. 12) ≪朝鮮日報≫ 연재

87) 石田瑞麿. *op. cit.*, p. 303.

<죽음>-창작연대 미상. 遺稿로 전해지던 것을 『全集』 卷6에 수록

이렇게 본다면 완결된 작품으로는 <黑風>, <薄命> 및 <죽음> 세 편뿐이며, 이중에서 <죽음>은 창작연대 등 확실한 것이 밝혀져 있지 않다. <後悔>[88] <鐵血美人>의 경우에는 작품으로서의 기본요건인 完結性·自足性이 부족하기 때문에 정상적인 의미에서의 작품론 전개가 어려운 실정이다.

어떤 이유로 만해가 1930년대, 그것도 리얼리즘과 심리주의 소설 등의 本格作壇이 형성 전개되기 시작한 중반 이후에 소설을 집필하였으며 그것을 대중신문에 발표하였는가 하는 이유에 대해 살펴볼 필요가 있을 것이다.

> ① 금번 만해 한용운선생이 본보를 위하야 흑풍(黑風)이란 장편소설을 집필하시게 되얏습니다. 사월판일부터 본보제사면(학예면)에 연재될터로 날마다 여러분의만흔환영을 바드리라고 밋습니다. 선생은 우리 사회에 잇서 가장 존경을맛는선진자의한분이요 또가장널리명성을올리는 선배의 한분입니다. ……中略……『님의 침묵』이란시집으로써 이미시인으로서의 선생을 대하얏거니와 금번 이흑풍으로써 다시소설가로서의 선생을대하게됩니다. ……中略……더구나이흑풍에는 한구절한구절이모두다 그러한 선생의 인ㅅ격으로부터 울어나온것이올시다. 선생의소설은다른소설과류가다릅니다. 좀더 다른의미로읽어주시기를바랍니다.
>
> ……下略……

> ② 나는 소설쓸소질이 잇는사람도 아니요 또나는 소설가되고시퍼 애쓰는 사람도아니올시다. 왜그러면 소설올 쓰느냐고 반박하실지도 모르나 지금이자리에서 그동기까지를 설명하려고는안습니다. 하여

88) 특히 <後悔>는 <薄命>과 유사한 내용이다. 이것은 <後悔>가 ≪조선중앙일보≫의 폐간(1936)으로 인하여 연재가 중단되자 2년 후에 <薄命>으로 내용을 바꾸어 연재 수록하고 있다.

튼나의 이소설에는 문장이류창한것도아니요또는그이외에라도 무슨 특장이잇슬것도아닙니다. 오즉나로서평소부터여러분께대하야 한번 알리엇스면하든 그것을알리게된데 지나지 안습니다.

……中略……변변치 못한글을 드리는것은 미안하오나 이기회에 여러분과친하게되는것은 한업시 질거운일입니다. 과단처를 모도다 눌러보시고 글속에숨은 나의마음까지를 일거주신다면 그이상의 다행이업겟습니다.[89] (방점-필자).

①은 신문사측의 연재 예고문이며 ②는作者의 말이다. 먼저 ①에는 연재소설 집필 의뢰의 이유가 간략히 소개돼 있다. 그것은 시인으로서의 만해가 소설가로서의 또 다른 일면을 지니고 있음을 소개하고 집필 청탁이 만해가 차지하고 있는 사회적 위치와 명성 등 외부적 동기에 기인하는 것임을 밝혀주고 있다. 「인격으로부터 우러나온 것」이라는 작품평가는 신문 연재소설이 예술사적 가치보다는 문화사적 가치에 비중을 두어야한다는 편집자의 의도가 은연중 노출돼 있다. 따라서 편집자는 만해 소설이 갖는 의미를 「다른 소설과 류가 다른」, 「좀더 다른 의미로 읽어 주시기를 바라는」 등과 같이 예술적 가치나 문학사적 위치가 아닌 정신사적 의미에서 찾으려 한 것이다. ②글에는 이 연재소설 집필이 다분히 신문사측의 청탁 혹은 배려로 이루어진 것임이 확연히 드러나 있다. 「소설 쓸 소질이 있는 사람도 아니요」, 「소설가가 되고 싶어 애쓰는 사람도 아니올시다」라는 구절 속에는 소설 집필이 자의적인 것보다는 권유 내지는 청탁의 외부적 동기에서 이루어진 것이라는 의미가 담겨져 있다. 전문적인 작가의식이나 예술적인 창작의식에서 소설을 쓴 것이 아니라 주어진 신문연재의 기회에 평소 말하고 싶던 바를 소설이라는 문학적 장치를 통하여 표출하고자 한 것이다. "오즉나로서평소부터여러분께대하야 한번알리엇스면하든 그것을알리게된데" 라는 구절과 "글속에숨은 나의마

89) 「新連載長篇小銳豫告」≪朝鮮日報≫ (1935. 4. 2).

음"이라는 두 핵심 구절은 만해가 인식한 소설의 장르적 기능을 잘 설명해 준다. 먼저, 앞의 구절은 소설이 작자가 말하고자 하는 바 작자의 사상이나 인생관을 독자에게 알리고 계몽하는 전달의 문학양식임을 제시한다. 소설의 계몽적·전달적 가치를 중시하는 문예관이 나타나 있는 것이다. 이렇게 본다면 소설은 문체의 면에서 國漢文體의 양식, 즉 전달과 계몽의 대표적 문체인 논설문과 기능적 유사성을 갖는 것으로 이해되고 있다. 작자가 말하고자 하는 바를 명확히, 또한 直截하게 표출하는 양식으로서의 국한문체인 만해 논설문의 主張的·啓蒙的 기능을 만해는 소설양식에서 기대하고 있는 것이다. 다시 말해 20년대 후반에 이르러 국한문체의 과도적 기능이 차츰 소실되어 갔음에 비추어 만해는 1930년대에 이르러 자신이 말하고자 하는 바를 새로운 장르인 소설을 통해 개진하고자 시도한 것이다. 이와 아울러 "글속에숨은 나의 마음"이라는 구절은 만해가 전달기능을 제1의로 하는 문학양식으로 생각한 소설이 어디까지나 예술장르에 속하는 것임을 분명히 밝혀 준 내용으로 이해된다.[90] 소설이 논설문처럼 논리적 설명적 기능을 갖는다 해도 그것은 소설이 예술적 장치를 취하는 한 암시의 미학을 바탕으로 하는 문예미학에 근거해야 한다는 점을 말한다. 다시 말해 소설이 문학인 한에 있어서는 지식이나 논설과는 다른 문학성을 지니야 한다는 점을 분명히 인식한 것이다. 바로 이 점에서 만해의 서사장르선택의 이유가 선명히 드러난다. 즉 소설을 직접적 전달양식으로서의 논설문과 상징적 표상양식인 시의 交互的·中間的 장르로 파악한 것이다. 이 점에서 소설은 『조신독립의 서』 등 20년대 초의 국한문체에 의한 논설문과 20년대 중반의 상징양식인 시집 『님의 침묵』의 이후인 30년대에 이르러 만해가 선택할 수밖에 없는 필연적 문학장르인 것이다. 적당히 할 얘기를 하면서도 의도나 주제를 상징적으로 암유할 수 있는 소설의 장

90) 이 점에서 20년대 『님의 침묵』의 상대적 성격이 선명히 드러난다. 『님의 침묵』온 직접적 논리 개진이나 주장을 위한 장르 선택이 아니라 어디까지나 상징적인 문학양식이라는 점이 드러나는 것이다.

르적 특징은 논설의 직접 성과 시의 상징성이 갖는 나름대로의 한계를 자각한 만해가 새롭게 심취할 수 있는 중간장르일 수 있는 것이다. 이렇게 볼 때 ①, ②의 글을 종합해 보면 만해의 연재소설 창작은 무엇보다 신문사의 집필 권유 및 의뢰에 직접적으로 비롯되는 것으로 보인다. 이것은 "그의 淸貧한 생활에 米鹽의 資를 도와 드리기 위해 연재소설을 부탁"[91]했거나 "비록 소설에는 생소하다 치더라도 이 무렵에 있어 만해의 다채로운 명성과 민족지도자로서의 위치를 감안하여 국민들에 대한 계몽자로 등장시켰으리라"[92]는 기왕의 지적과도 연관된다.[93] 특히 高銀의 "한용운의 신문 연재는 그의 신혼생활과 관련이 깊으며 때때로 그 연재소설의 원고료는 가계보다는 金東三의 五日葬에 쓰거나 申采浩의 비석 건립에 쓰이거나 한 사실과 함께 非文壇的인 대우로 집필된 것"[94]이라는 추리는 상당한 설득력을 지닌 것으로 보인다. 그러므로 이러한 신문사측의 만해에 대한 연재소설 의뢰는 다분히 문학사적 의의 추구보다는 민족주의적인 지향과 개인적 배려에 근본 취지를 두고 있었던 것으로 판단된다.[95] 여기에 만해의 절충적·지양적 장르로서의 소설의 문학적 기능 인식과 그에 대한 나름대로의 매력을 느낀 것이 서로 합치되어. 소설을 그것도 장편연재소설을 집필하게 된 것으로 보인다.

또한 문학사적인 측면에서도 해명이 가능하다. 20년대 후반 寓海의 卍黨·新幹會 등의 사회활동에 따른 이념편중적인 생활태도로 인해 포에지가 고갈된 것도 중요한 이유가 되리라 생각한다.[96] 여기에 1930년대의 日帝의 수탈

---

91) 朴魯埻·印權煥, *op. cit.*, p.284

92) 이명재, 「만해 小說攷」 ≪국어국문학≫ 70호(1976), pp.134~135.

93) 특히 白鐵은 "그가 黑風을 ≪조선일보≫에 발표한 해는 李光洙. 洪命憙 등이 同社의 요직에 있을 때니만큼 그들과의 친교 관계로 해서 살펴볼 만한 일"이라고 동조하고 있다.

94) 高銀. 『韓龍雲評傳』(서울 : 民音社. 1975), p.375.

95) 이러한 것은 <흑풍> 연재가 끝난 뒤 同誌에 <薄命>을 다시 연재하는 것에서 주요한 시사점을 얻을 수 있다.

96) 이 점은 崔南善이 20년 후반 이념지향으로 인해 포에지를 상실하고 차츰 역사 연구으

과 김열에 따른 사회적 긴장의 고조가 논설 발표의 한계를 초래하였으며, 아울러 포에지의 상실을 불러일으킨 것이다. 또한 30년대 들어 김기림·이상 등 모더니즘의 시와 시론[97]이 본격화되고 있음에 비추어 萬海 스스로 서정시에 대한 회의와 불안감을 자각한 것도 중요한 이유가 되리라 생각된다. 결국 만해의 소설 집필은 ① 신문사의 집필 의뢰 (민족운동의 지원방편 내지 사회사적 이념지향성) ② 만해 자신의 소설의 중간 장르적 고유 기능 인식 (논설문의 직접성과 시의 상징성을 동시에 표출할 수 있는 장르) ③ 모더니즘시와 시론에 대한 반동성향(서정적 포에지의 상실과 시단에 대한불만감) ④ 당대 作壇에 대한 選民意識(六堂·春園 등과 비견되는 민족적 선구자의식 및 자신도 소설을 쓸수있다는 자부심) ⑤ 원고료가 어려운 현실생활에 도움을 준 점(개인적 사정) 등 몇 가지 動因에 의한 것으로 推定할 수 있다.

(2) 구성의 分析

먼저 萬海 소설의 구성적 특성과 문제점을 작품별로 살펴보면 다음과 같이 정리된다.[98]

<黑風>

人物—善人 ; 서왕한, 호창순, 이봉숙, 콜란(가난한 농민 출신 혹은 女子)

惡人 ; 지주 왕언석, 부정축재자 장지성, 홍겸 등(부유하고 권력 있는者)

→개성적 인물보다는 시대의 전형적 인물형[99]

로 옮겨간 사실과 대응된다. 鄭漢模.『韓國現代詩文學史』(서울: 일지사. 1974).p.206

97) 이 무렵을 전후해서 한용운의 연재소설과 함께 金起林의 모더니즘詩論이 같은 조선일보 지면에 연재되고 있었다.

98) <鐵血美人> <後悔>는 未完이므로 생략한다.

99) 한 예로 주인공 왕한에 대한 인물묘사를 보면 "평소부터 왕한의 범상치 아니한 인격과 훌륭한 용력을 아는지 라" (<혹풍>, p.72)와 같이 古代小銳의 상부적 수법을 그대로 답습하고 있다.

背景—中國(淸朝末의 격동기), 미국의 시카고, 홍콩. 일본 등지
事件—反抗과 革命, 사랑과 희생, 배반과 복수
結末—창순의 죽음, 새로운 혁명 운동의 계기 마련
主題—革命을 통한 救國意志와 민족 계몽(사랑은 부차적 의미)
效果—계몽적. 주장적. 暗示的, 佛敎的 설교
特徵—신경 향파적 경향성, 독립애국사상의 암시적 표출
결점—인물의 정형성, 우연성의 남발, 묘사의 상투성, 도식적 구성 양식

<薄命>
人物—善人 ; 장순영
　　　惡人 ; 김대철, 운옥(난향)
背景—한국(원산, 인천, 경성)
事件—誘惑→색주가→結婚→離婚→末路
結末—김대철의 죽음(죄의 대가). 순영의 佛陀 귀의
主題-因果應報와 報恩主義(順應主義)
效果—大慈大悲의 인간구원
特徵—佛敎的, 啓象的. 敎訓的 경향
결점—사건 전개의 목차적 구성, 인물의 평면성. 우연성 남발. 묘사의 상투성, 주제의 도식적 추상성

<죽음>
人物—善人 ; 최영옥, 최 선생, 김종철
　　　惡人 : 정성열, 상훈
背景—한국(경성), 미국
事件—미스테리적 구성, 報恩報讐
結末—최영옥의 죽음(김종철, 정성열의 죽음)
主題—운명적 비극과 因果應報
效果—항일정신과 계몽의식의 암시적 표출
特徵—자유결혼, 신교육사상, 독립 고취
결점-계몽의식의 직접 노출, 묘사의 고대소설적 잔재, 우연성의 남발, 작위적 결말

일반적으로 古代小說은 人物이 善人과 惡人으로 類別되며 사건 중심의 구성을 취하고 묘사가 추상적·도식적·상투적이며 주제가 권선징악을 바탕으로 한다는 점을 들 수 있다.[100] 특히 흥미 중심의 사건 전개와 우연성의 남발 및 인물의 평면성 (flat character) 등은 커다란 결점으로 지적된다. 또한 新小銳도 善人과 惡人의 類型的 인물 설정과 외면적 인물묘사 및 추상적 관념의 도식적 전개 및 흥미 중심의 구성, 그리고 권신징악 등 계몽적 요소 등은 고대소설의 특징을 대부분 계승하고 있는 것이 사실이다. 다만 신소설은 고대소설보다 현실성 및 사회성을 제시함으로써 "한국 근대화과정의 한 反映"[101]을 보여 준다는 점에서 어느 정도 고대소설의 테두리를 벗어나고 있다. 앞에서의 만해 소설의 구성적 특징을 살펴보면 만해의 소설들은 대부분 新小稅의 범주에 묶일 수 있음을 알 수 있다. 특히 배경을 중국으로 설정한 작품이 발견된다는 것은 暗喩的인 의미 이상으로 古代小銳的 發想法의 차용인 것이다. 中國을 배경으로 설정하는 것은 고대소설의 典型的인 구성 방법이기 때문이다. 또한 인물이 善人과 惡人으로 類別된다는 것도 다분히 古代小說的인 잔재로 생각된다. 특히 勸善徵惡의 結末은 古代小說과 新小說의 중요한 테마로서 萬海의 그것과 조금도 차이가 없다. 다만 만해 소설이 죽음으로 결말이 처리되는 점이 특이하나 이것은 佛敎의 비극적 人生觀의 제시를 강조한 것이며 동시에 주제를 강조하기 위한 방법적 특성을 지닌다는 점에서 볼 때 크게 새로운 것이 되지 못한다. 그러나 주제에 있어서 革命에 의한 救國意`志의 표출이나 運命的 人生觀의 제시, 혹은 社會改革意志의 표출, 그리고 新敎育思想, 女性解放 운동 등은 新小說的인 것에 바탕을 두면서도 다분히 20년대의 경향적인 문학풍조나 30년대의 리얼리즘의 영향이 개재된 것으로 보인다는 점에서, 신소설보다 다소 현실성을 지니는 것으로 판단된다. 무엇보다도 만

---

100) 鄭鉒東.『古代小說論』(대구 : 형설출판사. 1973) 참조.

101) 全光鏞「韓國小說發達史(下)」『韓國文化史大系』(서울 : 고대민족문화연구소. 1967), p. 1163

해 소설의 技法的 결점은 사건 전개의 順次性 및 圖式性, 주제의 획일화, 우연성의 남발과 묘사와 표현의 상투성에서 드러난다. 미스테리적 구성에 의한 變化를 시도한 작품도 있으나 대부분의 플롯이 지나치게 도식적이고 사건 중심이며, 우연성에 의지하고 있는 형편이다. 만해 소설의 인물이 "自動人形"[102]이라는 예리한 지적은 만해 소설의 인물과 사건 전개를 적절하게 이해한 내용으로 보인다. 또한 작품 내용이 계몽주의적이며 설교적 경향이 두드러지는 점은 1930년대의 본격 작단 형성과 그 전개에 비추어 볼 때 退行的인 것으로 평가할 수밖에 없다. 이것은 어쩌면 當代의 민족주의적인 사회적 기운과 사회주의적인 풍조의 만연, 그리고 복고주의적인 감정편향성 등이 오히려 이러한 前近代的인 만해 소설에 대한 관심과 흥미를 유발할 수도 있었을 것이라 짐작해 보면 수긍이 가는 것이기도 하다. 더구나 이러한 복고주의적 흥미와 관심은 이 소설들이 대부분 흥미 중심의 대중지인 신문 연재소설이라는 점과 관련시켜 볼 때 충분히 설득력을 지니는 것으로 이해된다.[103] 결국 만해의 소설은 예술적인 技法面에서는 오히려 古代小說的 요소와 新小說的인 수준과 지향을 보임으로써, 그의 작품들이 藝術的 價値보다는 精神史的 價値에 의존하고 있다는 점을 알 수 있다.

(3) 내용적 고찰

萬海의 소설은 내용적인 면에서 몇 가지 思想的 指向性이 두드러지게 나타난다. 소설이 원래 "알리엇스면하든 그것을 알리게 된" 방법적 기능으로 만해에게 인식되었던만큼 소설 속에는 作者의 人生觀이나 世界觀이 直敍되

102) 金禹昌, 「韓龍雲의 小說」『궁핍한 시대의 시인』(서울: 민음사, 1977), p.166.
103) 만해 자신 스스로가 소설이 통속성과 대중성을 지녀야 함을 강조하고 있다. 『全集』 권 5, p. 386.

어 있는 경우가 많은 것이다.

1) 儒 · 佛思想의 混融

萬海 小說에 있어 文學思想의 根幹이 되는 것은 佛教思想이다. 詩에 있어서는 象徵的이며 間接的인 모습으로 불교사상이 暗示돼 있는 데 비해 小說에서는 作品의 내용과 플롯을 지배하는 직접·간접적인 모티베이션이 되고 있다. 특히 계몽성 내지 설교성을 바탕으로 하는 古代小說 내지 新小說的 장르의식에 깊이 물들어 있던 萬海로서는 異例的으로 주어진 小說創作의 기회, 더구나 대중지에서의 장편연재인만큼 그가 갖고 있던 사상과 알리고 싶던 主題를 마음껏 개진하고 싶었을 것이 자명한 사실이다. 그런데 여기에서 주목할 사실은 萬海 小說의 作中人物들이 갖고 있는 教育的인 배경이나 理念的 지향이 儒教的인 것에 근원적 바탕을 두고 있다는 점이다.

> 순영의 아버지는 한문학자였다. 그러므로 촌 서당에서 아이들에게 한문을 가르쳐 주고……중략…… 그러는 동안에 순영도 <천자(千字)>·<동몽선습(童蒙先習>·<격몽요결>까지 배웠고 항상 훈계하는 말이라도 오륜(五倫)이니 삼강(三綱)이니 하는 이외에 특별히 여자의 행실에 대한 말도 많이 들었다.
>
> <薄命>『全集』卷5, p.21.

> 영옥은 경성 계동 태생이다. 그의 집은 비록 가난하였으나 물같이 깨끗한 수조한 가정이었다. 그의 아버지는 한문학자로서 상당히 수조하는 사람이요
>
> ……하략……
>
> <죽음>『全集』卷5. p.294.

작품에 등장하는 주인공들은 漢學의 분위기에서 출생 성장하고 三綱五倫

을 교육받음으로써 儒教的 世界觀의 골격을 형성하게 된다. 따라서 주인공들은 國家·社會·正義·道德 등의 大義名分을 중시하는 道德主義的 人生觀을 지니게 되고, 삶의 자세에 있어서는 運命에 순종하는 順應主義的인 면모를 보이게 된다.

> 차라리 자기의 몸을 죽여서라도 국가를 이롭게 하고 남편을 명예스럽게 하는 것이 진정한 사랑이라 생각하였다.
>
> <黑風> p. 302.

> 그렇지만 그럴 수가 있나요? 사랑이 중요하지 아니한 것은 아니지만 그것이 사람의 최고 목적이 될 수는 없겠지요. 사람은 국가가 있고 사회가 있고 기타의 모든 중대한 것이 있지 않아요
>
> <上同> p. 297.

창순과 봉숙의 이러한 진술은 모두 사랑보다는 국가·사회라는 대의 명분을 중시하는 유교적 세계관에 깊이 젖어 있다. 이와 함께 "자기의 정신과 생명까지라도 왕한을 위하여 바칠 수 있는 것은 순연한 자기의 자유"[104]라고 인식하고 혁명당을 위해 헌신하는 봉숙의 인생태도는 사랑을 위해 죽을 수 있는 儒家的 一片丹心의 표출인 동시에 여자도 大義名分에 따라 행동해야 한다는 전통적 윤리관을 드러낸 것이다. 그러나 여기서 지나치게 男子優位의 입장을 벗어나지 못하고 있는 점은 한계점으로 지적된다. 男女有別의 남성우위적 사고방식에 기인한 이러한 인생태도는 萬海가 도처에서 주장한 女性解放과는 내용적인 이율배반을 이룬다. 어디까지나 女必從夫라는 엄격한 기존 윤리의 범위 안에서의 女性自覺運動에 지나지 않는 것이다.

---

104) 『全集』 卷 5, p.232.

① 순영은 대철과 오륙년동안 결혼생활을 하는 동안에 다소의 불평이 없는 것은 아니었지만, 그럴 때마다 순영이 돌이켜 생각하는 것은, 언제든지 물에 빠지 죽게된 자기를 건져주었다는 은혜와 거기에 대한 대철의 의협하고 용감한 인격이었다. 그리하여 그런 생각이 날 때에는 그것으로 대철의 단처를 묻어버리고 도리어 잘못을 자기에게로 돌려버리는 것이 순영에게는 거의 버릇이 되었다.

<薄命> p. 227.

② 그러나 왕한은 이 세상에 둘도 없는 나의 이인이 아니냐. 장래의 남편이 아니냐? 아버지는 三홰회에 들었지만 남편도 삼강에 든 것아니나. 돌아가신 아버지를 위하여 산 남편을 죽이는 것이 옳을까? 남편을 살리기 위하여 아버지의 원수를 갚지 않는 것이 옳을까? 어느것이 가볍고 어느 것이 무거울까.

<흑풍> p.266.

①의 글은 순영이의, 운명에 순종하여 오직 인내와 용서로 삶에 순응하는 儒家的 順應主義를 표출하고 있다. "모든 잘못을 자기에게로 돌려 비리는" 순영이의 대도는 전통적인 한국적 여인상에 속하는 것이다. ②는 전통적인 효도와 근대적인 사랑의 갈등을 테마로 하고 있다. 아버지와 애인이라는 운명적 선택의 기로에서 갈등하는 콜란의 모습 속에는 孝 위주의 유교적 질서의 해체과정이 제시되어 있는 것이다. 그러나 결국 콜란이 아버지를 위해 사랑하는 왕한에게 비수를 찌르고 복수를 시도하며 마침내 목숨을 잃게 되는 행위는 자식은 마땅히 아버지의 원수를 갚아야 한다는 전통적 윤리관에 순종한 것이 된다. 이 점에서 본다면 萬海의 인생 태도는 기본적으로 儒家的인 것에 기반을 두고 있음을 알 수 있다. 소설 도처에서 발견되는 蘇東坡의 漢詩句와 인용문들은 萬海 자신의 漢學에 대한 素養과 유교에 근거한 東洋主義的 세계관을 말해 주는 것이 된다. 이처럼 국가·사회와 三綱五倫 등 大義名分을 生의 第一義로 앞세우고 전통적인 順應主義的 人生態度와 倫理觀에 깊이 뿌리박고 있

는 만해 소설은 실상 만해가 유년시대를 통해 섭취한 漢學과 儒教的 道德主義에 기인한다는 점에서 만해 소설은 다분히 自傳的(autobiographical) 소설의 범주에 속하는 것으로 보여진다. 이러한 만해 소설의 自傳的 면모는 小說 속에 도도히 흐르는 佛教的 테마와 플롯에서 더욱 종합적으로 드러나고 있다.

먼저 완결된 세 작품의 플롯을 정리해 보면 다음과 같다.

① 지주와 소작인→구직·강도·유학·初戀·당정→해후·간통·여성해방회·결혼·복수→윤락·참사랑(죽음, 새로운 출발의 계기)

<黑風>

② 유혹·색주가 → 결혼 → 이혼→말로(죽음, 불타 귀의)

<薄命>

③ 폭탄 투척 → 가정 파탄(계모)·연애 (결혼)·유학(음모) → 종철 피살 → 복수(죽음. 자살)

<죽음>

이 소설들의 플롯상의 공통점은 「만남 → 결혼(사랑) → 헤어짐(죽음)」의 구조이며, 이 구조를 전개시키는 밑바탕은 報恩·報讐에 따르는 因緣說과 因果報應의 불교사상으로 이루어져 있다. 報恩`·報讐의 모티브는 儒教的인 大義名分에 입각한 現實的 인간관계에서 비롯되지만 그 전개와 결말은 佛教的인 世界觀에 귀결되는 것이다. 이러한 보은·보수에 따르는 인과응보의 플롯과 권선징악의 테마는 古代小說的인 전통과 깊이 연관되어 있다. 특히 善人과 惡人이 天性的인 品格으로 규정됨으로써 사건에 의한 성격 창조가 아닌 흥미 중심의 스토리텔링에 인물이 지배당하는 등의 특징적 결함은 크게 보아 고대소설의 전통적인 기법과 세계관에서 비롯된 것이다. 다만 고대소설처럼 권선징악에 따르는 해피 엔딩이 아니라 죽음으로 소설이 결말지어지는 것

은 만해 소설이 특히 佛敎的인 悲劇主義와 虛無主義의 숙명적 인생관에 지나치게 지배당하고 있기 때문이다. 주제가 플롯을 과도하게 지배함으로써 내용과 기법의 불균형이 초래되고 마침내 설교문 내지 계몽적인 논설문으로 전락할 위험을 내포하게 되는 것이다. 그러나 여기서 죽음에 대한 처리가 특특한 것으로 보인다. 죽음이 因果轉報에 따르는 事必歸正의 논리적 결과이지만 <흑풍>, <박명>에서는 새로운 출발과 생성의 모티베이션이 된다는 점이 그 것이다. 이 점에서는 죽음이 生의 종결이 아니라 새로운 來生의 시작이라는 불교적 緣起脫을 반영한 것이지만, 특히 『님의 沈默』의 「이별 → 갈등 → 만남」의 구조와 연결된다는 점에서 이러한 플롯은 만해문학을 관류하는 대표적인 문학적 구조인 것으로 보인다.

이렇게 볼 때 만해의 소설은 유교주의적 전통에서 출발하여 불고주의 적 세계관에 이르는 주제를 소설이라는 문학적 장치를 통하여 표출하고자 하는 방법적인 장르로서의 특성을 지닌다.

2) 傾向的 特性과 民族主義

萬海 소설의 주된 내용 중의 하나는 경 항적 특성과 함께 민족주의가 드러난다는 것이다. <黑風>의 경우 첫 소제목이 <地主와 小作人>으로 되어 있으며, 이러한 「가진 자」와 「못 가진 자」의 갈등은 작품 전체의 플롯을 이끌어 가는 내용적 基底를 형성하고 있다.

> 『그나저나 돈없는 놈은 성명이 없네그려.』
> 『그거야 말해 무엇하나, 그런 것을 인제서 아나? 자네는 徐가고 나는 李가지만 답주집에서 성을 바꾸어야 논을 주겠다고 하면 성이라도 바꾸지 별 수 있나.』
>
> <黑風> p. 45

세상에 돈있는 사람들은 인정이라는 것은 조금도 없는 모양이지요, 인민도 부자가 되는 사람들은 인정을 팔아서 돈을 사나보지요……중략……그들의 생활을 종합하여보면 대부분이 지주나 자본가의 착취를 견디지 못하여 마침내 비참하고 가엾은 생활을 하나에서 열까지 되풀이하고 있는 것이었다.

上同 p.85

<黑風>의 이러한 지주·자본가에 대한 罵倒的 표현은 1920년대 프로문학의 작품들을 방불케 한다. 「가진 자」와 「못 가진 자」, 「지배자」와 「피지배자」를 대립개념으로 파악하는 태도는 다분히 階級主義的 문학관의 영향에서 비롯된 것으로 보인다. 전통사회를 지배하는 조상숭배보다는 돈의 문제가 인생을 지배하며 가난과 궁핍이 사회제도의 구조적 모순으로부터 파생된 것으로 보기 때문에 자연히 社會改革意志가 소설의 중요한 테마로 등장하는 것이다.

왕언석이가 죽일놈은 죽일놈이나, 황인석의 죄만도 아닙니다. 그것은 곧 사회제도가 들린 것입니다. 지금 우리 청국의 사회제도는 돈있는 놈을 너무도 두둔하여 주고 가난한 놈을 너무도 업신여기는 까닭입니다.

<上同> P. 49

貧富의 문제 그 자체가 심각한 것이 아니라 사회제도의 구조적 모순과 부조리가 타파해야 할 중심과제라는 이 진술은 일견 카프소설과 유사한 느낌을 주는 것이 사실이다. 더구나 이러한 淸朝의 사회체제의 모순과 부조리를 개혁하기 위한 革命運動이 <黑風>의 중심내용을 이룬다는 점에서 볼 때는 일견 萬海가 계급주의적 사상을 지닌 것으로 이해할 수도 있다. 그러나 여기서 중요한 것은 萬海 小說에 諷刺性 내지는 寓喩性이 두드러지게 나타난다는 점을 주목할 필요가 있다. 우선 淸朝末의 中國을 무대로 한 점부터가 다분히 풍

유적임을 알 수 있다. 古代小說에서와 같은 중국의 배경 설정은 실상 한국의 당대 현실을 직접적으로 묘사하거나 수용하기 어려운 상황적 한계에 기인한다. 일제하의 가혹한 언론탄압과 검열·제도하에서 당대 현실의 非理와 矛盾을 고발하고 비판하며 혁명사상을 고취하는 내용으로[105] 그것도 주목받는 대표적 민족언론지인 ≪朝鮮日報≫의 연재소설인 마당에야 혁혁한 독립투사인 萬海로서도 표현의 한계를 뼈저리게 인식할 수밖에 없었을 것이다. 따라서 當代의 朝鮮을 무대로 설정하여 현실을 고발하는 장편연재소설을 집필한다는 것은 불가능한 일이 아닐 수 없으므로 淸朝末의 혼란한 中國을 무대로 설정하여 검열기관의 감시를 회피하고자 한 것이 분명하다.

> 이러한 상황 속에서도 민족지는 검열의 그물에서 빠져나오려고 눈에 잘 띄지 않는 곳에 조그만 기사로 해서 (은어 또는 反語)를 교묘히 쓰고, 혹은 완곡한 표현과 기사를 간략화하는 방법으로 만일·친일파 누쟁의 대강이라도 민중에게 전하려고 온갖 노력을 한 흔적이 당시의 민족지에 역력하다. 또 언본통제의 혹독성은 민족지 3지가 받은 압류 기사의 방대한 양으로도 짐작이 간다.[106]

이상과 같은 진술에서 확인할 수 있듯이 當代狀況으로 미루어 보아 직접적인 현실비판이나 혁명사상 고취 등 반체제운동은 철저히 봉쇄되고 억압되었던 것이 확실하다. 따라서 문학 특히 소설의 경우에도 暗喩的인 배경 설정

105) 姜東鎭, 『日帝의 韓國侵略政策史』 (서울: 한길사. 1980), p.266. 당시 최대부수를 자랑하던 ≪東亞日報≫의 경우만 보더라도 창간 이래 10년간(1920~29)에 전후 3의, 날짜로 쳐서 280일 남짓에 걸쳐 발행 정지 처분을 받은 이외에도 압류, 발매·반포 금지도 실로 300회 이상에 이르고 있다. ……중략……"기사게재의 범위를 지정한 것은 조선에서 恒茶飯事이겠지만 기사의 내용을 口述해서 당국의 발표 그대로 하나. 만약 조금이라도 틀리면 압류한다"는 정도라고 지적했다가 압류당했다는 지적이 있다.

106) *Ibid.*, p. 267.

이나 託意的인 제재 및 주제를 취할 수밖에 없었던 것이다.[107] 이렇게 본다면 萬海가 <黑風> 등에서 적극 제시하고 있는 貧富의 갈등에 따르는 사회의 구조적 모순, 그리고 革命思想이 구체적으로 뜻하는 것은 쉽사리 이해가 가는 문제이다. 다분히 社會主義的 문학사상으로 보여지는 이러한 萬海 小說의 테마는 그것이 사회주의 사상에 직접적으로 기인한 것이 아니라[108] 日帝下의 當代 朝鮮의 現實에 웅전력을 확보하는 竝置的 隱喩로서의 의미를 지닌다. 왜냐하면 허약한 소작인·노동자를 착취 함으로써 惡人으로 매도당하는 지주·자본가는 착취세력으로 서의 日本帝國主義 지배자들을 상징하며. 수탈과 가난에 허덕이는 선량한소작인·노동자들은 피압박 민족 , 피지배 민족으로서의 朝鮮民衆을 표상하기 때문이다. 따라서 악덕지주 황인석과 재벌 장지성을 살해하는 것은 일본 수탈자들에 대한 복수심리를 간접적으로 드러낸 것이며, 왕한의 사회체제의 모순을 개혁하려는 혁명운동은 당대 식민지 현실을 타파하려는 民族의 自主獨立意志』를 상징화한 것이 된다. 이러한 萬海의「지배-피지배」의 대립적 상황 설정과 갈등의 논리에 의한 日帝에 대한 저항과 비판은 朝鮮的인 것을 숭상하는 傳統主義 내지 民族主義로 변모되어 나타난다.

> 인제 조금 있으면 조선소리는 다 없어집네다. 지금도 서양음악인지 무언지하는 것이 들어와서 그것들만 숭상하지 조선소리는 천덕꾸러기로 들리지요, 지금 사람들은 서양것은 다 좋은 줄 알고 조선것은

---

107) 이 점에서 만해가 "일거주었으면 하던 그것"을 알릴 수 있으며 또한 "글속에숨은 마음"을 간직할 수 있는 和解的·절충적 장르로서 소설을 신택했다는 필자의 해석이 타당성을 지닐 수 있다. 또한『님의 沈默』이 직접적인 현실적 발언을 완전히 감추고 은유와 역설의 상징시집으로서의 비유적 상상성을 지닐 수밖에 없었던 필연적인 이유가 드러난다.

108) 실상 프로문학파들에 대한 일제 검거 및 투옥사건이 1931년 및 1934년에 연속적으로 일어난 사실로 미루어 보아도 萬海가 1935년부터 연재한 (黑風>에서 계급주의 사상을 고취한다는 것은 현실적으로 불가능한 일이 아닐 수 없다· 金允植.『韓國近代文藝批評史研究』(서울: 한얼문고, 1973). p.43.

다 나쁜 줄로 생각하지마는 그럴 리가 있나요.

<薄命> p.66

이러한 朝鮮精神 옹호의 표현은 舊韓末 이래 斥洋을 反日·反帝로 이해하고서 거기에서부터 朝鮮的인 것을 수호하는 것이 愛國愛族으로 생각했던 傳統的인 선비들의 정신과 연결되는 萬海의 民族主義와 愛國精神을 표출한 것이다.

이렇게 본다면 萬海 小說에 나타나는 貧富의 갈등과 사회구조의 모순제시 및 그에 따르는 체제 도전의 革命思想은 그것이 프로문학적인 계급의식에서 나온 것이라기보다 日帝下의 현실을 고발하고 식민지 체제의 구조적 모순과 불합리를 타파하기 위한 方法的인 託意라는 점이 확실하다. 바로 이 점에서 萬海가 "글속에숨은 마음"[109]을 읽어 주기를 고대하는 하소연의 진정한 의미가 드러나며 아울러 當代 民族精神의 수호지인 ≪朝鮮日報≫에서 "존경받는 선진자"인 萬海에게 장편연재소설 집필을 의뢰한 참뜻이 있었던 것이다.

3) 女性主義와 유토피아 지향

만해 소설의 또 다른 특징으로는 女性主義的 경향을 들수 있다. 이러한 소설에서의 여성 주인공에 의한 작품 전개는 『님의 沈默』의 여성 주체의 시적 분위기와 좋은 대응을 이룬다. 먼저 소설에 나타난 여주인공들을 들어보면 다음과 같다.

<黑風> 호창순, 이통숙, 콜란(세 여성이 모두 外國體驗 내지 유학을 경험하고 진취적 사상을 지닌다.)

<後悔> 경순(교육을 제대로 받지는 않았으나 가정부인으로서 자질과 품성이 갖춰진 구식여성)

<鐵血美人> 시곡란(상당한 교육을 받았고 진취적 사상을 지녔다.)

---

109) ≪朝鮮日報≫ 1935. 4. 2, Loc.cit

<薄命> 순영(여학교에 다니지 못했으나 순응적이고 생활력이 강하며 착한여인상)
<죽음> 최영옥(여학교를 나오고 진취적 사상을 지녔다.)

이렇게 볼 때 女主人公은 대략 교육을 많이 받고 진취적인 新女性과 유가적 가정교육에 주로 의지한 전통적인 女性像으로 양분되어 나타난다. 완결된 제 작품 <흑풍> <박명> <죽음>의 경우는 특히 女性問題 내지 女子의 一生에 대한 萬海의 관심이 집중적으로 표출되어 있다.

먼저 <흑풍>에 있어서는 女性의 사회적 역할과 위치에 대한 계몽적 주장이 說教的으로 제시되어 있다.

> 우리는 지금부터라도 얼굴에 향수를 뿌리는 대신에 땀을 흘리고 머리에 보석을 꾸미는 대신에 흙과 번지를 뒤집어쓰고 피아노 치는 손으로 호미를 잡지 않으면 안될 것입니다.
> 나의 의견을 종합하여서 강령을 세운다면
> 제일 여자의 품격을 향상할 사
> 제이 결혼과 이혼을 자유로 할사
> 제삼 남녀가 한가지로 정조를 지킬사
> 제사 경제권과 참정권의 획득을 기도할 사
>
> <흑풍> p.213

> 여자로서 정조가 중한 것이지마는 사회·국가에 비해서는 지극히 작은 것이다.
>
> 上同 p. 250

> 인생은 애정이냐 의리냐? 그러나 한 조각 붉은마음으로 삼년에 한 칼을 갈아서 원수를 보고도 그간을 도로 칼집에 꽂을 수는 없는 것이다. 이칼에 원수의 죄를 바르지 못하면 차라리 나의 피를 묻히리라.
>
> 上同 P. 266

첫째는 창순, 둘째는 봉숙, 그리고 셋째는 콜란의 말이다. 창순은 개화기 신소설의 新女性처럼 여자의 사회적 책임을 자각하는 동시에 男女平等에 대한 강력한 주장을 개진하고 있다. 봉숙은 여자로서의 생명인 정조보다는 국가, 사회와 같은 大義名分을 중시한다는 점에서 봉건적인 유교의식과 함께 진취적인 정조의식을 지니고 있다. 이에 비해 시카고 대학 유학생으로 가장 진취적일 것 같은 콜란은 오히려 아버지의 원수인 사랑하는 왕한을 죽이려 시도하다가 자기가 죽을 만큼 父子有親을 第一義로 하는 전통적 儒教的 家族主義에 지배되고 있다. 이 세 여성의 공통점은 모두가 동일한 한 男子를 사랑한다는 점이다. 그럼에도 불구하고 이 소설들은 人物의 一貫性 있는 性格形成에는 실패하고 있다. 즉 여성해방을 주장하는 적극적인 성품의 창순이가 혁명운동에 회의적인 남편 왕한을 자극하기 위해 혁명운동에 적극 가담하는 것이 아니라, 오히려 古代小說의 현실패배적인 방법으로서의 소극적인 자살을 감행하는 것이 대표적인 성격불일치의 한 예이다. 또한 열렬한 혁명투사인 봉숙이 왕 한을 자기의 생명처럼 좋아하면서도 능동적으로 사랑을 호소하지 않고 수동적으로 흠모하고 기다린다든지, 자유연애론자이며 현실주의자인 신여성 콜란이 유교주의의 실천을 위해 아버지 원수를 갚으려고 사랑하는 왕한의 살해를 시도하고 마침내 불교에 귀의하는 것은 性格의 일관성 획득에 실패한 전형적인 경우이다. 이러한 性格浮彫의 일관성 결여는 萬海 스스로의 女性觀의 불균형과 갈등을 보여 주는 동시에 소설가로서의 미숙성을 반영한 것으로 보인다.

이러한 性格의 불일치와 그에 따른 전후관계의 논리적 모순은 여러 소설에 두루 발견된다.

> 그러면 그들은 조선의 여자교육계로 보아서 선각자요, 미래의 사회로 보아서 어머니다. 그들의 책임은 얼마나 중대하며 그들의 경우

는 얼마나 어려운가.

<薄命> p.327

<薄命>의 도처에는 이러한 女性의 사회적 책임과 권리에 대한 각성과 주장이 개진되어 있다. 그럼에도 불구하고 순영은 진정한 개성적 자각이나 비판적 자아성찰이 없이 주어진 운명에 피동적으로 순응하는 前近代的인 여인상으로 나타나 있다. 순영은 報恩이라는 주제를 설파하기위하여 冒目的이며 被動的으로 人生에 끌려다니는 비극적 주인공인 것이다. 화류계를 전전하면서도 정조관념을 크게 손상당하지 않을 정도로 主體的이며 적극적인 순영의 성격과 報恩이라는 숙명적 業苦에 무작정 順應하는 순영의 모습 사이에는 분명히 논리적 인과관계가 결여된 것이 사실이다. 실상 이러한 新小說에서나 볼 수 있는 男女平等, 新教育, 女權伸張, 自由結婚, 自我覺醒[110] 등의 女性主義的 주제가 1930년대 후반의 萬海 小說에 중점적으로 제기된 이유는 무엇일까? 이러한 문제는 무엇보다 萬海의 思想的 基底에서 찾을 수 있다. 그것은 平等·自由의 人權思想에 바탕을 둔 萬海의 휴머니즘의 간곡한 반영인 것으로 보인다. "自由는 萬有의 生命이요 平和는 人生의 幸福이요"(『朝鮮獨立의 書』)로 대면되는 만해의 人權思想이 家父長制下의 朝鮮朝社會를 통해 특히 억눌려온 女權에 대한 옹호와 찬양으로 나타난 것이다. 또한 약하고 가난하고 억눌린 者로서의 女性은 피압박민족으로서 가난하고 불쌍한 朝鮮民族의 또 다른 모습이기도 한 것이다. 이 점에서 女性主義가 단순히 新小說的 주제의 노출이 아니라 人權과 民權의 회복을 갈망하는 당대 휴머니즘의 역설적 표현으로서 참된 의미를 지니는 것으로 판단된다.

이와 함께 女性主義의 또 다른 內包的 의미는 그것이 유토피아思想의 한 변형적 표출이라는 점이다. 흔히 유토피아에의 갈망은 현실의 위기 의식과

110) 全光鏞, *op. cit.*, p. 1178

표리의 관계로 설정되며 현실에 대한 강한 부정성을 그 속성으로 한다[111]고 한다. 1930년대 후반은 일제 파시즘의 정치적·경제적·문화적 수탈이 극심한 시기였다. 이러한 암담한 궁핍화의 시대에 정신적인 위안을 제공하고 희망을 제시할 수 있는 것은 영원한 故鄕으로서의 母性 또는 女性的인 부드러움의 제게이다. 왕한의 혁명의지가 적극적인 식민지 현실타파의 직접적 표출이라면 女性主義는 母性回歸에 의한 유토피아 지향의 또 다른 역설적 표현인 것이다. 현실부정과 현상 타파를 목적으로 한 혁명운동이나 여성주의에 의한 유토피아 지향은 그 두 가지가 모두 현실극복과 해방된 自主蠲立國家의 건설이라는 이념적 목표 달성을 위한 비유적·역설적 방법으로서의 양면적 의미를 지닌다. 이러한 소설을 통한 개혁의지의 표출은 일본 제국주의의 힘의 논리에 대처한 만해의 현실-투쟁 의지가 1930년대에 이르러 점차 소극화 내면화한 것과 연관을 갖는다. 詩에서의 여성주의를 주조로 한 역설적 극복정신은 소설에서 暗喩的인 革命思想과 逆說的인 女性主義를 두 가치축으로 하여 현실과 이념간의 충돌을 효과적으로 극복하게 된 것으로 해석된다.

(4) 『님의 沈默』과의 等差

萬海의 문학이 『님의 沈默』으로 대표되는 詩를 통해 예술적 이념을 성취하였고 또한 문학사적 위치를 확보한 것은 자명한 사실이다. 이에 비해 소설은 "대중적 계몽을 위한 경향적인 특성을 나타냄으로써 만해가 현대문학사상 소설가로서 그다지 높이 평가받지 못하는 원인"[112]이 되었으며, 따라서 "현대소설다운 면모를 나타내는 데 성공했다고 말할 수 없지 않겠는가"[113]라는 부정

---

111) 金允植, 「소설과 유토피아사상」 『한국근대문학양식론』 (서울 : 亞細亞文化社. 1980). p. 121.
112) 朴魯埻·印權煥, *op. cit.*, p.285.
113) 白鐵, *op. cit.*, p.16.

적 평가를 받고 있다. 또는 만해가 "근본적인 思考에 있어서 도덕주의적인 테두리를 벗어나지 못함으로써 인간의 倫理的인 解放에 기여할 수 있는 소설을 쓰는 데 실패하였고 또 완전한 의미에서의 近代精神의 출발점이 되지 못하였다"[114]라는 신랄한 批判을 감내할 수밖에 없는 것도 사실이다. 이러한 비판적인 평가에도 불구하고[115] 萬海의 소설은 상대적인 위치에서 『님의 침묵』의 성격과 특질을 밝혀 주는 데 몇 가지 의미 있는 시사를 제공해 준다.

무엇보다도 소설은 장르 선택에 있어 詩와 相異한 편차를 드러냄으로써 『님의 침묵』과 대조적 상관관계를 지니게 된다. 앞에서 살펴본 것처럼 만해의 소설은 "평소부터 한번 알리엇스면하든 그것을 알리는" 계몽적 수단으로서의 논설문적 전달기능과 함께 "글속에숨은 마음"이라는 암시적 방법으로서의 詩的 상징기능을 효과적으로 수행할 수 있는 절충적 장르로서 선택되었었다. 따라서 상대적으로 「논설=직접전달의 논리적 수단」. 「시=비유와 역설을 통한 상징적 수단」이라는 등식을 성립게 하며 동시에 소설은 중간적·止揚的인 종합장르로서의 특성을 갖는 것으로 인식되었던 것이다.[116]

그러나 소설은 장르 선택에 있어서의 필연성과 타당성에도 불구하고 지나치게 詩的인 표현방법과 문체를 채용함으로써 간략한 서술과 대화에 의존하며 탄력 있는 사건 전개를 주축으로 하는 소설의 언어미학에 위배되어 소설적 실패를 초래하게 된다. 이러한 시와 소설의 밀접한 文體的 相關性은 장점이 아니라, 소설에 있어서는 추상적인 논설과 설교적인 계몽성을 불러일으킨다는 점에서 오히려 단점으로 작용한다.

---

114) 金禹昌, *op. cit.*, p.171.

115) 이에 비해 李明宰는 앞의 논문에서 만해 소설에 관해 肯定的인 評價를 하고 있다.

116) 이 점에서 『님의 침묵』이 은폐의 미학을 추구하는 시적 본성을 충족시킬 수 있었으며 아울러 시적 의도와 작자의 주제를 비유적으로 표상함으로써 시적 해석의 가능성을 다양하게 확대하여 예술적 성공을 거들 수 있는 原動力이 된 것이다.

Ⓐ 선생님이 저를 떠나서 가시는 것이 제일 큰 고통이 되신다면 저에게는 그 것이 이세상에서 제일 큰 행복이 되겠읍니다.

<薄命> p.189.

그사람을 미워하는 것은 당신을 사랑하는 마음의 한부분입니다.
그럼으로 그사람을 미워하는 고통도 나에게는 幸福입니다.

<幸福> (『님의沈默』)에서

Ⓑ 만일 저로 하여금 선생님을 위하여 고통할만한 자유도 주지 아니하신다면 아름다운 달빛을 따라서 끝없이 가고 싶습니다.

<黑風> p. 121.

만일 당신이 환락의 마음과 고통의 마음을 동시에 빼앗아간다하면 나에게는 아무 마음도 없겠습니다.

<妖術> (『님의沈默』) 에서

아무렇게나 뽑아본 위의 예문에서 Ⓐ는 逆說에 있어서 Ⓑ는 文章構造에 있어서 밀접한 상관성을 지닌다. 소설문체로서는 부적합한 설명적인 대사와 교훈적 서술이 소설 구절에서 흔히 발견된다. 1926년 『님의 침묵』에서의 修辭法과 文體 및 語調가 1930년대 후반의 소설에 그대로 수용됨으로써 사건 전개의 탄력과 긴장을 저해하고 설교문 내지 계몽적 연설문으로 떨어뜨리고 있는 것이다.[117] 이렇게 볼때 만해 소설 문장의 가장 큰 결함은 『님의 沈默』 등 詩에 적합한 상징과 은유 및 역설의 시적 문체를 소설 속에 이끌어들인 데서 비롯된다. 시적 문체의 소설적 채택은 "소설적 현신의 탐구에 별로 도움이 되지 못하는"[118] 문장법인 것이다.

---

117) 丘仁煥은 ① 설명조의 사설이 않으나 간명하고 명쾌한 표현을 하고 있다. ② 대화가 리얼하지 못하나 속담 격언을 적절히 삽입하여 개성미를 나타내고 있다. ③ 묘사와 서술이 적절히 구사되고 있는 데가 많다. ④ 언어를 아껴 적절한 표현을 해가는 의도가 보인다는 등의 문체 분석을 통하여 긍정적인 평가를 한다. 「韓龍雲文學의 評價· 小說」 (東國大 韓國文學硏究所 제 3 회 韓國文學學術會豪 : 1980) 팜플렛 pp. 36~37.

만해의 소설은 내용적인 면에서도 『님의 沈默』과 밀접한 관련성을 지닌다. 무엇보다도 「님」과 사랑의 문제에 있어서 만해 소설은 상징적이며 암시적이던 『님의 침묵』과는 달리 직접적이며 구체적인 진술을 보여준다.

> Ⓐ 임이라는 말은 무식한 사람들은 서방님이나 정든 임이나 그러한 데에만 쓰는 말인줄 알지마는, 그런것이 아니라 흔히는 임금님을 임이라 써왔고, 그 외에도 부모라든지 부부든지 나라든지 어디든지 자기의 생각하는 바를 임이라고 쓴다는 것을 말한다.
>
> <薄命> p. 70

> Ⓑ 사랑이라는 것은 실로 위대한 것입니다. 사람의 본능으로 말하면, 사랑이라는 것은 全的이요, 최고이상이라고도 할 수가 있는 것입니다. 진정한 사랑이라는 것은 지기요, 행복이요, 이상의 실현입니다. 사랑을 위해서는富도 귀도 명예도 생명까지도 돌아보지 않는 것입니다.
>
> <黑風> p.297

Ⓐ글은 作中話者인 時調선생의 말을 통하여 「님」에 관한 만해의 생각을 분명히 제시하고 있다. 「님」이 어떤 고정된 대상이 아니라, "어디든지 자기의 생각하는 바를 임이라고 쓴다"라고 말함으로써 구체적인 애인으로부터 조국·민족·불타……그리고 無我·眞諦 등 理念的인 것에 이르는 무한한 상징의 變數임을[119] 밝혀 준 것이다. 그러므로 표상적 변수로서 「님」의 복합적인 多義性이 『님의 沈默』에 시적 넓이와 깊이 그리고 높이를 더해 줄 수 있는 바탕이 된 것으로 볼 수 있다. Ⓑ글에는 이상적인 사방의 모습이 종합적으로 드러나 있다. 理想과 現實. 통사와 회생. 자유와 운명으로서의 사랑의 속성에 관한 해석이 구체적으로 집약돼 있는 것이다. 이러한 「님」과 사랑의 문제 이

---

118) 金氏昌, *op. cit.*, p.153.

119) 筆者는 이미 本書 Ⅲ장 3절 (4)항 <님과 사랑의 問題> p. 89에서 「님」을 現實態·可能態·理念態 등 成層의 構造的 개념으로 파악한 바 있다.

외에도 佛教思想도 직접적으로 드러나 있다.

> 정공선사는 사람의 살고죽는 것은 뜬구름이 일어났다 없어졌다 하는 것과 같아서 족히 믿을 것이 못된다는 것을 말하고 착한 인연을 지으면 착한 과보를 받고 악한 인연을 지으면 악한 과보를 받는 것이어서 왕한이 지성을 죽인 것은 전세의 業寃으로 그리된 것이요…
>
> <黑風> p. 267

生也-片浮雲起死也-片浮雲滅이라는 因果應報와 佛教的 虛無主義를 직접적으로 說法한 이러한 <흑풍>의 진술은 『님의 沈默』에서 佛教的 이미지나 觀念이 표면에 구체적으로 드러나지 않는 것과 좋은 대조를 이룬다. 『님의 침묵』과 달리 소설의 도처에는 佛教的 眞理의 설파와 계몽이 직접·간접으로 다양하게 표출돼 있는 것이 특징이다. 또한 앞에서 살펴본 것처럼 女性主義的 측면은 詩와 소설이 깊은 관련성을 지니고 있다. 『님의 沈默』에서의 女性主體와 시적 분위기는 소설에서의 女主人公 및 女性解放運動과 연결되는 것이다. 내용에 있어서도 『님의 침묵』의 여성주의가 男性으로 표상되는 日帝의 폭력에 대응하는 역설적 현실극복 방법[120]이었음과 같이 소설에서도 「빼앗긴 자」 「약한 자」로서의 조선민족을 표상하는 비유적 휴머니즘이며 동시에 유토피아 지향인 것이다. 이처럼 문체와 수사법 등 기법면에서뿐 아니라 내용면에서도 小說은 『님의 沈默』과 밀접한 관련성을 지니고 있는 실정이다.

지금까지 살펴본 것처럼 萬海 小說은 우연성의 남발, 인물의 정형화, 묘사와 서술의 진부함과 상투성, 구성의 산만함, 시적 문체의 과도한 채택, 대화표현의 미숙성 그리고 사건 전개의 추상성과 도식성 등 많은 결점을 내포하고 있는 것이 사실이다. 무엇보다도 중요한 실패의 원인은 소설이 「드러냄」

---

120) 本書 Ⅲ章 3전 (5)항 p. 98.

과 「알림」의 미학이라는 점을 지나치게 인식하고 중 시합으로써 계몽의식의 과도한 노출을 불러일으켰다는 점에 있다. 다시 말해 플롯을 통한 주제의 표출이 아니라, 주제의식의 과잉이 플롯을 지배함으로써 내용과 형식의 불균형을 초래하였으며 결과적으로 구성 충심의 미학적 긴장을 획득하는 데 실패한 것이다. 소설이 알리고 싶은 것을 알리는 방법적인 양식이며 수단예술이라는 점에 집착한 것이 근본적 오류인 것이다. 분명 만해 소설이 지닌 전근대적 주제의 과도한 노출과 技法의 미숙함과 표현의 진부함은 중요한 결점으로 지적될 수 있다. 그리나 諷喩 및 託意로서의 만해 소설의 주제가 내포하고 있는 비판정신과 저항의지는 험난한 시대 궁핍한 상황의 日帝下에 있어서 효과적인 문학적 應戰方式이 아닐 수 없다. 만해는 어느 면 소설이 방법은 논설처럼 개방적이지만 목적에 있어서는 시와 같이 상칭적이라는 점을 간파한 것으로 인정되기 때문이다. 이 점에서 소설을 무작정 실패한 것, 가치 없는 것으로만 매도하는 것은 무리가 아벌 수 없다. 託意나 諷刺로서의 小說이 지닌 문학정신의 탁월성은 小說觀의 진부함과 技法的 미숙성을 뛰어넘는 중요한 성과로 보여진다. 1930년대 리얼리즘과 심리주의 소설들이 공유한 技法的인 우수성보다도 萬海 小說에 내포된 託意와 逆稅의 치열한 문학정신이 오히려 값진 것으로 판단될 수 있기 때문이다. 만해 소설의 진정한 의미는 小說美學을 주로 강조하는 문학사적 가치판단을 뛰어넘는 영역 그 너머에 존재하는 것으로 생각된다.

Ⅳ. 構造의 分析

1. 詩型의 分析

(1) 行의 形態

詩行(line)이란 意味와 律格이 合致하여 되풀이되는 일정한 패턴으로서 詩展開의 基本單位이다.[1] 詩行은 보통 몇 개의 音步(foot)가 모여서 이루어지며 동시에 意味의 한 單位가 된다. 詩人이 표현하고자 하는 內的인 意味形式은 그 시만이 갖는 독특한 構造의 필연적인 결과로서 言語形式의 일정한 패턴을 요구한다. 따라서 韻律의 特徵에 따라 行의 性格이 결정되는바,[2] 詩行의 韻律을 결정해 주는 요소는 각기 言語의 特性에 따라 달라진다. 英詩에서는 强音節과 弱音節의 組合과 配分에따라 韻律이 형성되고, 이 韻律에 따라 詩行의 種類와 性格이 결정된다. 中國詩는 平仄法에 따른 音節 배치로 詩行이 결

---

1) B.H. Smith, *Poetic Closure* (Chicago: The Univ. of Chicago Press, 1974). p. 38.
The fundamental unit of poetic form is the line. not the "foot".

2) H Read, *English Prose Style* (London: G. Bell & Sons. 1932), p. 35.
lt is a unit of expression, and its various qualities—length. rhythm and structure—are determined by a right sense of this unity.

정된다. 그러나 韓國詩는 音節의 數에 따라서 韻律이 형성되고 行이 결정된다. 이것은 韓國語 자체가 音聲質에 의한 微細한 리듬 체계를 갖고 있지 못하기 때문인 것으로 풀이된다. 따라서 대부분의 韓國詩는 音數律에 의지해서 詩의 音樂的 構造(musical structure)를 형성해 왔다. 그러나 이러한 言語의 差에 따른 詩行의 변화보다도 기본적인 것은 시의 基本形態로서 定型詩와 自由詩, 바꾸어 말해 固定的 形式(abstract form)과 有機的 形式(organic form)에 따라 詩行이 결정된다는 점이다.3) 詩의 內面的 必要에 따라 詩의 律格이 형성되고 이에 따라 詩行이 定型詩, 自由詩 혹은 散文詩로 구분되어 그 特4生에 맞게 재택되는 것이다.

지금까지 萬海詩의 行에 관한 연구, 다시 말해 詩文章에 관한 고찰은 체계적으로 이루어지지 않았다. 外見上 萬海 詩는 散文詩로 보이기 때문에 律格이나 行의 構造에 관해서는 자세한 관심이 주어지지 않은 것이다. 그러나 萬海 詩는 詩行이 일정한 文法的 規則性과 構造를 지니고 있다는 점에서 단순히 散文詩로 규정하는 것은 잘못된 일이다. 그 까닭은 원래 散文詩(prose poem)란 內在律(inner rhyme & metrical runs)을 지니지만 自由詩보다 더 擴張된 형식으로서 意識的이며 意圖的으로 行과 行을 구분하지 않고 줄글로 이어 쓴 것을 뜻하기 때문이다.4)

詩集『님의 沈默』에 수록된 88편 전체의 詩行 數는 모두 842行으로서 평균 詩 1편은 9~10行으로 되어 있다. 각 行은 모두 엄격한 行區分을 지키고

---

3) H. Read. *Collected Essays in Literary Criticism* (London: Faber & Faber. 1950) pp. 17~19.

4) 特學辭典에서는 散文詩(prose poem)가 聖經에서 포크너 (Faulkner) 小說에 이르기까지 무책임하게 사용돼 왔지만 그것은 고도로 意識的인(때로는 自意識的인) 형식을 의미하는 데만 쓰여야 한다고 한다. 그 사전에 의하면 散文詩는 ①길이가 비교적 짧고 요약적이라는 점에서 詩的 散文(poetic prose)과 다르고. ② 行區分이 전혀 없다는 점에서 自由詩(free verse)와 다르고, ③ 內在律과 이미지를 지닌다는 점에서 散文(prose passage)과 다르다고 명확히 개념이 구별돼 있다 : *Princeton Encyclopedia Poetry & Poetics*(Princeton: Princeton Univ. Press. 1974) pp. 664~665.

있으며 인쇄상의 연결도 정확히 나타난다. 먼저 行構成은 行의 길이로 보아 短文型과 長文型 그리고 混合型으로 나눌 수 있다. 短文型은 대략 5語節[5] 이하의 律文體이며 長文型은 6語節 이상의 散文體 그리고 混合型은 2文章 이상이 한 行을 이루는 경우다.

① 남들은 님을생각한다지만
나는 님을잇고저하야요
잇고저할수록 생각히기로
행여잇칠가하고 생각하야보앗습니다

<나는잇고저>에서

②님이여는 나를사랑하련마는 밤마다 문맛게와서 발자최소리만내이고 한번도 드러오지아니하고 도로가니 그것이 사랑인가요

<숣깨고서>에서

③ 님이어 오서요 오시지아니하랴면 차라리가서요 가랴다오고 오랴다가는 것은 나에게 목숨을쌔앗고 죽엄도주지안는것임이다

<차라리>에서

여기서 語節數를 行의 長短의 尺度로 삼은 이유는 萬海 詩의 行이 대부분 音步보다는 語節을 基本單位로 하여 形成되기 때문이다. 例示 ①에서 行은 1語節을 基本으로 2語節 및 3語節을 한 단위로 띄어쓰고 있으며 다시 띄어쓰기 2그룹이 모여서 한 行을 이룬다. 언뜻 보면 2音步 내지 3音步로 이루어진 듯하지만 音步를 設定하기에는 무리가 있다. 이처럼 대략 5語節 이내로 구성되어 있는 短文型의 詩로는 詩이외에 <길이 막혀>, <情天恨海>, <숣과근심>, <두견새>, <숣이라면>, <심은버들> 등 7편이 있다.[6] ②詩는 6~7

---

5) 여기서 語節은 單語 또는 「單語+助詞」가 한 語節이라는 보편적 개념으로 사용한다(李熙昇. 국어대사전).

語節 이상 30語節까지의 行으로 형성된 간 散文型의 한 예로서 萬海 詩行의 대다수가 여기에 해당된다. 이 형태는 「主語十述語」를 갖춘 形式을 취하며 대부분 敬語體의 敍述形 및 疑問形 語尾로 이루어져 있다. 詩 ③은 獨立節을 포함하여 4 文章으로 구성된 混合模型의 例를 보여 준다. 이러한 行은 /님은 갓슴니다 아아 사랑하는나의님은갓슴니다 / 첫 詩 <님의 沈默> 첫 行으로부터 끝 詩 <사랑의끗판>의 마지막 行 / 네 네 가요 이제곳가요 / 까지 두루 사용되어 詩行의 변화를 誘發하고 긴장감을 지속시킨다.

다음으로 萬海 詩行의 基本構造는 대부분 「A는 B입니다」와 [A는 B입닛가」의 두 形式으로 구성되어 있다.[7] 이것을 다시 主題格助詞 「는」의 位置를 기준으로 前後의 長短을 살펴보면 前短後長의 用言型과 前長後短의 體言型 그리고 等張型으로 나눌 수 있다.

> ① ㉠아득한 冥想의적은배는 갓이업시출넝거리는 달빗의물ㅅ결에 漂流되야 멀고먼 별나라를 넘고쏘넘어서 이름도모르는나라에 이르럿슴니다
>
> <冥想>에서
>
> ㉡그대는 花環을만들나고 서러진꼿을줏다가 다른가지에걸녀서 주슨꼿을헤치고 부르는 絶望인希望의노래임니다
>
> <타골의詩(GARDENISTO)를읽고>에서

---

6) 이 7편의 詩들은 대략 2~3音步格이 형성되나 不安定한 형태를 이룬다는 점에서 當代에 流行하던 民謠詩型의 模倣 또는 實驗的 性格을 지닌다.

7) 詩集『님의 沈默』 총시행 수 842행 중에서 「A는 B입니다」라는 행 형태는 515행으로서 전체의 약 63%에 달한다. 이 「A는 B입니다」라는 행 형태는 내용으로 보면 대제로 敍述構文과 隱喩構文 그리고 對照構文의 세 가지 類型으로 구분된다. 예를 들면 p. 111 의例詩에서 ①의 ㉠은 敍述構文 ㉡은 隱諭構文 ㉢은 對照構文으로 使用된 것에 그것이다.

㉢님의사랑은 鋼鐵을녹이는불보다도 뜨거은데 님의손ㅅ길은 너머차서 限度가 업습니다

<님의손ㅅ길>에서

② 바람도업는공중에 垂直의波紋을내이며 고요히써러지는 오동닙은 누구의 발자최임닛가

<알ㅅ수업서요>에서

苦痛의가시덤풀뒤에 歡喜의樂園을 建設하기위하야 님을써난 나는 아아 幸福입니다

<樂園은가시덤풀에서>에서

거룩한天使의洗禮를밧은 純潔한靑春을 쪽싸서 그속에 自己의生命을너서 그것을사랑의祭壇에 祭物로드리는 어엽븐處女가 어데잇서요

<가지마서요>에서

③ ㉠타고남은재가 다시기름이됨니다 ㉡그칠줄을모르고타는 나의 가슴은 누구의밤을지키는 약한등ㅅ불임닛가

<알ㅅ수업서요>에서

黃金의꼿가티 굿고빗나든 옛盟誓는 차듸찬띄끌이되야서 한숨의 微風에 나러갓슴니다

<님의沈默>에서

춤추는소매를 안고도는 무서은찬바람은 鬼神나라의꼿숩풀을 거처서 써러지는해를 얼넛다

<論介의愛人이되야서그의廟에>에서

例詩 ①은 主題格助詞「는」을 基準으로 볼 때 主語部가 짧고 述語部가 훨씬 긴 用言型 文章의 모습을 지닌다. 例詩 ㉣는 主語를 基準으로 볼 때 主語

部가 장황하고 述語部가 짧은 體言型 文章을 이룬다. 특히 述語部는 / 누구의 발자최입닛가 / 아아 幸福입니다 / 어데잇서요 / 와 같이 극히 짧은 1~2語節로 이루어져 있고 더구나 敍述形과 疑問形 등으로 變異된다. 例詩 ②에 있어서는 主語를 포함한 主語部와 述語部가 정확히 兩分되는 경우(㉠)와 主語를 뺀 主語修飾部와 述語部가 정확히 對等되는 경우(㉡)로 나뉘어진다. 이렇게 萬海 詩行은 述語部가 지나치게 긴 用言型과 主語部가 긴 體言型, 그리고 양쪽이 대칭을 이룬 等張型으로 나뉘어진다.[8)]

다음에는 行의 接續관계를 중심으로 行構成을 분석해 보기로 한다. 먼저 接續構文은 連結語尾로 이루어진 한 文章의 單純構文과 두 文章 이상으로 변화를 시도한 多重構文으로 나눌 수 있다.

㉠ 만일 당신이 비오는날에 오신다면 나는 蓮닙으로 윗옷을지어서 보내것습니다

<비>에서

㉡ 사랑의束縛이 쑴이라면
出世의解脫도 쑴입니다
우슴과눈물이 쑴이라면
無心의光明도 쑴입니다
一切萬法이 쑴이라면
사랑의쑴에서 不滅을엇것습니다

<쑴이라면> 全文

---

8) 참고로 「A는 B입니다」의 構文 515行을 살펴보면 用言型 351行, 體言型 91行 그리고 等張型 109行으로 나뉘어진다. 이렇게 보면 대체로 行이 서술적이며 敷衍的인 性格을 지니는 것으로 보인다. 한편 R. Wells에 의하면 대체로 體言型 文章은 用言型 文章보다 生動感이 덜하고 靜止的 性格이 강하다고 한다. Rullon Wells. 「Nominal and Verbal Style」 D.C. Freeman. ed.. *Linguistics & Literary Style*(Holt Rinehart & Winstons.1970) p. 502.

㉢ 그것은 만일 님의품에안기지못하면 다른길은 죽엄의길보다도 험하고 괴로은까닭입니다

<나의길>에서

이상의 例詩는 모두 「-다면/-이 라면」이라는 條件構文으로 되어 있다. ㉠은 條件節과 主節의 結合으로 / 당신 / 과 / 나 /, 그리고 / 오신다면 / 보내것습니다 / 의 對照構文을 형성한다. ㉡은 條件節과 主節을 各行으로 배열하여 律格을 형성함과 동시에 /사랑의 束縛/出世의 解脫 / 등 두 세계의 갈등을 효과적으로 제시한다. ㉢은 / 그것은 / 까닭입니다 / 라는 구문 안에 다시 條件文을 內包하는 경우이다. 이러한 條件構文의 行構成 방법 은 / -면 / -거든 / -ㄹ진대/ 등의 假定과 /-야만 / -어야 / 등의 當爲, 그리고 / -으로 / -거늘 / -니까 / 등의 理由를 뜻하는 語尾로 연결된다. 이 條件構文은 <버리지아니하면>, <의심하지마서요>, <나루ㅅ배와行人> 등 많은 詩篇에서 行構成 및 詩展開의 수단으로 활용되고 있다.

아아 님은갓지마는 나는 님을보내지 아니하얏습니다

<님의 沈默>에서

아아 한밤을지나면 포도주가 눈물이되지마는 또한밤을지나면 나의눈물이 다른포도주가됩니다 오오 님이어

<葡萄酒>에서

나의가슴은 말ㅅ굽에밟힌落花가 될지언정 당신의머리가 나의가슴에서 써러질수는 업습니다

<오서요>에서

다음은 放任構文을 들 수 있다. 放任構文이란 / -ㄹ지라도 / -ㄴ들 / 등의 假

定과 / -어 (아)도 / -건마는 / -지마는 / 등의 事實, 그리고 / -ㄹ지언정 / -ㄹ망정 / 의 讓步와 / -련마는 / 등의 推定을 나타내는 語尾로 연결되는 경우를 말한다. 위 例文뿐 아니라 특히 <님의 沈默>의 경우에 / 갓지마는 / 이라는 放任型 構造는 逆說을 성립시킴으로써 詩를 성공시키는 핵심 방법으로도 사용된다. 萬海詩에서는 / -마는 / -지언정 / -지라도 / 등 세 가지가 주로 쓰이는데, <服從>, <사랑하는까닭>, <타골의詩(GARDENISTO)를읽고>, <繡의 秘密> 등 많은 시에서 앞 구절의 내용을 「그러나」(but)의 의미로 逆接함으로써 反轉 意味機能을 수행한다.

㉠ 하늘에는 달이업고 싸에는 바람이업습니다
사람들은 소리가업고 나는 마음이업습니다

<고적한밤>에서

㉡ 봄니오기전에는 어서오기를바랏더니 봄이오고보니 너머일즉왓나 두려함니다

<海棠花>에서

㉢ 그것은 모든사람의 나를미워하는 怨恨의豆滿江이 깁흘수록 나의 당신을 사랑하는 幸福의 白頭山이 놉허지는 까닭입니다

<幸福>에서

㉣ 나에게 생명을주던지 죽엄을주던지 당신의뜻대로만 하서요

<당신이아니더면>에서

다음으로는 對照構文을 들 수 있다. 對照構文이란 두 개의 對稱되는 句節을 통해 주의·주장을 확연히 드러내거나, 어느 한 편을 강조하기위한 방법으로 사용된다. 여기서는 ㉠의 羅列型, ㉡의 說明型, ㉢의 益甚型, ㉣의 選擇型 語尾 등이 사용된다. 이러한 네 가지 語尾에 의한 對照構文 이외에도 萬海 詩

에는 變型으로서 「~이 아니라 ~이다」(not A but B)라는 强調의 構文이 두드러지게 많이 사용된다.

사랑의神聖은 表現에잇지안코 祕密에잇습니다

<七夕>에서

이적은주머니는 지키시려서 지치못하는것이 아니라 지코십허서 다지치안는 것입니다

<繡의秘密>에서

내가 당신을기다리고잇는것은 기다리고자하는것이아니라 기다려지는 것입니다

<自由貞操>에서

이러한 「not A but B」의 構文法은 對立되는 두 事實의 對照에서 한걸음 나아가 한쪽 사실을 더 강조하는 수법으로서 消滅과 生成 등 二元的 世界觀에 바탕을 둔 萬海 詩의 특징을 선명하게 드러내 준다. 萬海詩行에는 이상의 構文法 이외에도 다음과 같은 여러 構文이 활용되고 있다.

① 님의얼골에 단장을하는것이 도로혀 험이되는것과가티 나의노래에 곡조를 부치면 도로혀 缺點이됩니다

<나의노래>에서

간은봄비가 드린버들에 둘녀서 푸른연긔가되듯이 끗도업는 당신의情실이 나의잠을 얼금니다

<어늬것이참이냐>에서

②오오 님의情熱의눈물과 나의感激의눈물이 마조다서 合流가되는 때에 그눈물의 첫방울로 나의가슴의불을끄고 그다음방울을 그대네

의가슴에 뿌려주리라

<사랑의불>에서

근심을이즐ㅅ가하고 꽃동산에거닐때에 당신은 꼿새이를슬처오는 봄바람이되야서 시름업는 나의마음에 꼿향긔를 무처주고 감니다

<어데라도>에서

③ 님의얼골을 어엽부다고하는말은 適當한말이아님니다

<님의얼골>에서

「너는 사랑의쇠사실에 묵겨서 苦痛을맛지말고 사랑의줄을끈어라 그러면 너의 마음이 질거우리 라」고 禪師는 큰소리로 말하얏슴니다

<禪師의說法>에서

例詩에서 ①은 比喩構文이고, ②는 副詞構文, 그리고 ③은 引用構文이다. 이 세 構文의 共通點은 ①은 比較格助詞, ②는 場所·時間의 處所格助詞, 그리고 ③은 引用格助詞 등 副詞格助詞를 사용함으로써 限定構文으로 활용된다는 점이다. 특히 ②의 副詞構文은 萬海 詩의 <?>, <버리지아니하면>, <꼿싸움> 등 여러 편에서 行을 展開하는 방법으로 有效하게 사용된다.

이러한 一行一文(one line－one sentence)의 單純構文과는 달리 一行多文(one line－multiple sentence)의 多構文이 있다. 이 多構文은 反復, 漸層, 詠嘆, 倒置와 連鎖文을 2~3 센텐스씩 혼합 사용하여 行과意味의 變化를 試圖하는 構文法이다.

① 붉은듯하다가 푸르고 푸른듯하다가 희여지며 가늘게썰니는 그대의 입설은 우슴의朝雲이냐 우름의暮雨이냐 새벽 말의秘密이냐 이슬꼿의 象徵이냐

<論介의愛人이되야서그의에>에서

② 벗이어 나의벗이어 愛人의무덤위의 픠여잇는 꼿처럼 나를울니는 벗이어

<타골의詩(GARDENISTO)를읽고>에서

오서요 당신은 오실쌔가되얏서요 어서오서요

<오서요>에서

③ 눈물의구슬이어 한숨의봄바람이어 사랑의聖殿을莊嚴하는 無等等의 寶物이어

<눈물>에서

萬二千峯! 無恙하냐 金剛山아

<金剛山>에서

④언제인지 내가 바다ㅅ가에가서 조개를주섯지요 당신은 나의치마를 거더주섯서요 진흙뭇는다고

집에와서는 나를 어린아기갓다고 하섯지오 조개를주서다가 작난한다고 그러고 나가시더니 금강석을 사다주섯습니다 당신이

<眞珠>에서

⑤ 님이어 나를아니보랴거든 차라리 눈을돌녀서 감으서요 흐르는 겻눈으로 흘겨보지마서요 겻눈으로 흘겨보는것은 사랑의보(褓)에 가시의선물을싸서 주는것입니다

<차라리>에서

例詩 ①은 비슷한 事象들을 反復·羅列하여 이미지를 전개하고 ②는 漸層的인 변화를 통해 主題를 강조한다. ③의 例詩들은 反復을 바탕으로 한 詠嘆構文을 통해 事象에 대한 比喩的 印象을 情感的으로 표출한다. ④는 倒置의 構文으로서 특히 <眞珠>는 正置와 倒置의 混合行法으로 萬海 특유의 개성

적 行法을 보여 준다. 또한 는 ⑤詩想 展開의 平易性을 連鎖的인 構文法으로 변화시켜 리듬감을 鼓吹하고 있다.

지금까지 살펴본 行構成法을 정리해 보면 다음과 같다.

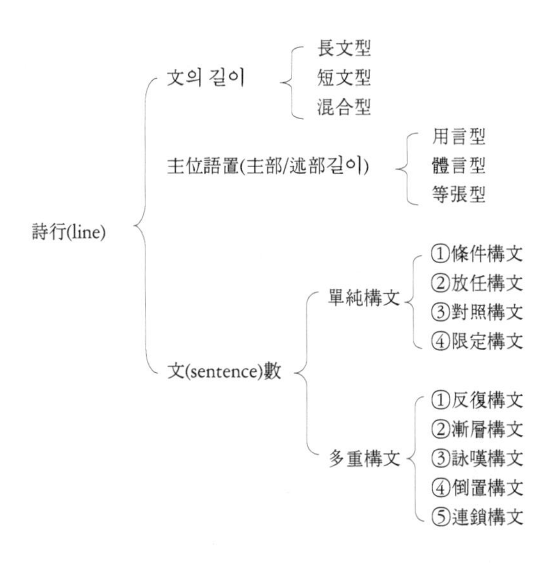

이처럼 萬海의 詩行은 敍述的인 長型의 만연체로서 當代詩의 유행 시형이던 짧은 民謠詩의 律格과는 달리 散文的 律格의 內在律을 지니는 것이 특징이다. 그러나 그의 詩行에서 이상과 같은 行法을 찾아낼 수 있다는 것은 그의 시가 줄글 형태의 완전한 散文詩로서 존재하는 것이 아니라 散文詩的 開放 속에서 오히려 엄격한 法則性을 지님으로써 진정한 의미의 自由詩를 지향하고 있다는 사실을 말해 준다. 散文詩와 自由詩는 한 연 전체 혹은 시 전체가 散文的 줄글로 되어 있느냐 혹은 그렇지 않느냐에 따라 판별된다. 따라서 『님의 沈默』은 散文行으로 되어 있으나 줄글로 되어 있지 않으며 行에 獨立性이 주어지고, 行이 일정한 法則性을 지닌다는 점에서 自由詩로 규정하는 것이 타당하다.

(2) 聯의 構成

詩構成에 있어 聯形態(stanzaic form)는 行의 集合으로서 形態와 意味段落의 基本을 이룬다.[9] 일반적으로 聯의 數爻와 長短은 시가 내포하고 있는 詩的 事件이나 內容의 區分에 밀도를 부여하는 기본 단위가 되기 때문이다.[10] 萬海의 詩行이 일정한 法則과 構造性을 지닌 것처럼 聯形態도 규칙적인 형태미를 보여 준다.

①
4行(1편)…(1.2/3.4) : <眞珠> 1편
5行(7편)…(1.2.3/4.5) : <쑴깨고서> 등 5편
(1.2/3.4.5) : <우는째> 등 2편

②
6行(4편)…(1.2.3/3.5.6) : <당신이 아니더라면>
(1.2/3.4.5.6) : <海棠花>
(1.2.3.4/5.6) : <因界律> 外
7行(6편)…(1.2/3.4.5.6.7) : <祕密>등 2편
(1.2.3/4.5.6.7) : <幸福>
(1.2.3.4/5.6.7) : <誹謗> 등 3편
8行(5편)…(1.2.3.4/5.6.7.8) : <錯認> 등 4편
(1.2.3.4.5.6/7.8) : <사랑의 測量>

③
9行(3편)…(1.2/3.4.5.6.7.8.9) : <ᄭᅩᆺ싸움>
(1.2.3/4.5.6.7.8.9) : <繡의 祕密> 外
11行(2편)…(1~6/7~11) : <슯음의三昧> 外
13行(1편)…(1~11/12,13) : <잠업는쑴>
14行(2편)…(1~7/8~14) : <나의 길>
(1~11/12~14) : <나의노래>

9) B.H. Smith,*op cit.*, p.56.
10) Fussel, *Poetic Meter & Poetic Form* (New York: Random House· 1965), p. 155.

시집『님의 沈默』88편 중에서 聯區分이 돼 있는 시는 74편으로 전체의 85%에 달한다. 연 구분이 안 된 14편의 非聯詩도 연을 구분하기 힘든 3行詩 <차라리>, <나의꿈>과 4行詩 <리별은美의創造>. <하나가 되야주서요>, <당신은>, <後悔>, <거문고탈때>를 제외한 나머지 7편의 5行詩(2편). 6行詩(2편). 8行詩(1편), 10行詩(2편)들도 실제로는 聯區分이 內包된 非聯詩의 性格을 지닌다.[11] 살상 4行詩들도 前後 각 2聯으로 구분될 수 있다는 점에서 보면 聯詩形式에 가깝다. 따라서 우선 萬海 詩의 形態는 聯區分이 되어 있는 聯詩形式을 기본으로 하여 형성됨을 알 수 있다. 그러면 聯構成의 실제를 살펴보기로 한다.

먼저 2聯詩는 모두 31 편으로 가장 많이 사용되는 聯形態이다.

우선 여기서 알 수 있는 것은 聯이 대략 2·3行을 기본으로 구성되고 전개된다는 점이다. 대략 2行과 3行은 그것 자체로서 聯이 이루어질 뿐 아니라 그렇지 않은 경우에도 대부분 2~3行의 倍數 및 組合으로 聯이 구성된다.[12] ①의 경우에는 2行과 3行의 結合으로 聯이 구성되고 ②의 경우는 2行, 3行 및 그의 倍數行인 4行의 連結로 돼 있다. ③의 경우는 2·3·4行의 組合形態로 구성돼 있는 보다 복잡한 聯形態를 이룬다.

다음으로 3聯으로 이루어진 24편의 시는 모두 6行 이상 17行까지의 分布를 보인다.

---

11) 例를 들어 10行 非聯詩인 <님의 沈默>의 경우는 起(1~6行), 承(7.8行), 轉(9行), 結(10行)의 4聯으로 구분할 수 있다.

12) 非聯詩에서도 대략 2行과 3行을 기본단위로 구분된다. 특히 4行詩는 前後 각 2行 2聯의 對稱形式으로 구분할 수 있다. 그러므로 2行과 3行을 聯構成의 기본단위로 볼 수 있다.

6行(3편)…(1.2/3.4/5.6) : <사랑하는 까닭> 外
7行(3편)…(1.2/3.4/5.6.7) : <참어주서요> 外
(1.2/3.4.5/6.7) : <어늬것이참이냐>

8行(3편)…(1.2/3.4.5/6.7.8) : <님의 손ㅅ길> 外
(1.2/3.4/5.6.7.8) : <樂園은가시덤풀에서>
(1.2.3/4.5.6.7/8) : <사랑의불>
9行(6편)…(1.2.3/4.5.6/7.8.9) : <당신의마음> 外
(1.2.3/4.5/6.7.8.9) : <비>
10行(4편)…(1.2.3/4.5.6/7.8.9.10) : <藝術家>
(1.2/3.4.5/6~10) : <당신을보앗습니다>
(1.2.3/4~8/9~.10) :<사랑을사랑하야요>
(1.2/3~7/8.9.10) :<自由貞操>

11行(1편)…(1~6/7~9/10.11) : <거짓리별>
12行(2편)…(1~4/5~8/9~12) : <쉼과 근심> 外
16行(1편)…(1~6/7~13/14~16) : <잠ㅅ대>
17行(1편)…(1~6/7~11)/12~17) : <苦待>

6行과 7行의 聯은 역시 2行과 3行의 단순한 反復과 組合으로 이루어져 있다. 8行~10行은 2行과 3行의 相互 連結과 混合으로 이루어져 있으며 11~17行은 2, 3行의 組合으로 되어 있다. 특히 이중에서 6行과 9行 形態는 각각 2行×3聯과 3行×3聯의 규칙적인 반복의 同一構造性을 보여 줌으로써 聯構成이 2行, 3行의 基本形態에 의존하고 있음을 확인할 수 있게 한다.

4聯構成의 14편은 10行~31行의 비교적 長型을 보인다.

①
10行(2편)…(1.2/3.4/5.6.7/8.9.10) : <님의얼골>
(1.2/3/4~8/9.10) : <快樂>
11行(5편)…(1.2/3.4.5/6~9/10.11) : <나루ㅅ배와行人> 外
(1.2/3.4/5.6.7/8~11) : <고적한밤>
(1.2/3.4/5~8/9~11) : <길이막혀>
(1~3/4~6/7~9/10.11) : <?>
13行(2편)…(1~4/5~7/8~11/12.13) : <눈물> 外

②
- 15行(1편)…(1~3/4~9/10~13/14.15) : <金剛山>
- 16行(2편)…(1~4/5~10/11~14/15~16) : <나는잇고저>
  (1~4/5~8/9~12/13~16) : <가지마서요>
- 21行(1편)…(1.2/3~7/8~13/14~21) : <오서요>
- 31行(1편)…(1~14/15~20/21~26/27~31) : 論介의 愛人이 되야서 그의 廟에서

이 聯構成도 2~3行을 기본으로 하여 ①에서는 단순한 反復으로 ②에서는 2, 3行 組合의 混合形式을 이룬다. 4聯構衣은 대략 2聯構成의 對稱이거나 聯合인 경우가 많다. 한편 5聯 이상의 聯形態는 5聯(11行 25行) 3편과 6聯 1편(14行) 그리고 8聯(13行) 1 편 등 도합 5편이 있을 뿐 중요한 聯構成 方式이 되지 못한다. 이렇게 볼 때 聯構成은 대략 2~3行을 基本單位로 하여 形成되며, 이것은 2聯과 3聯 혹은 2聯의 倍數로 萬海 詩 한 편이 이루어지는 것과 좋은 對應을 이룬다.[13] 따라서 2行과 3行의 聯形式이 萬海 詩 聯形態의 기본을 이룬다는 점에서 그 構造的 特性을 보다 자세히 살펴볼 필요가 있다.

<1>

① 님의 사랑은 鋼鐵을녹이는불보다도 쓰거은데 님의손ㅅ길은 너머차서 限度가업습니다

② 나는 이세상에서 서늘한것도보고 찬것도보앗습니다 그러나 님의손ㅅ길가 티찬것은 볼수가업습니다

<2>

③ 국화핀 서리아츰에 써러진닙새를 울니고오는 가을바람도 님의손ㅅ길보다는 차지 못합니다

④ 달이적고 별에쌜나는 겨울밤에 어름위에 싸인눈도 님의손ㅅ길보다는 차지 못함니다

⑤ 甘露와가티淸凉한 禪師의說法도 님의손ㅅ길보다는 차지못함니다

---

13) 2聯. 3聯 및 2聯의 배수인 4聯이 도합 69편으로 聯詩 74편의 94%에 달한다.

<3>

⑥ 나의적은가슴에 타오르는불꽃은 님의손ㅅ길이아니고는 끄는수가업습니다

⑦ 님의손ㅅ길의溫度를 測量할만한 寒暖計는 나의가슴밧게는 아모데도업습니다

⑧ 님의사랑은 불보다도 뜨거워서 근심山을 태우고 恨바다를 말니는데 님의 손ㅅ길은 너머도차서 限度가업습니다

<님의 손ㅅ길> 全文

먼저 <1>聯은 / 님의사랑 / 과 / 나는 / 이 對應되는 2行構成으로 이루어져 있다. 특히 ①行은 行 자체 안에서 「뜨거움」과 「차거움」의 對照 관계를 내포함으로써 情熱과 理性, 理念과 現實의 날카로운 긴장 채계를 형성한다. 이러한 對應과 對照의 2行聯은 聯構成의 기본방법이 된다.

<2>聯은 3行構成으로 竝列的인 形態를 보여 준다. 그러나 이 형태는 ③行의 / 국화핀 서리아츰의 가을바람 / 과 ④行의 / 겨을밤의 싸인눈 / 과 같이 對照의 性格을 지니는 동시에 ③行에 와서는 의 形式올 붙인다. 여기서도 各行은 行 자체에 自然과 人間의 對照를 이루며, 다시 ③, ④行은 自然事를 묘사하고 ⑤行은 / 禪師의說法 / 과 같이 人間事를 드러냄으로써 對應관계를 형성한다.

<3>聯의 形式도 ⑥行 / 나의가슴 / 과 ⑦行 / 님의손ㅅ길 / 의 對應을 이룬다. 그러나 3聯은 / 나의가슴의불꽃 / → / 님의손ㅅ길·寒暖計 / → / 님의사랑은 불보다도 뜨거워서 근심山을 대우고 恨바다를 말니는데 / 와 같이 전개되어 「起-敍-結」의 漸層的 구성 방식을 지닌다.

이렇게 볼 때 2行聯은 대체로 對應과 對照 및 連鎖와 因果의 形式으로 활용됨을 알 수 있다. 이러한 2行聯은 4行聯으로 확장되어 또 다른 형대로도 변형된다.

① 가을하늘이 놉다기로
情하늘을 싸를소냐

봄바다가 깁다기로
恨바다만 못하리라

<情天恨海>에서

② 너는 꽃에붉은것이 너냐
너는 입헤푸른것이 너냐
너는 丹楓에醉한것이 너냐
너는 白雪에깨인것이 너냐

<金剛山>에서

①은 / 가을하늘 / 과 / 봄바다 / . / 情하늘 / 과 / 恨바다/ 그리고 / 높음 / 과 / 깊음 /의 對應으로 이루어져 있다. 4行의 律文構造를 지니지만 이것은 실상 각각 2節 1行이 4節 4行으로 分行되어 4行形態로 확장 竝列된 것이다. 앞에서 살펴본 것처럼 萬海 詩에서 律格을

지니는 시는 대부분 하나의 文(sentence)이 分節되어 竝列된 形態의 경우가 대부분이다.

②는 / 너는~너냐 / 의 形式을 통해 / 붉은 것 / 과 / 푸른 것 / 그리고 / 醉한 것 / 과 /깨인 것 / 의 對照와 前 2行 後 2行의 對句的 竝列形態를 지닌다.

이렇게 볼 때 약간의 變形이 있긴 하지만 4行聯은 2行聯의 構成方法을 擴張한 형태로 볼 수 있으며, 동시에 2行構成이 聯形態의 基本單位로서 활용됨을 다시 알 수 있다.

① 당신의얼골은 黑闇인가요
내가 눈을감은세에 당신의얼골은 분명히보임니다 그려
당신의 얼골은 黑闇이여요

<反比例>에서

② 당신의얼골은 봄하늘의 고요한별이여요
그러나 찌저진구름새이로 돗어오는 반달가튼 얼골이 업는것이아님니다
만일 어엽분얼골만을 사랑한다면 웨 나의벼개ㅅ모에 달을수노치안코 별을수노아요

<「사랑」을사랑하야요>에서

③ 나는 서투른 畫家여요
잠아니오는 잠ㅅ자리에 누어서 손ㅅ가락을 가슴에대히고 당신의코와 입과 두볼에 새암파지는것짜지 그렷슴니다
그러나 언제든지 적은우슴이쩌도는 당신의눈ㅅ자위는 그리다가백번이나 지엇슴니다

<藝術家>에서

①의 詩는 「疑問(인가요) → 確認(보임니다 그려) → 斷定(이여요)」과 같이 起·敍·結의 論理的 構造를 지닌다. ②詩는 / 그러나 / 와 / 만일 / 이라는 接續副詞를 사용하여 構成의 論理性을 强化한다. ③詩는 첫 行에서 隱喩的 提示, 둘째 行에서 屬性的 展開, 그리고 세째 行에서 / 그러나 / 의 逆接 結構를 形成한다.

이처럼 3行聯은 2行聯의 對應的·竝列的 構造와는 달리 대체로 論· 本論·結論의 論理的 構造性을 강하게 지닌다. 따라서 萬海 詩의 聯構造는 2行의 對照와 對轉, 2行 擴張인 4行의 反復과 竝列, 그리고 接續構造인 3行의 論理的 形式을 바탕으로 형성되고 전개됨을 알수 있다. 또한 2行과 3行의 聯構成에 對樽되는 2聯· 3聯의 詩形態가 萬海 詩의 主流를 이루는 것은 詩的 均衡感과 安定感을 형성하는 動因이 된다는 점에서 중요한 의미를 지닌다.

(3) 詩의 構造

詩는 行과 聯의 附加的 集合構造로 完成된다. 行은 聯을, 聯은 詩를 構成하는 下位單位가 되기 때문이다. 따라서 여기서는 먼저 韻律面과 形態面으로 나누어 詩의 構造的 特徵을 살펴본다. 基本的으로 萬海 詩는 「~읍니다」의 敬語體의 敍述形 終止法을 사용하고 있기 때문에 散文韻이 형성된다. 그러나 자세히 살펴보면 萬海 詩의 終止法에 따른 律韻形態는 ① 律格型과 ②韻文型 및 ③混合型으로 나눌 수 있다. 먼저 律格型을 살펴본다.

> 밤근심이 하 길기에
> 꿈도길줄 아럿더니
> 님을보러 가는길에
> 반도못가서 깨엇고나
>
> 새벽꿈이 하 써르기에
> 근심도 짜를줄 아럿더니
> 근심에서 근심으로
> 씃간데를 모르것다
>
> 만일 님에게도
> 꿈과근심이 잇거든
> 차라리
> 근심이 꿈되고 꿈이 근심되여라

<꿈과근심> 全文

引用詩의 1·2聯은 2音步의 竝列的인 4行構成이며 3聯도 3·4行에서 다소 破格을 볼 수 있으나 대체로 2音步 等張詩行의 同一한 패턴이라 할 수 있다. 이러한 律格型은 1行으로 이어서 쓰면 다른 散文型과 비슷한 語法과 길이를 지니는 것이 특징이다. 萬海 詩 중에서 이 형태는 <꿈과근심> 이외에 <길

이막혀><나는잊고자><情天恨海><두견새><삶이라면><심은버들> 등 7편에서 활용된다는 점에서 다분히 實驗的 性格을 지닌다.[14] 두 번째 韻文型은 終止法에 있어 「-음니다」의 習慣的 反復으로 형성되는 內在律, 즉 散文韻型을 말한다. 萬海 詩는 기본적으로 이 散文韻 형태로 구성되어 있다. 그러나 이러한 散文韻 중에서 특히 韻에 대한 주의를 기울임으로써 韻律的 美感을 형성하는 작품들도 다수 발견된다.

내가a 당신을사랑하는것은b 까닭이업는것이c 아님니다d
다른사람들은e 나의紅顔만을 사랑하지마는f 당신은g 나의白髮도 사랑하는 까닭임니다h

내가a 당신을그루어하는것은b 까닭이업는것이c 아님니다d
다른사람들은e 나의 微笑만을 사랑하지 마는f 당신은g 나의눈물도 사랑하는 까닭임니다h

내가a 당신을기다리는것은b 까닭이업는것이c 아님니다d
다른사람들은e 나의健康을 사랑하지마는f 당신은g 나의죽엄도 사랑하는 까닭임니다h

<사랑하는까닭> 全文

이 시에서 每聯은 / a-b-c-d / e-f-g-h / 의 일정한 반복으로 구성되어 있다. 특히 頭韻(alliteration: a/e)과 腰韻(middle rhyme: b·c/f·g) 및 脚韻(end rhyme: d/h)의 同一한 反復을 이룸으로써 韻律的 構造性(rhy-thmical composition)을 형성한다. 또한 세 聯이 內容에 있어서도 前行과 後行의 對照와 和應이 이루어져 意味構造를 원활히 진전시키고 있다. 이처럼 규칙적이면서도 流麗한 韻

14) 이러한 律格形態는 7편 이외에도 混合型 속에 다수 連結形態로 포함대 있다. 이러한 律格型의 사용은 萬海 詩가 직접 간접으로 岸曙 및 素月과의 영향단계를 맺으며 形成됐으리다는 추측을 가능케 한다.

律美를 지닌 작품이 다수 발견되는 것은 萬海가 내용에서 힘을 기울이는 것 이상으로 형식에 있어서도 섬세한 배려를 아끼지 않았음을 말해 주는 것이 된다.

세 번째는 이러한 律格型과 韻文型의 混合된 形態가 있다.

하늘에는 달이업고 짜에는 바람이 업습니다
사람들은 소리가업고 나는 마음이 업습니다

宇宙는 죽엄인가요
人生은 잠인가요

한가닭은 눈ㅅ섭에걸치고 한가닭은 적은별에걸쳣든 님생각의金실은 살살살 것침니다
한손에는 黃金의칼을들고 한손으로 天國의꼿을꺽든 幻想의女王도 그림자를 김추엇습니다
아아 님생각의金실과 幻想의女王이 두손을마조잡고 눈물의속에서 情死한줄이야 누가아러요

宇宙는 죽엄인가요
人生은 눈물인가요
人生이 눈물이면
죽엄은 사랑인가요

<고적한밤> 全文

4聯으로 구성된 이 시는 長·短의 韻律文과 散文의 두 文型으로 돼있다. 그러면서도 1·2聯은 聯 內部의 두 行이 서로 對應되는 內容과 韻을 지니고 있으며, 3·4聯도 약간의 變格도 있지만 서로 聯 자체의 韻이 형성된다. 1聯과 3聯 및 2聯과 4聯은 韻律上 形式上 유사한 對等構造를 지님으로써 변화있는 構

成形態를 보여 준다. 이러한 混合形態가 많은 비중을 차지하지는 않지만 律格型과 韻文型의 混合的인 形態로서 位置를 지닌다.

한편 詩의 展開方法에 따른 全體的 詩 構成方式은 대략 ① 反復構造, ② 漸層構造, ③ 對稱構造, ④ 逆接構造, ⑤ 落句構造, ⑥ 混合構造로 나눌 수 있다.

① 님이어 당신은 百番이나鍛鍊한金결임니다…a
ᄲᅩᆼ나무ᄲᅮ리가 珊瑚가되도록 天國의사랑을 바듭소서…b
님이어 사랑이어 아츰볏의 첫거름이어…c

님이어 당신은 義가무거웁고 黃金이가벼은것을 잘아심니다…a
거지의 거친밧헤 福의씨를 ᄲᅮ리옵소서…b
님이어 사랑이어 옛梧桐의 숨은소리여…c

님이어 당신은 봄과光明과平和를 조아하심니다…a
弱者의가슴에 눈물을ᄲᅮ리는 慈悲의菩薩이 되옵소서…b
님이어 사랑이어 어름바다에 봄바람이어…c

<讚頌> 全文

② 마서요 제발마서요
보면서 못보는체마서요…a
마서요 제발마서요
입설을 다물고 눈으로말하지마서요…b
마서요 제발마서요
ᄯᅳ거은사랑에 우스면서 차되찬잔부서럼에 을지마서요··c
마서요 제발마서요
世界의ᄭᅩᆺ을 혼저ᄶᅡ면서 亢奮에넘처서 ᄯᅥᆯ지마서요…d
마서요 제발마서요
微笑는 나의運命의가슴에서 춤을춤니다 새삼스럽게 스스러워마서요…e

<첫「키쓰」> 全文

③ a…리별은 美의創造입니다

b…리별의美는 아츰의 바탕(質)업는 黃金과 밤의 올(糸)업는 검은 비단과 죽엄업는 永遠의生命과 시들지안는 하늘의푸른쏫에도 업습니다

b…님이어 리별이아니면 나는 눈물에서죽엇다가 우슴에서 다시사러날수가 업습니다 오오 리별이어

a…美는 리별의創造입니다

<리별은美의創造> 全文

④ a…당신이아니더면 포시럽고 맥그럽든 얼골이 웨 주름살이접혀요
당신이긔룹지만 안터면 언제까지라도 나는 늙지아니할테여요
맨츰에 당신에게안기든 그때대로 잇슬테여요

b…<u>그러나</u> 늙고 병들고 죽기까지라도 당신때문이라면 나는 실치안하여요
나에게 생명을주던지 죽엄을주던지 당신의뜻대로만 하서요
나는 곳당신이여요

<당신이아니더면> 全文

⑤ 님이며는 나를사랑하련마는 밤마다 문밧게와서 발자최소리만 내이고 한번도 드러오지아니하고 도로가니 그것이 사랑인가요
그러나 나는 발자최나마 님의문밧게 가본적이업습니다
아마 사랑은 님에게만 잇나버요

<u>아아</u> 발자최소리나 아니더면 꿈이나 아니깨엿스련마는
꿈은 님을차저가랴고 구름을탓섯서요

<꿈깨고서>全文

먼저 反復構造는 ①에서처럼 a.b.c/a.b.c/a.b.c의 同-한 聯反復을 통하여 詩想을 전개한다. 시에서 反復은 詩的 構造를 형성하는 것으로 서뿐 아니라 시의 전체를 완성하는 데 있어서도 必須的인 要素가 된다.[15] 또한 聯의 對應이

平均律을 이루어 詩的 安定感을 준다. 漸層構造는 ②처럼 / 마서요 제발마서요 / 를 反復하면서 a→b→c→d→e의 漸層的인 展開方式을 지닌다. 특히 이 형식은 視覺韻(eye rhyme)이 형성되어 萬海가 의도적으로 韻의 配에 힘썼을 뿐 아니라 形態的인 것과 意味의 結合에도 섬세한 주의를 기울였음을 단적으로 말해 준다. 對稱構造 ③은 a/b : b/a와 같이 b를 基準으로 左右에 對稱을 이룬다. 또한 逆接構造 ④는 前聯과 後聯이 逆接으로 連結되어 詩想의 變轉과 飛躍을 초래한다. 前聯 a에서의 <당신>과 <나>의 分離된 世界는 / 그러나 / 에 의해 後聯 b에서 / 나는 곳당신이여요 / 와 같이 詩的 一致를 가능하게 만든다.[16] 落句形式 ⑤에서는 4行 / 아아 / 의 特異한 可能性에 주목할 필요가 있다. 여기에서 / 아아 / 라는 落句의 感歎詞는 앞 聯의 內容을 일단락짓는 한 편 詩의 結末을 효과적으로 마무리짓는 독특한 機能을 수행하기 때문이다.[17] 마치 <님의 沈默>에서 9行 / 아아 님은갓지마는 나는 님을보내지 아니하얏습니다 / 에서처럼 落句構造는 詩想의 轉換과 結末(poetic Closure)를 성공시키는 데 꼭 필요한 형태로서 萬海詩에 많이 활용되고 있다.

이처럼 萬海의 시는 전체적인 면에서도 일정한 構造的 類型性을 지닌다. 『님의 沈默』에서 詩의 構造를 정리해 보면 다음과 같다.

---

15) B.H. Smith, *op. cit.*, pp. 38~39: Repetition is the fundamental phenomenon of poetic form~Repetition is the important not only in poetic structure but also in Closure~all repetition is, like meter, structural or perceived as systematic.

16) 逆接構造가 가장 성공적으로 드러난 例는 <님의 沈默>에서 7行 「그러나」를 생각한 수 있다. 이 「그러나」에서 否定이 肯定으로, 消滅이 生成으로 극적인 轉換을 이루기 때문이다.

17) 落句란 원래 10句體 鄕歌에서 마지막 2行 첫머리에 오는 「아야(阿耶)」 등의 感歎詞단를 지칭하는 말이다(서울大學校 東亞文化硏究所編. 國語國文學事典 : 서울 : 新丘文化社, 1973). 詩集『님의 沈默』에서도 鄕歌처럼 詩를 마무리잣는 行에 이러한 落句가 와서 主題를 요약적으로 정리해 주는 특이한 用法이 많이 나타난다. 이것을 落句構造다고 부를 수 있는바. 이 構造는 萬海 詩가 전통적인 것에 뿌리박고 있음을 또한 제시해 준 例가 된다.

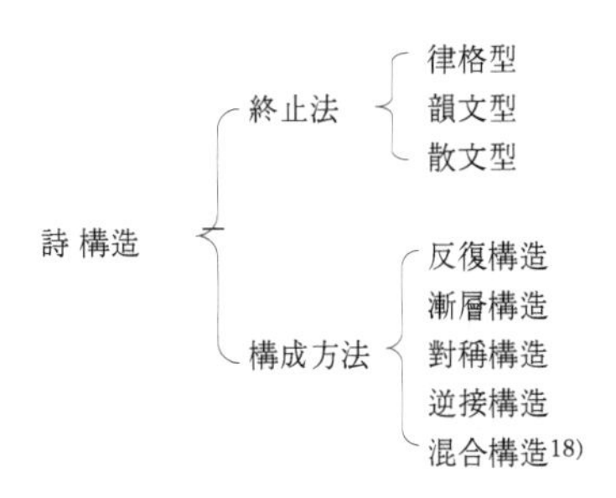

以上에서 논해 온 것으로 본다면 萬海 詩는 行과 聯 및 詩構成에 있어 初期 詩壇의 어느 詩人보다도 확실한 法則性과 構造的 原理를 지닌다는 점을 알 수 있다. 이 점에서 萬海 詩를 단순히 散文詩라고 불러왔던 旣往의 觀點과 기술이 修正될 필요가 있는 것이다.

2. 이미지의 類型

모든 藝術은 이미지로 이루어진다. 文學은 이미지 없이 이루어지지 않으며 특히 詩는 불가능하다.[19] 왜냐하면 이미지는 想像力의 發現樣態이며 상상력 그 자체라고 말할 수 있기 때문이다. 따라서 이미지는 詩的 思考와 認識의 基本手段이 된다. 실상 모든 시는 그 자체가 하나의 이미지[20]라고 말할 수 있는 것이다. 詩語로서의 이미지의 客體性은 자체로서 독단적인 交感을 이루어 시인과 독자의 상상력을 연결해 준다. 독자의 문학적 상상력 속에서는 이미지가 스스로 새로운 뉘앙스들을 만들어 내며 象徵的 긴장체계를 형성하게 된다. 그러므로 이미지가

18) 混合構造는 위에 해당되지 않는 기타 형식을 말한다.

19) Victor Shklovsky. *Art as Technique*. Lemon & Reis, Russian Formalist, Criticism (Univ. of Nebraska Press. 1965). p. 5.

20) C.D. Lewis. *The Poetic Image*(London: Jonathan Cape., 1958). p. 17.

表現이나 表象으로 지속적으로 나타나게 되면 이것은 想像力의 體系를 형성하게 되는 것이다. 바로 이 점에서 이미지의 중요성이 있으며, 이 項目을 설정한 이유가 된다. 여기서는 대략 植物的 이미지, 鑛物的 이미지. 人間的 이미지, 天體的 이미지, 大地的 이미지 등으로 나누어 이미지 構造를 분석해 본다.

(1) 植物的 이미지

萬海 詩에서 가장 빈번하게 사용되는 詩語는 꽃, 나무 등 植物的 想像力의 範疇에 속하는 이미져리群이다. 이 이미지群을 크게 나누면 垂直上昇의 나무 계열과 生命力의 絶頂인 꽃 종류로 구분된다.

『님의 沈默』에 나타나는 꽃은 總稱으로서의 꽃을 비롯하여 蓮꽃·장미·백합·국화·모란·두견화·桃花·무궁화·파초 등이다. 나무로는 總稱으로서의 나무 이외에 버들· 오동· 매화나무·단풍나무·느티나무·뽕나무·계수나무 등이 있다. 이중에서 가장 使用頻度나 象徵性에 있어 대표적인 것은 總稱으로서의 꽃의 이미지이다. 대부분의 植物的 이미지들은 背景 혹은 季節感覺을 나다내는 平面的 比喩로서 나타나지만, 꽃은 核心的 比喩로서 象徵性의 깊이와 넓이를 지닌다.

먼저 꽃이 比喩로서 사용되는 이미지의 예를 들어보자.

① 黃金의ᄭᅩᆺ가티 굿고빗나든 옛盟誓는 차듸찬ᄯᅴᄭᅳᆯ이되야서 한숨의微風에 나러갓습니다

②나는 향긔로은 님의말소리에 귀먹고 ᄭᅩᆺ다은 님의얼골에 눈머럿습니다

<님의沈默>에서

먼저 ①에서 / 黃金의꽃 / 은 대표적인 꽃의 比喩로서 포괄적인 내용을 지닌다. / 黃金 / 과 / 꽃 / 의 이미지는 鑛物的 想像力과 植物的 想像力의 隱喩的 結合이다. 黃金의 堅固性, 不滅性, 高貴性, 物質性과 對應되는 隱喩的 等價物(Metaphorical equivalence)[21]로서의 꽃은 柔軟性, 生命性, 精神性, 唯美性 등을 暗示한다. 또한 黃金은 物質的 價値와 現世的 權威를 表象하는 데 비해 꽃은 精神的 價値로서 天上的 秩序를 나타낸다. 그러므로 두 異質的인 이미지의 結合은 現象과 本質, 瞬間과 永遠, 變化와 持續, 精神과 物質의 和壅에 의한 美的 緊張關係를 誘發한다. 또한 黃金과 꽃의 和應은 堅固함과 부드러움의 兩面價値를 表象한다. 物質의 秩序에 있어서 단단함과 부드러움은 否定과 肯定으로 나다난다. 따라서 /黃金의못/은 肯定과 否定, 强과 弱, 그리고 誘引과 排除의 二元的 價値體系를 이루게 된다. 그러나 兩面的 價値의 갈등을 이루면서도 黃金과 꽃은 빛나는 色彩와 모습이 象徵하는 아름다움과 高貴性, 價値性의 意味領域을 共有함으로써 辨證法的 意味世界로 綜合 止揚된다. 특히 黃金과 꽃은 각기 鑛物系와 植物系를 象徵하는 中心 이미지로서 精髓(essence)를 뜻한다는 점에서 그 價値의 結合이 더욱 上昇的인 것이 된다. 黃金의 꽃이라는 표현 속에는 모든 것의 中央으로서의 꽃의 이미지[22]와 生命과 靈魂의 象徵이고 동시에 美의 精髓로서의 꽃의 의미가 생생하게 表象되어 있는 것이다. 한편 ②에서 / 꽃다은 님의일골 / 은 단순한 比喩的 表現방법으로 쓰이고 있다. 이 경우는 특히 裝飾的 隱喩(decorative Metaphor)[23]로서 깊은 意味나 象徵性보다는 아름다움을 뜻하는 唯美的 表現의 修辭的 價値를 지닌다. 이렇게 볼 때 꽃은 단순히 表現構造로서 裝飾的인 의미로서 쓰일 뿐 아니라 깊이 있는 意味體系와 象徵性을 내포하는 中心 이미지로서 사용됨을 알 수 있다.

꽃의 이미지가 表象하는 象徵性은 대략 다음과 같이 추출할 수 있다.

---

21) B.H. Smith, *Poetic Closure* (Chiago: The University Of Chiago Press). p.137.
22) J.E. CirIot. *Dictionary Of SymboIs* (New York: PhiIosophicaI Library. 1962). p.104.
23) H. Read. EngIish Prose StyIe (London: G. Bell & Sons LTD, 1932). p. 29..

① 달빗이 이슬에저진 꼿숩풀

<어늬것이참이냐>에서

꼿배는 님을실ㅅ고
꼿향긔의 무르녹은안개

<쓺음의三昧>에서

② 죽엄업는 永遠의 生命과 시들지안는 하늘의푸른꼿 <리별은美의創造>에서 天國의꼿

<고적한밤>에서

③ 물거품의꼿
生命의꼿으로비진

<리별>에서

④ 모든꼿의죽엄을 가지고다니는

<樂園은가시덤풀에서>에서

黃金의칼에베혀진 꼿과가티 향긔롭고

<論介의愛人이되야서그의廟에>에서

눈물을 써러진꼿에 쓰리지말고 꼿나무밋희씌끌에 쓰리서요

<타골의詩(GARDENISTO)를읽고>에서

⑤ 님기신꼿동산에

<滿足>에서

나의꼿밧헤로오서요

<오서요>에서

⑥ 沙漠의꼿이어

<?>에서

꼿이픠거든 꼿싸옴하자

<꼿싸옴>에서

⑦ 님의입설가튼 蓮꼿

<님의얼골>에서

그대는 朝鮮의무덤가온대 피엿든 조흔꼿의하나이다. 그래서 그향긔는 썩지 안는다

<論介의愛人이되야서그의廟에>에서

⑧ 국화핀 서리아츰에 떠러진닙새

<님의 손ㅅ길>에서

해당화가픠엿다고

<海棠花>에서

⑨ 당신은 나의꼿밧헤로오서요 나의꼿밧헤는 꼿들이픠여잇습니다
만일 당신을조처오는사람이 잇스면 당신은 꼿속으로드러가서 숨으십시오
나는 나븨가되야서 당신숨은꼿위에가서 안젓습니다

<오서요>에서

먼저 꽃은 現象的인 아름다움과 高貴함을 뜻하는 表現的 意味를 지닌다. ①에서 / 꼿숩풀 / 꼿배 / 꼿향긔 / 등은 現象的인 아름다움을 形象하는 比喩的 意味로 사용된다. ②는 꽃이 天上的 秩序와 價値를 表象한다. / 하늘의푸른꼿 / 天國의꼿 / 은 理念的 世界에 대한 憧憬과 精神世界에 대한 지향이 「꽃의 빛」의 이미지[24]로 形象化된 것이다. ③은 꽃이 생명을 상징한 예로서

꽃이 太陽과 물 그리고 봄과 의미관련을 갖고 있음을 暗示해 준다. ④는 ③과 對照的인 예로 꽃이 죽음과 虛無,[25] 그리고 이에 대한 憐憫과 슬픔을 表象하는 경우이다. 꽃이 생명을 지닌다는 사실과 그와 함께 죽음 즉 消滅을 예감한다는 것은 당연한 일이 아닐 수 없다. ⑤의 경우는 꽃이 사랑의 平和와 安息을 뜻하며, ⑥은 꽃이 희망과 기다림의 表象으로 쓰이고 있다. ⑦은 꽃이 님 혹은 사람을 表象하는 예로서 보기 드문 用例를 보이며,[26] ⑧은 국화가 가을을, 海棠花가 봄을 뜻하는 時間 혹은 季節感覺의 表象이다. ⑨는 매우 특이한 경우로서 꽃이 世界 內面空間[27]을 형성하는 超越的 想像力의 이미지로 사용된다.

總稱으로서의 꽃 이외에도 다음과 같이 구체적인 꽃의 이미지가 나타난다.

① 련꼿봉오리가튼 입설

<錯認>에서

련꼿가튼발꿈치

<알수ㅅ업서요>에서

② 薔薇빗입설

<사랑의 存在>에서

---

24) M. Bodkin. *Archetypal Patterns in Poetry*(London: Oxford University Press. 1965). p. 138 : Let's take. first. passages where the ascent to Heaven, and realization of heavenly joy, is presented in terms of increasing intensity of light.

25) CirIot. *op. cit.*, pp. 104~105. : They would strew flowers over the corpses as they bore them to the funeral pyre and over their graves(not so much as an offering as an analogy)

26) 일반적으로 꽃이 여자 혹은 님을 뜻하는 단순표상이었음에 비추어 萬海의 꽃이 지니는 多樣性은 상징의 깊이를 내포한다는 점에서 매우 의의있는 것으로 생각된다.

27) 세계 내면공간(Weltinnenraum)이란 꽃이 단순한 형상적 존재가 아니라 꽃의 內部에 內面空間의 宇宙가 펼쳐져 있음을 말한다.

픠랴는 薔薇花는 아니라도 갈지안한白玉인 純潔한나의닙설

<?>에서

③ 기름가튼 검은바다에 픠여오르는百合꼿가튼 詩

<「사랑」을사랑하야요>에서

④ 모란꼿에취한 나븨처럼

<七夕>에서

⑤ 두볼의 桃花

<거짓리별>에서

①에서 蓮꽃은 주로 님을 比喩하거나 美化하는 표현으로 사용된다. 의당 蓮꽃은 佛敎的 이미지로 萬海 詩에 빈번히 사용될 것 같으나 의외로 적은 頻度를 보이고 있다.[28] 또한 用法도 佛敎的 象徵性과는 비교적 무관하게 아름다움과 고귀함을 뜻하는 慣習的 補助觀念으로 사용된다. ②의 薔薇는 官能 또는 熱情的 아름다움을 뜻하는 普遍的 의미로, ③의 白合은 至高至純의 純潔美를, ④의 모란꽃은 豊艶美를 상징한다. ⑤의 경우는 「두볼」의 隱喩的 表現으로 두 볼의 신선한 官能美를 표출한다. 이처럼 각기의 꽃들은 각개의 빛깔과 의미로 다양하게 사용된다. 바슐라르에 의하면[29] 모든 꽃들은 불꽃, 빛이 되기를 바라고 있는 불꽃이며 일종의 超克이며 빛의 實體化라고 한다. 이렇게 볼 때 萬海의 詩에서 꽃의 이미지가 다양하게 사용되는 것은 萬海의 現實로부터의 上昇意志 내지는 超克意志가 은연중에 작용한 때문인 것으로 해석할 수 있다.

한편 나무는 꽃과 같이 중요하게 사용되지는 않으나 한두 가지 의미를 지닌다.

---

28) 蓮꽃의 이미지는 引用詩와 <님의얼골><七夕> 등 4편에서 쓰일 뿐이다. 이렇게 볼 萬海 詩가 이미지상에서 불교적인 연관성이 별로 없음을 알 수 있다.

29) Bachelard, 『초의 불꽃』: 閔熹植 譯(서울 : 三省出版社, 1977). pp. 147~150.

① ᄭᅩᆺ도업는 깁혼나무에 푸른이ᄭᅵ를거쳐서

<알ㅅ수업서요>에서

② 님이어 ᄭᅩᆺ업는沙漠에 한가지의 깃듸일나무도업는

<生命>에서

먼나무로도러가는 새들은 저녁연긔에

<苦待>에서

萬海 詩에서 總稱으로서의 나무는 대체로 오래된 歷史性의 表象, 혹은 平和와 休息의 보금자리를 뜻한다. 例 ①은 歷史 또는 時間性, ②는 安息處의 의미로 사용된다. 일반적으로 나무는 「꽃 피는 불꽃」[30]이라는 비유처럼 땅 속에 뿌리박고 養分을 흡수해서 꽃을 피우는 上向的 植物로서 垂直上昇의 意志를 表象한다. 그러나 萬海에게는 나무가 꽃의 이미지처럼 풍부한 상상의 힘과 넓이를 갖지 못하고[31] 安息處, 보금자리로서의 靜止 意味만을 지니고 있다.

① 푸른산빗을깨치고 단풍나무숩향하야난 적은길을

<님의沈默>에서

구름은가늘고 시내물은엿고 가을산은 비엇는데 파리한바위새이에

30) Bachelard, *op. cit.*, pp. 142~143 : 5장 植物的 生命에서의 불꽃의 詩的 影像.

31) 이 점은 『님의 침묵』의 執筆 성격에 대하여 좋은 示唆를 준다. 『님의 침묵』의 詩想 形成과 執筆이 雪獄山 百潭寺에서 이루어진 것임에도 불구하고 自然으로서의 植物的인 이미지가 중요한 비중을 차지하지 않는다. 오히려 植物은 극히 제한적인 종류와 의미로 나타나고 다만 꽃이 중요한 象徵性을 지닌다. 그러나 현상적인 꽃이 아닌 精神的 빛의 의미로 사용됨에 비추어 시집 『님의 침묵』이 生活詩로 틈틈이 씌어진 것이 아니라 象徵詩로 일관된 主題에 의해 일정기간에 씌어졌음을 證明해 주는 것이 된다.

실컷붉온 단풍은 곱기도합니다

<樂園은가시덤풀에서>에서

너는 丹楓에醉한것이 너냐

<金剛山>에서

② 님이어 사랑이어 옛梧桐의 숨은소리여

<讀頌>에서

③ 나는 黃金의소반에 아츰볏을바치고 梅花가지에 새봄을걸어서

<桂月香에게>에서

④ 뜰압헤 버들을심어
님의말을 매럇드니

<심은버들>에서

당신의詩는 봄비에 새로눈트는 金결가튼 버들이여요

<「사랑」을사랑하야요>에서

그의 붉은입설 흰니 간은눈ㅅ섭……실버들가튼허리……

<그를보내며>에서

⑤ 달빗의물ㅅ결은 흰구슬을 머리에이고 춤추는 어린풀의장단을 마
추어 우줄거림니다

<冥想>에서

①은 丹楓나무의 예를 보여 준다. 丹楓나무(丹楓)는 꽃과 유사한 이미지로 아름다움이나 황홀함과 함께 季節感覺[32]을 表象한다. ②에서 古典情緒

32) N. Frye, *Anatomy of Criticism* (Princeton: Princeton University Press, 1972), p. 160. : The Vegetable world supplies us course with the annual cycle of seasons.

의 表象으로서 梧桐나무는 역사의 숨결을 느끼게 해 준다. ③은 黃金의 밝은 이미지와 함께 새 봄의 表象으로 梅花를 사용하여 희망과 소생의 의미를 표출한다. ④의 경우는 버들이 봄의 典型的 家徵(typical symbol)으로 사용되고 있다. 漢詩나 時調 그리고 民謠에서 버들은 女性的인 表象으로 情이나 恨을 표출하는 古典情緖의 대표적 詩語인 것이다.[33] 여기서는 버들이 이러한 古典感覺으로 사용되는 것이 특징인바, 이러한 傳統的인 女性感覺 이외에도 버들은 시선함과 소박함의 表象으로 활용된다. ⑤의 예와 같이 풀의 이미지는 약한 것, 착한 것의 表象으로 사용되나 用例가 많지 않다. 이외에도 植物的 이미지로는 느릅나무·느티나무·뽕나무·계수나무 등이 극히 단편적으로 사용될 뿐이다.

(2) 鑛物的 이미지

植物的 이미지와 밀접한 관련을 갖는 것은 鑛物的 이미저리群[34]이다. 黃金으로 대표되는 鑛物的 이미지는 그 堅固함의 이미지로 해서 다분히 人爲的이고 攻擊的이며 抵抗的인 의미를 내포한다.[35] 따라서 表象하는 植物的 想像力의 田園的, 順壅的, 爻動的 世界와 對應이 되며 그런 점에서 植物的 想像力과 鑛物的 想像力은 자연스럽게 隱喩的 結合을 성취하게 되는 것이다.

> 黃金의칼에베혀진 꼿과가티 향긔롭고 애처로은 그대의當年을 回想한다
> <論介의愛人이되야서그의廟에>에서

---

33) 金岸曙 譯,『꽃다발』(서울 : 博文書館, 1942) 이 점은 萬海 詩가 전통적 정서의 內質과 接脈되어 있음을 드러내는 또 하나의 단서가 된다.

34) Bachelard.「大地와 意志의 夢想」op. cit., p. 195: "① 안정된 고체 : 돌· 뼈·나무, ② 준가소적 고체 : 열에 의한 可塑性을 갖는다 : 금속, 가소적 고체 : 건조에 의해 굳어진 것 :土器· 와니스· 아교, 탄력적 고체 : 가죽·실· 천·밀짚 등."

35) Bachelard,「大地와 意志의 夢想」*op, cit.*. p. 191 : "예리한 의지와 硬性의 物質·道具의 공격적 성격."

黃金의꼿가티 굿고빗나든 옛盟誓

<님의沈默>에서

첫번째 引用詩에서 現世的 價値의 상징인 黃金은 같은 鑛物的 이미지인 칼과 結合되어[36] 예리한 意志의 表象이자 最上의 단단한 道具가 되어 꽂을 수 있는 攻擊的인 武力과 最上의 權威를 상칭하게 된다.[37] 黃金의 꽂은 앞 項目에서 살펴본 것인바 鑛物的 이미지와 植物的 이미지가 효과적으로 결합하는 예를 보여 준다. 鑛物的인 堅固함과 植物的인 부드러움의 辨證法的인 갈등과 화해가 等價的 竝置 혹은 對應關係 형성하는 것이다. 黃金은 꽂의 이미지와 더불어 萬海 想像力의 核心을 이루는 중요한 象徵性을 지닌다.

「사랑」의글ㅅ자를 黃金으로색여서 그대의祠堂에 紀念碑를

<論介의愛人이되야서그의廟에>에서

님이어 당신은 百番이나鍛鍊한金결입니다

<讚頌>에서

黃金의 나라를 꿈꾸는 한줄기希望

<生命>에서

먼저 黃金의 이미지는 무엇보다도 永遠性과 不滅性의 상징으로 사용된다. / 사랑=黃金 / 님=金결 / 黃金의나라 / 등의 類推는 黃金의 永續性을 表象한 것이다.

---

36) Cirlot, *op. cit.*, p. 114 : The magic sword Of gold symbolizes supreme spiritual determination.

37) Bachelard, *op. cit.*, p. 209: "「딱딱한」이란 말은 거의 언제나 인간의 힘을 발휘하는 기회이고, 분노의 표현이요. 혹은 자존심, 때로는 경멸의 기회인 것이다.

적은별에걸첫든 님생각의金실은

<고적한밤>에서

黃金의소반에 아츰볏을바치고

<桂月香에게>에서

그의 무법을 黃金의노래로 그물치지마서요

<타골의詩(GARDENISTO)를읽고>에서

黃金이 永續的 價値를 의미하는 것은 黃金이 지난 아름다운 빛과 堅固性, 不變性 그리고 稀貴性 때문이다. 그러므로 黃金은 아름다운 精神의 빛과 太陽의 光輝. 그리고 神的인 智慧의 表象으로 사용된다.38) 여기서도 黃金이 耽美的 價値로서의 高貴함과 榮譽로움을 의미하는 것으로 쓰이고 있다.

님이어 당신은 義가무거읍고 黃金이가벼은것을 잘아십니다

<讚頌>에서

리별의 눈물은 물거품의꼿이오 鍍金한金방울이다

<리별>에서

그러나 때로 黃金은 現世的 價値를 表象하거나, 혹은 덧없음을 의미한다. / 黃金이가벼은 것 / 과 / 鍍金한金방울 / 은 物質的 價値로서의 金의 의미를 부정적으로 표현한 것이다. 특히 / 물거품의꼿 /과 /鍍金한 金방울 / 의 對比는 現世的 生命 또는 價値로서의 꽃과 黃金의 無常性을 對比的으로 표현한 것이다.

38) Cirlot, *op. cit.*, p. 114: In Hindu doctrine. Gold is the mineral light. The Latin word for gold—aurum—is the same as the Hebrew for light. Gold is the image of solar light hence of the devine intelligence.

나의가슴은 당신이만질때에는 물가티보드러웁지마는 당신의危險을위하야는 黃金의칼도되고 鋼鐵의방패도됩니다

<오서요>에서

아아 왼갓 倫理, 道德, 法律은 칼과黃金을祭祀지내는 烟氣인줄을 아럿슴니다

<당신을 보앗슴니다>에서

黃金이 칼과 관련되는 경우는 대부분 鑛物的 攻擊性으로 인해 武力 혹은 現世的 權威를 뜻한다. 칼은 예 리한 날의 直線性과 堅固性으로 인해 遮斷과 毁損 그리고 威脅과 恐怖 때로는 죽음을 表象하기 때문이다.[39] 더구나 現世的 權威의 象徵인 黃金과 結合된 칼의 이미지는 絶對의 힘을 지닐 수밖에 없는 것이다. 이처럼 黃金의 이미지는 그 빛의 아름다움과 堅固姓 및 稀貴性으로 인해 永續的 價値와 耽美的 價値, 物質的 價値 그리고 武力과 權威의 象徵으로 사용되는 特性을 지닌다. 특히 黃金은 꽃의 이미지와 결합되어 異質的 屬性으로 인한 價値의 對立과 함께 共通的인 屬性으로 인한 價値의 融和를 통해 詩的 意味의 上昇效果를 誘發한다. 또한 黃金은 같은 曠物的 이미지인 칼과 결합하는 등 想像力의 觸發手段으로 광범위하게 활용되고 있다.

기타 鑛物的인 이미지로는 總稱으로서의 寶石·반지와 함께 玉(구슬)·水晶·眞珠 등의 寶石類와 칼·강철·거울 등의 鑽物類가 있다.

① 곱기도 밝기도 굿기도 보석가는 마음이 업는것이아닙니다
만일 아름다은마음만을 사랑한다면 웨 나의 반지를 보석으로아니하고 옥으로 만드러요

<「사랑」을 사랑하야요>에서

---

39) Bachelard, *op. cit.*, p. 192: "칼의 夢想 : 깊이 자르는 행동에서 생기는 남성적 만족감』"
Cirlot. *op. cit.*, p. 307: The gold sword is a symbol for supreme Spiritualization.

리별의 紀念반지

<리별>에서

② 갈지 안한白玉인 純潔한나의닙설

<?>에서

蓮쏫가튼발쑴치로 갓이업는바다를밟고 옥가튼손으로 <알ㅅ수업서요>에서 구슬가른못방울

<樂園은가시덤풀에서>에서

③ 눈물은 水晶이되야서 깨끗한슯음의聖境을 비침니다
나는 눈물의水晶이아니면 이세상에 寶物이라고는 하나도업슴니다

<生의藝術>에서

④ 나는 보석으로 사다리노코 진주로 배모아요

<길이막혀>에서

眞珠눈물

<눈물>에서

①은 總稱으로서의 寶石의 이미지인데, 寶石은 아름답고 빛나고 堅固한 黃金과 유사한 이미지로 나타난다. 그리고 寶石은 반지와 通用되는 貴物로서의 의미를 지닌다. ②에서는 純粹와 純潔, 그리고 어여쁨과 圓滿의 의미로 玉이 사용된다. 또한 이 玉은 蓮꽃과 呼應(concord)되어 사용되는 경우가 많은 것이 특징이다. ③의 水晶은 透明함과 빛남으로 인해 精神의 투명함 그리고 知的 純粹와 聖潔을 의미하며 아울러 冥想的인 美를 表象한다. 여기서도 눈물의 知的 透明化와 結晶化(crystalization)[40]가 성취된 예로서 / 눈물의水晶 /

40) Cirlot, *op. cit.*, p. 71: Like precious stones. it is a symbol of the spirit of the intellect associated with the spirit.

이 쓰이고 있다. ④의 眞珠 역시 아름다움과 高貴, 그리고 물과 불의 結合으로서 靈魂의 昇華된 신비스러움을 表象한다.

한편 鑛物類로는 칼·거울·鋼鐵이 나타난다.

① 죽엄은 칼을주는것이오 리별은 꼿을 주는 것이다

<리별>에서

피에 목마른 그들의칼에쓔리고

<참말인가요>에서

나는 사랑의칼가지고 긴밤을베혀서

<여름밤기러요>에서

② 속임 업는거울은
마음의 거울이 되야서

<버리지아니하면>에서

③ 鋼鐵을녹이는불보다도

<님의손ㅅ길>에서

鋼鐵의방패도됩니다

<오서요>에서

이러한 鑛物類의 이미지는 道具的 性格을 지니는 것이 특징이다. ①은 武力과 관련을 갖고 죽음과 絶斷 등의 支配的 手段으로 쓰인다.[41] ②의 거울은 自我省察 혹은 眞實을 비추는 수단으로 사용되며, ③ 鋼鐵은 굳고 단단함의 表象이다. 이런 鑛物的인 想像力의 이미지로는 金剛石·紅寶石·珊瑚·摩尼珠 등의 寶石類와 돌·바위 등 岩石類가 더 있으나 드물게 사용된다.[42]

---

41) Bachelard, *op. cit.*, p. 194~195: "무서운 수단이 되는 기쁨이나 또는 가장 무서운 수단을 조작하는 기쁨. 더 무서운 담보를 향하는 기쁨이 물질에 대해서 자기의 의도를 현실화하는 기쁨이다. 생기, 다이아몬드, 단검, 이(齒)가 가장 강한 저항을 만났을때 볼 수 있는 그 맹목적인 지배성이 바로 그것이다.

42) 『님의 沈默』에 불교의 七寶(칠보: 금, 은, 유리. 玻璃. 硨磲, 珍珠, 瑪瑙) 중에서 金

(3) 人間的 이미지

人間的 이미지는 그 槪念과 範疇를 設定하는 데 다소 難點이 따른다. 그러나 이 項目에서 사용하는 人間的 이미지의 범주는 萬海 詩에서 反復的으로 나타나는 눈물과 피. 술, 잠과 꿈 등 生命感覺을 表象하는 이미지群을 指稱하기로 한다.

먼저 눈물은 萬海 詩가 離別을 모티브로 한 사방의 詩學이라는 점에서 사랑·꽃 다음으로 많은 詩語 頻度數를 차지하며 또한 깊은 象徵性을 지닌다. 실상 눈물은 한숨·근심·슬픔·울음·恨 등 類似한 槪念의 詩語와 합쳐 보면 萬海 詩에 가장 많이 나타나는 詩語로서 중요성을 지닌다. 따라서 눈물은 핵심적인 두 가기의 象徵的 意味領域을 지니는 것이 특징이다. 첫째는 어둠과 슬픔으로서의 悲劇的 世界觀을 표출하는 경우이며, 다른 하나는 슬픔의 否定的 世界를 넘어 希望과 創造의 原動力으로서 肯定的 世界觀을 表象하는 것이 바로 그것이다.

> 그말을듯고 도러나올때 쏘더지는눈물속에서 당신을보앗슴니다
>
> <당신을보맛슴니다>에서

> 그럼으로 당신이가신뒤에 때근심보다 뉘우치는눈물이 만슴니다
>
> <後悔>에서

> 그때에는 우름을삼켜서 눈물을 속으로 창자를향하야 흘님니다
>
> <우는때>에서

> 아아 님생각의金실과 幻想의女王이 두손을마조잡고 눈물속에서 情死한줄이야 누가아러요

과 眞珠만이 사용되고 있는 것은『님의 침묵』이 이미지면에서는 불교적 想像力과 밀착돼 있지 않음을 말해 준다.

宇宙는 죽엄인가요
人生은 눈물인가요

<고적한밤>에서

例詩에서 보듯이 눈물은 離別의 모티브에 직접 관련되어 나타나며 절망·한단· 후회·어둠 등의 否定的이며 受動的인 情緖로 표출되어 있다. 또한 눈물은 죽음의 이미지와도 결합되어 눈물의 원형적 의미인 悲劇性을 드러낸다. 그러나 눈물이 表象하는 이러한 悲劇的 情緖는 슬픔의 表出 그 자체에 목적이 있는 것이 아니라 눈물의 카타르시스(catharsis)를 통해 現實의 絶望的 狀況을 극복하려는 潛在的 欲求와 몸부림에 연결되어 있다는 점에서 중요성을 지닌다. 특히 눈물이 죽음의 이미지와 연결된 것은 중요한 의미를 지닌다. 보드킨이 지적한 것처럼 죽음의 이미지 (death craving)는 단순히 人生의 終末로서 인식되는 것이 아니라 어머니의 子宮처럼 새로운 誕生의 의미를 지닐 수도 있기 때문이다.[43] 따라서 이같은 悲劇的 情緖는 能動的인 創造의 原動力으로 變貌할 수 있게 된다.

① 그러나 리별을 쓸데업는 눈물의 源泉을만들고 마는 것은 스스로 사랑을깨치는것인줄 아는까닭에 것잡을수업는 슯음의힘을 옴겨서 새希望의 정수박이에 드러부엇슴니다

<님의沈默>에서

② 님이어 리별이아니면 나는 눈물에서죽엇다가 우슴에서 다시사러날수가 업슴니다 오오 리별이어

<리별은美의創造>에서

③ 나의 눈물은 百千줄기라도 방울방울이 創造임니다

43) M Bodkin. *op. cit.*, p 66.

아아 언제나 空間과時間을 눈물로재워서 사랑의世界를 完成할ㅅ
가요

<눈물>에서

④ 하염업시호르는 눈물은 水晶이되야서 깨끗한슯음의聖境을비
침니다

저리고쓰린 슯음은 힘이되고 熱이되야서 어린羊과가튼 적은목숨
을 사러움지기게함니다

님이주시는 한숨과눈물은 아름다은 생의藝術임니다

<生의藝術>에서

例詩 ①은 / 리별=눈물의 源泉 / 슯음의 힘=새希望의 정수박이 / 라는 對應構造로 되어 있다. 여기서 눈물은 悲劇的 情緖로서가 아니라 새希望의 源泉으로서의 의미를 지닌다. ②에서는 / 리별=눈물=죽음 / 이 / 우승=蘇生 / 의 의미로 轉移된다. ③에서 눈물은 創造의 源泉으로서 사랑을 완성하는 根本 原動力이 된다. ④는 눈물의 變容過程(deformation)을 가장 잘 보여 준다. 눈물이 水晶이 되어서 슬픔의 聖境을 비춰 준다는 의미는 아리스토텔레스의 悲劇的 淨化를 反映한 것이다.[44] 따라서 「슯음=힘=熱」이 되어 목숨을 살아 움직이게 한다는 詩的 想像力의 展開가 가능해진다. 그러므로 슬픔과 눈물은 아름다운 水晶으로 변하여 知的 透明化와 結晶化를 成就함으로써 마침내 生의 藝術로 高揚된다.

슬픔과 비탄이 아닌 淨化와 克服으로서의 눈물의 의미가 참되게 살아나는 것이다.

눈물은 이외에도 몇 가지 象徵性을 지닌다.

---

44) H. Fyfe, *Aristotle's Art of Poetry* (London: Oxford Univ. Press, 1967). p. 16

① 님의주신눈물은 眞珠눈물이여요

<눈물>에서

② 눈물을쑤리는 慈悲의菩薩

<讚頌>에서

③ 님의情熱의눈물과 나의感激의눈물이 마조다서

<사랑의불>에서

④ 아아 리별의눈물은 眞이오 善이오 美다
아아 리별의눈물은 釋迦요 모세요 짠다크다

<리별>에서

이상의 例에서 ①은 眞實과 아름다움을 ②는 同情과 憐憫 그리고 慈悲로서의 눈물을, ⓗ은 1彎熱과 感激의 激情的 意味를 찾아낼 수 있다.

④에서 이러한 눈물의 의미는 眞·善· 美와 석가, 모세 그리고 잔다크라는 理想的인 것의 總和로서 完結된다. 이처럼 눈물이 萬海 詩에서 중요한 비중을 차지하는 것은 그의 시가 전반적으로 맑고 명랑한 분위기 보다는 儒敎的 典禮主義 혹은 佛家的 嚴肅主義의 世界觀에 깊이 浸潤돼있기 때문인 것으로 해석된다.[45]

한편 피의 이미지는 많이 나타나지는 않으나 눈물의 이미지와 관련되면서 강렬한 主題意識을 표출한다.

① 만치안한 나의피를 더운눈물에 석거서 피에목마른 그들의칼에 쑤리고 「이것이 님의님이라」고 우름석거서 말하것습니다

<참말인가요>에서

45) 눈물의 象이 萬海 言홍 상상력의 耘心的 意味를 지니는 것은 『님의 沈默』이 눈물의 辮篮法으로 이루어지는 「이별의 詩學」이라는 점을 확인해 주는 또 하나의 자료가 된다.

피는 식어가도 눈물은 더워갑니다

<거짓리별>에서

② 그의무덤을 黃金의노래로 그물치지마서요 무덤위에 피무든旗대를 세우서요

<타골의詩(GARDENISTO)를읽고>에서

③ 두견새는 실컷운다
울다가 못다울면
피를흘녀 운다

<두견새>에서

피는 生體를 움직이는 生命力의 根源으로서 붉은 色感으로 인해 熱情이나 獻身, 그리고 犧牲을 表象하기도 한다.[46] ①에서의 피는 목숨과 眞實, 그리고 熱情을 뜻한다. ②의 피는 거짓된 裝飾이나 讚揚이 아닌 진정한 鬪爭과 저항을 의미하며, ③에서는 두견새와 연결되어 傳統的인 恨의 絶叫를 표출한다. 이러한 피의 象徵性은 융의 말대로[47] 피가 靈魂의 오랜 보금자리로 인식되는 데서 오는 文學的 類推인 것으로 풀이가 된다. 눈물과 呼應되는 이미지로서의 피는 눈물의 의미에서 한걸음 더 나아가 眞實과 生命의 極點을 表象한 것으로 보여진다.[48]

피의 이미지와 함께 술(酒)의 이미지도 가끔 나타난다.

---

46) J.E. Cirlot, *op. cit.*, p. 28; The passionate quality characteristic of red pervades the symbolism of blood, and the vital character of blood informs the significance of the colour red. ln spilt blood we have a perfect symbol of sacrifice

47) C.G. Jung, *The Spirit in Man. Art, and Literature* (Princeton: Princeton Univ. Press, 1972). p. 18: Since blood is the ancient seat of the soul, we may conjecture that Melusina is a kind of anima vegetativo.

48) 『님의 침묵』에 투쟁과 저항으로서의 적극적인 피의 이미지가 많이 나타나지 않는 것은 『님의 침묵』이 직접적인 발언의 抵抗詩로서보다는 象徵詩로서의 성격을 지니기 때문인 것으로 판단된다(III. 『님의 沈默』論 참조).

① 사랑은 붉은초ㅅ불이나 푸른술에만 잇는것이아니라 먼마음을 서로비치는 無型에도 잇는까닭이다

<리별>에서

② 님이어 그술을 련닙잔에 가득히부어서 님에게 드리겻습니다
님이어 떨니는손을것처서 타오르는입설을 축이기서요
님이어 그술은 한밤을지나면 눈물이됩니다
아아 한밤을지나면 포도주가 눈물이되지마는 또한밤을지나면 나의 눈물이 다른포도주가됩니다

<葡萄酒>에서

③ 永遠의사랑을 바들ㅅ가 人間歷史의첫페지에 잉크칠을할ㅅ가 술을마신ㅅ가 망서릴때에 당신을보앗습니다

<당신을보맛습니다>

술의 이미지는 ①에서 快樂과 神祕의 表象으로 나다난다. 또한 ②에서 술은 生命感覺의 觸媒로서 눈물과 포도주와 意味聯關을 지니면서 獻身과 犧牲과 奉仕의 의미를 포괄한다. ③에서는 술이 陶醉와 耽溺으로서의 부정적 의미로 사용된다.

기타 人間的 想像力 範疇로서 잠과 죽음의 이미지가 있다.

① 宇宙는 죽엄인가요
人生은 잠인가요

<고적한밤>에서

桂月香이어 그대는 아릿다웁고 무서은 最後의微笑를 거두지아니한채로 大地의 寢臺에 잠드럿슴니다

<桂月香에게>에서

② 아아 발자최소리나 아니더면 꿈이나 아니깨엇스련마는
꿈은 님을차저가랴고 구름을탓섯서요

<꿈깨고서>에서

사랑의束縛이 꿈이라면
出世의解脫도 꿈입니다
우슴과눈물이 꿈이라면
無心의光明도 꿈입니다
一切萬法이 꿈이라면
사랑의꿈에서 不滅을엇것슴니다

<꿈이라면>

나의노래는 님의귀에드러가서는 天國의音樂이되고 님의꿈에드러가서는 눈물 이됨니다

<나의노래>에서

①에서 잠은 無意味한 것 또는 죽음으로 나타난다. ②에서 꿈은 靈魂을 감싸주는 즐거운 것으로서[49] 그리움이나 갈망을 뜻하기도 하지만 헛된 것, 無常한 것으로서의 空의 의미를 지니기도 한다. 또한 / 님의꿈 / 처럼 도달할 수 없는 것, 理想의 것을 의미하기도 한다. 그러므로 萬海의 詩에서 꿈은 無意識의 發現이나 集團無意識과 같은 프로이드(S. Freud)류의 心理學的 意味와는 비교적 무관한 것임을 알 수 있다.[50]

---

49) Bachelard. *The Poetics of Reverie* (Boston: Beacon Press. 1971). p. 29. : Dreams and reveries…… are a11 indications of a need to make everything feminine which is enveloping and soft above…

50) Jung, *op. cit.*, p. 44.: ……by treating dreams as a highly tmportant source of information about the unconscious process—"the dream is the via regia to the unconscious"—Freud rescued something of the utmost value from the past. where it had seemed irretrievably sunk in oblivion.

(4) 天體的 이미지

天體的 이미지는 별과 달, 하늘과 해 그리고 구름과 무지개 등 天上的 이미지群으로 이루어지는 想像力의 範疇를 의미한다. 萬海 詩는 이중에서 별과 달이 中心 이미지가 되어 있다. 별과 달은 대체로 님의 表象으로서 天上的 秩序 혹은 精神的 價fl直의 表象으로 나타난다.

> 당신의얼골은 봄하늘의 고요한별이여요
>
> <「사랑」을 사망하야요>에서

> 아아 惑星가티빗나는 님의微笑 黑闇의光線에서 채 사러지지아니하얏슴니다
>
> 天國의音樂은 님의노래의反響 아름다은별들은 님의눈빗의化現임니다
>
> <나의얼골>에서

먼저 별은 天上的 秩序의 象徵으로서 아름다움을 의미하는 精神의 빛으로 具象化되어 있다.[51] 별은 도달하고자 하는 理想的 價値에 대한 志向, 즉 님에 대한 運命的 사랑과 戀慕의 마음을 치지한다. 빛나는 것, 귀한 것, 신비한 것, 그리고 아득한 것으로서의 별은 영원히 정신적으로 존재하는 님의 化現(incarnation)으로서 天上的 美의 表象이며 동시에 이데아인 것이다.

> 나의숨은 적은별이되야서 당신의머리위에 지키고잇것슴니다
>
> <나의숨>에서

또한 별은 어둠을 前提로 해서만 빛을 발하는 것이기 때문에 <알ㅅ수업서요>에서 / 등ㅅ불 /처럼 把守兵 혹은 守護者의 이미지로도 사용된다.

---

51) J.E. Cirlot. *op. cit.*, p.295.: Star is a symbol of spirit and order and destiny.

달의 이미지도 님의 表象 혹은 精神的 價値의 의미다.

① 沙漠의꽃이어 금음밤의滿月이어 님의얼골이어

<?>에서

② 달은 차차차 당신의얼골이 되더니 넓은이마 둥근코 아름다은수염이 녁녁히보임니다

당신의얼골이 달이기에 나의 얼골도 달이되얏슴니다

<달을보며>에서

③ 달아레에서 거문고를타기는 근심을이즐ㅅ가함이러니 춤곡조가 씃나기전에 눈물이압흘가려서 밤은 바다가되고 거문고줄은 무지개가됨니다

<거문고탈째>에서

④당신의얼골은 달도아니언만

산넘고 물넘어 나의마음을 비침니다

<길이막혀>에서

달은 古典詩歌에서 가장 愛用되던 題材로서 님의 表色인 동시에 그리움을 나타내는 典型的 象徵語이다. <井邑詞>와 <讚耆婆郞歌>, 鄭松江·黃眞伊의 時調 그리고 朴木月의 詩에 이르기까지 달은 浪漫的 情感이 서린 韓國詩의 代表的 心像인 것이다.[52] 詩集『님의 沈默』에서도 달은 님을 表象하며, 님과 나를 맺어 주는 情緖的 媒介物이 된다.

詩 ①은 달이 / 님의얼골 / 의 表象으로 나타나는데 특히 / 금음밤의 달 / 처럼 希望과 救援의 의미를 내포한다. ②에서도 달은 님의 表象이지만, 달이 님과 나의 거리를 短縮시켜 주고 超越시켜 주는 想像力의 動機[53]가 된다는 점

52) 金大幸,『韓國詩의 傳統硏究』(開文社. 1980). p.200.

53) J.E. Cirlot, *op. cit.*, p. 207.

에 특징이 있다. 따라서 ③과 같이 달은 想像力을 觸發하는 媒介로서 詩的 雰圍氣를 형성하고 事件을 전개하는 실마리가된다. ④에서는 달이 님이 아니라는 現實的 論理에서 發想이 이루어지지만, 님과 달이 마음을 비춰주는 光明과 救援의 表象으로 사용되는 데는 차이가 없다. 이것은 달이 지닌 「빛」이 物質的인 것으로 인식되지 않고 精靈的인 觸媒로서 精神的 價值를 表象하기[54] 때문인 것으로 해석된다. 또한 달은 時間背景이나 季節感을 나타내는 데 두루 사용되기도 한다.

한편 별과 달에 비해 해의 이미지는 별로 나타나지 않는다.

> 죽엄이 밝은별이라면 리별은 거룩한太陽이다
>
> <리별>에서

> 해는 지는빛이 곱습니다
>
> <써날째의님의얼골>에서

해는 用例도 많지 않을뿐더러 특별한 象徵性을 지니지 않는다. 男性的 힘이나 英雄의 威嚴[55] 혹은 理性이나 現實志向을 뜻하지 않고 단순한 光輝를 나타낼 뿐이다. 이것은 앞에서 살펴본 것처럼 漢詩에서 달이 가장 중요한 心像으로 사용된 것을 생가해 보면 쉽게 이해될 수 있다.

이처럼 시집 『님의 沈默』에서 해보다 달과 별이 비중을 지니는 것은 萬海의 詩的 想像力이 太陽的 想像力(solar imagination)보다는 달의 想像力(lunar

---

:……lunar way (of intuition, imagination and magic) as distinct from solar way(of reason, reflection, objectivity)

54) *Ibid.*, p. 206.: The moon is associated with the imagination and the fancy as the intermediary realm between the self-denial of the spiritual life and blazing sun of intuition.

55) Jolande Jacobi, *Complex Archetype Symbol* (Princeton Univ. Press. 1974). p184. : The symbolic identity between sun, hero, and man.

imagination)에 뿌리박고 있기 때문인 것으로 판단된다. 이런 점에서 女性語法과 雰圍氣도 이해될 수 있다. 또한 달과 별은 어둠 속에서, 밤에만 빛을 발한다. 그러므로 달과 별, 그리고 밤은 同類項에 속한다. 낮(太陽)과 달리 밤(달과 별)은 下降과 관련을 갖는다.[56] 밤은 外部의 視線으로부터 보호받을 수 있기 때문에 平和와 安息을 느낄 수 있는 空間이다. 萬海 詩의 主調가 달과 별의 이미지로 가득차 있다는 것은 萬海 詩精神이 現實意識이나 批判精神에 직접적으로는 근거하지 않음을 말해 준다. 오히려 달과 별과 밤이 주는 休息과 瞑想, 그리고 사랑과 平和의 渴望의 서정적 시정신에 근원을 두고 있음을 발해 준다. 따라서 詩集 전체의 분위기가 理性的, 意志的인 것보다는 感性的, 人間的인 色彩를 강하게 지니게 되는 것이다.[57]

① 지리한장마끗헤 서풍에몰녀가는 무서은검은구름의 터진틈으로 언뜻언뜻 보이는 푸른하늘은 누구의얼골임닛가

<알ㅅ수업서요>에서

② 그대는 옛무덤을깨치고 하늘까지사못치는 白骨의香氣임니다.

<타골의詩(GARDENISTO)를읽고>에서

리별의美는 아츰의 바탕(質)업는 黃金과 밤의 올(糸)업는 김은비단과 죽엄업는 永遠의生命과 시들지안는 하늘의푸른꼿에도 업습니다.

<리별은美의創造>에서

③ 가을하늘이 놉다기로
情하늘을 짜를소냐

56) J.E. Cirlot, Loc. *op cit.*

57) G. Durand, *Les Structures Anthropologtques de l'imaginative* (Paris: P.U.F.. 1963) p 232. :La nuit est relieé â la descente par l'échelle secréte. au déguisement. l'unilon amoureuse

情하늘은 놉흘수록 아름답고

<情天恨海>에서

④ 그술고이는향긔는 가을하늘을 물드립니다

<葡萄酒>에서

①에서는 푸른 하늘이 희망과 꿈의 理想世界를 뜻하며, ②에서는 天上的 秩序와 無限性, 그리고 아름다움을 表象한다. 또한 ③에서는 하늘이 높이를 의미하는 比喩的 表現으로, ④에서는 깨끗하고 맑은 季節感覺을 드러내는 補助觀念으로 사용되었다. 특히 ①은 구름의 이미지가 하늘과 대조되어 선명히 나타나는바, 구름은 대체로 障碍物 또는 現實의 어둠과 같은 부정적 表象으로 사용되는 경우가 많다. 이외에 天體的 이미지로는 번개. 무지개 등이 나타나나 중요하게 쓰이지 않는다.

(5) 大地的 이미지

天體的 이미지가 天上的 秩序에 바탕을 둔 것이라면 大地的 이미지는 물과 불의 原型的 象徵을 비롯하여 비와 바람, 산과 바다, 大地와 沙漠, 그리고 曠野 등 地上의 이미져리群을 광범위하게 指稱하는 표念이다. 물의 이미지 領域은 실상 總稱으로서의 물을 비롯하여 눈물·피·술·비·눈·이슬·안개·시내·강·바다 그리고 분수와 얼음까지도 포함할 수 있다. 그러나 눈물·피·술은 이미 (3)項에서 人間的 想像力의 範疇에서 다루었다. 따라서 여기서는 물과 불을 먼저 살펴보고, 나머지는 관게있는 이미지들과 묶어서 고찰해 보기로 한다. 먼저 大地의 血液으로서의 물[58]은 母性的 象徵으로서 上昇力, 生成力, 結合

58) Bachelard. *L'eau et les Réves*(José Corti, 1973), p. 87. : Si l'eau est……. elle doit commender la Terre. Elle est le sang de la Terre, EIIe est la vie de la Terre.

力과 下降力, 解體力, 分離力이라는 兩面性을 지닌다.59) 즉 生命·誕生·사랑·만남 등의 肯定的 이미지와 죽음· 消滅·離別 등의 否定的 이미지가 對立概念으로 작용하고 있는 것이다. 그러나 『님의 沈默』에서는 大地와 함께 주로 女性的 이미지60)로서의 肯定的인 特性이 두드러진다.

① 봄湖水에서 님의눈ㅅ결가튼 잔물ㅅ결을 보앗슴닛가
<님의일골>에서

당신은 대야안의 간은물ㅅ결이 되야서
<어데라도>에서

② 긴밤은 근심바다의 첫물ㅅ결에서 나와서 슯은音樂이되고
<여름밤이기러요>에서

꼿나무를심으고 물주고붓도드든일도 아니합니다
<快樂>에서

③ 나의가슴은 당신이만질째에는 물가티보드러웁지마는
<오서요>에서

푸른물ㅅ결의 그윽한품에 論介의靑春을 참재우는 南江의흐르는물아
<사랑의불>에서

④ 밤은고요하고 방은 물로시친듯합니다
<밤은고요하고>에서

---

59) J.E. Cirlot. *op. cit.* p. 347.: Upper & lower waters communicate reciprocallv through the process of rain(involution) & evaporation(evolution).

60) Durand. *op. cit.*, p. 248: ……toutes les images de la terre de l'eau contribuent à faqonner une ambiance de volupté et de bonheur qui constitute une réhabilitation de la féminité.

⑤ 당신의얼골은 달도아니언만
산넘고 물넘어 나의 마음을 비침니다

<길이막혀>에서

그길에는 고개도만코 물도만슴니다 갈수가업슴니다

<참업는쑴>에서

例詩 ①에서 물은 님(당신)의 이미지로 隱喩的 變移를 이룬다.[61] 이러한 變移에는 물이 사방 또는 그리움이라는 觀念을 내포하게 된다. 그러나 물은 차가운 屬性으로 해서 건으로 드러나지 않는 內密의 理智的 사랑의 모습을 띠는 것이 특징이다. 물은 ②에서 誕生 또는 生命力[62]으로서의 根源的 이미지를 지니며 ㊅에서는 부드러움 또는 包容을 뜻하는 母性的 이미지로 나타난다.[63] 또한 ㉦에서 물은 淨化와 洗滌의 手段的 意味로 사용된다. 그러나 앞에서와는 달리 ⑤에서는 물이 距離感 또는 障碍物로서의 象徵的 意味를 지닌다.

한편 불의 이미지는 물과 相對的인 것으로 나타난다. 물의 은근한 內密性과 理智的 表情性과는 달리 불은 力動的이며 熱的이고 能動的인 垂直上昇의 이미지를 지닌다.[64] 불의 原初的 魔力은 熱과 빛의 合成이 發하는 變化의 魔法에 대한 놀라움에 基因한다. 아울러 上昇力으로서의 垂直化의 意志와 꿈에 대한 성스러운 畏敬心, 그리고 充滿하게 타오르는 時間의 불꽃이 주는 아름

---

61) 萬海 詩가 女性主義的 語法과 분위기를 지니기 때문에 가장 女性的 이미지인 물이 다양하게 쓰이는 것이다.

62) J.E. Cirlot, *op. cit.*, p.346: Birth is expressed through water imagery.

63) Bachelard, o*p. cit.*, p.156.
J.E. Cirlot. *op. cit.*, p. 345.: ln the Vedas, water is reffered to as mâtritamâh (the most maternal).

64) 불은 물과 똑같이 生成力(變化力)과 解體力(消滅力)을 동시에 지니고 있으나 있어서는 對極에 놓인다.
J.E. Cirlot, *op. cit.*, p. 100.:……as a mediator between forms which vanish and forms in creation, fire is, like water. a symbol of transformation and regeneration.

다운 衝動에 있다.

미친물에 타오르는 불쌍한靈은 絶望의北極에서 新世界를 探險합니다

<?>에서

님의 사랑은 鋼鐵을녹이는불보다도 기운데
나의적은가슴에 타오르는불쏫은
님의사랑은 불보다도 쓰거워서 근심山을 태우고 恨바다를 말니는데

<님의손ㅅ길>에서

가슴에서타오르는 불쏫을 어름처럼마시는 사랑의 狂人이어

<슯음의三昧>에서

이상의 句節에서 불은 / 타오르는 불쏫 / 으로서 上昇과 燃燒의 강렬한 이미지를 지닌다. 계속 다기 위하여 자기자신을 뛰어넘는 原初的 影像 속에는 直立하는 生命의 動的 要素가 內在해 있다. 불꽃으로 타오르는 불의 생명 속에는 生成의 嚴肅함과 따스함이 빛으로 살아 넘실거리는 것이다. 이 점에서 불(불꽃)은 生成과 變化로서의 生命力, 그리고 熱情과 사랑을 表象하게 된다.65) 이러한 불의 이미지는 등불·등잔불·촛불 등으로 변이된다.

① 타고남은재가 다시기름이됨니다 그칠줄을모르고타는 나의가슴은 누구의 밤을지키는 약한등ㅅ불임닛가

<알ㅅ수업서요>에서

② 당신이 나를버리지아니하면 나는 一生의등잔불이되야서 당신의百年을 지키것습니다

<버리지아니하면>에서

---

65) Bachelard.『초의 불꽃』, p.153.

③ 죽은밤을지키는 외로은동잔ㅅ불의 구슬ㅅ곳이 제무게를 이기
기못하야 고요 히쩌러짐니다

<?>에서

①에서 등불의 이미지는 깊은 象徵性을 지닌다. 電燈과 달리 기름으로 빛을 내는 등불은 생명이 깃들여 있는 살아 있는 존재이다.[66] 등불은 자기의 存在를 更新하기 위해 자신을 燃燒시키며 계속해서 불꽃의 생명을 스스로에게 내어던진다. 그러므로 생명의 끝을 넘어서 존재하게 되는 超불꽃(sur-flamme)[67]으로서 超克力을 지니게 된다. 이 시에서 /기름화→재/가슴=등불/이라는 등불의 隱喩 속에는 현실의 어둠을 밀어내는 불꽃의 原初的 象徵性이 탁월하게 形象化됨으로써 詩的 成功을 거둔다. ⓐ에서도 등잔불은 熱로서의 힘과 빛으로서의 希望의 이미지를 효과적으로 드러낸다. 熱에서 빛으로의 理念化를 통해 現實的 實體로서의불은 精神의 빛으로 辨證法的 昇華를 성취하는 것이다. ㉭은 불꽃이 스스로의 생명을 연소시키는 모습에 대한 瞑想과 응시를 보여 준다. 이들 외에도 불의 이미지로는 촛불·화롯불이 사용되나 중요한 의미를 지니지 않는다.

大地的 想像力의 範疇로서 비와 바람도 몇 가지 象徵性을 지닌다. 먼저 비를 살펴보자.

① 만일 당신이 아니오시면 나는 하람쬐고 눈비를마시며 밤에서낫
가지 당신을기다리고 잇습니다

<나루ㅅ배와行人>에서

66) *Ibid.*. p.139.

67) G. Bachelard, *La Psychanalyse du Feu*(Gallimard, 1949), p.173.: Mais la véritable idéalisation du feu se forme en suivant la dialectique phénoménologique du feu et la lumiére, ……la sublimation dialectique, l'idealization du feu par la lumiére repose sur une contradiction phénoménale.

② 당신의詩는 봄비에 새로눈트는 金결가는 버들이여요

<「사랑」을사랑하야요>에서

③ 비는 가장큰權威를가지고 가장조흔機會를줍니다.

<비>에서

④의 예처럼 비가 바람 또는 눈과 관련되어 나타나면 試鍊과 逆境을 指示하게 된다. ②의 비는 물의 普遍的 이미지群으로서 生命力과 變化力을 의미한다. ③에서는 비가 大自然의 現으象로서 힘과 權威의 表象으로 사용되고 있다. 이 외에 비는 단편적인 素材나 背景으로 나타나기도 한다. 한편 바람도 비와 類似한 象徵性을 지닌다.

봄동산의 미친바람은 못서러 트리는힘을 더하라고 나의 한숨을 기다리고 섯습니다

<어늬것이참이냐>에서

가을바람과 아츰볏에 마치 맞게 익은 향기로운포도를 사서 술을비젓습니다

<葡萄酒>에서

바람의 이미지는 비의 屬性처럼 結實을 맺게 하고 事物을 변화시키는 生成力의 象徵이다. 또한 苦痛과 試鍊을 의미하거나 自然現象과 季節感覺을 表象하기도 한다.

님의사랑은 불보다도 쓰거워서 근심山을 태우고 恨바다를 말니는데

<님의손ㅅ길>에서

푸른산빗을깨치고 단풍나무숩을향하야난 적은길을거러서

<님의沈默>에서

몸과마음을 돌돌뭉처서 사방의 바다에 퐁당너라는 사랑의女神
光明의꿈은 검은바다에서 잠약질합니다

<가지마서요>에서

山과 바다는 / 근심山 / 恨바다 / 처럼 높이와 깊이의 補助觀念이다. 또한 산은 大地 혹은 自然의 이미지로서 季節感과 色感이 드러나기도 한다. 산보다는 바다가 더 많이 사용되는데 바다는 넓이의 包容性 그리고 量感과 色感의 이미지로 표출된다. 大地와 沙漠, 그리고 曠野도 大地的 想像力의 範疇에 속한다.

① 虛無의빗 (光)인 고요한밤은 大地에君臨하얏습니다

<슯음의三昧>에서

나는 갈고심을땅이 업슴으로 秋收가업습니다

<당신을보앗습니다>에서

거지의 거친밧헤 福의씨를 쌔리옵소서

<讀頌>에서

② 적은새의자최도업는 沙漠의밤에 문득맛난님처럼 나를깃부게하는 벗이어

<타골의詩(GARDENISTO)를읽고>에서

③ 쏫향긔의 무르녹은안개에 醉하야 靑春의曠野에 비틀거름치는 美人이어

<슯음의三昧>에서

①에서 大地는 森羅萬象의 터전이자 存在의 住居이다. 또한 大地는 흙·땅·밭의 이미지를 포괄하며 耕作과 生産으로서의 豊饒의 源泉이 된다. 이런 점에서 흔히 大地는 母性的 象徵性을 내포한다. 生命의 出發點이면서 據點이고 동시에 回歸點으로서의 大地는 엄청난 生産性과 包容性을 지니는 것이다. ②의 沙漠은 漠漠함과 絶望感을 表象한다. 그러므로 大地와는 달리 생명이 깃들일 수 없는 不毛地로 인식되며 밤과 이미지 聯關을 갖는다. 曠野(들판)는 大地의 類似 이미지로서 외로움이나 廣漠感을 표출한다.

3. 隱 喩 論

(1) 現代詩와 隱喩

現代詩에 있어서 隱喩는 이미지를 표출하는 기본 방법으로서 변화의 미와 의미 창조의 기능을 수행한다. 現代詩에서 특히 필요로 하는 것은 관습적으로 형성되어 있는 인식과 가치관의 낡은 양식을 깨뜨려 존재를 새롭게 볼 수 있는 감수성과 언어의 改新이다.[68] 이 점에서 새로운 언어기능을 확대하고 심화하는 수단으로서의 隱喩의 方法論的 重要性이 있다. 아리스토텔레스 이래 전통적으로 隱喩는 轉義法으로서 사용되어 왔다. 中世 이후에는 論理的 一致를 중시하는 修辭學者들에 의해 轉義法과 裝飾術로만 보던 종래의 隱喩觀에서 한걸음 나아가 隱喩의 형태와 문법적 관계를 연구하는 데 주력하였다. 現代에 와서 隱喩는 리처즈가 元觀念(tenor)과 補助觀念(vehicle)이 라는 개념을 설정하고 이들 相互作用에 의한 의미 변화를 강조함으로써 그 현대시적 가치가 새롭게 인식되기 시작했다. [69] 한편 휠 라이트는 기존의 文法的

---

68) T.S Eliot. *The Use of Poetry & the Use of Crticism* (London: Faber & Faber 1934). p. 155.
69) L.A. Richards, The Philosophy 0f Rhetoric (London : Oxford Univ. Press. 1979). pp.

인 隱喩理論을 止揚하여 은유의 본질적인 중요성이 意味論的 變化에 있음을 새롭게 인식하고 置換隱喩(epiphor)와 竝置隱喩(diaphor) 라는 두 가지 은유 방식을 제시하였다.[70] 치환은유는 元觀念과 補助觀念의 對照와 類似性에 의존하여 意味轉移를 유발하는 보편적 은유개념이다. 병치 은유는 異質的인 두 요소의 竝置(juxtaposition)를 통해서 情緖的 一致와 意味創造를 회 득하는 방식으로서의 특징이 있다. 그는 / 群衆 속의 얼굴들의 幻影·촉촉이 젖은 검은 나뭇가지에 매달린 꽃잎들/이라는 파운드(E. Pound)의 詩句[71]를 竝置隱喩의 한 예로 들고 있다. / 군중들의 일굴 / 과 /젖은 꽃잎 / 들의 돌발적인 결합에 의해 군중(존재)의 새로운 모습을 발견하게 되고 시적 비약과 초월을 성취하는 바탕을 마련한다. 이러한 병치은유는 영혼과 육체, 삶과 죽음, 마주침과 떠나감이라는 근원적 생의 원리에서 類推되어 삶의 본질을 통찰하고 그것을 창조적 의미로 高揚시키는 詩的 리얼리티의 원동력이 된다. 또한 이 방법은 시의 생명인 창조정신에 간장과 彈力을 불어넣음으로써 그가 강조하는 이미지의 新鮮性과 直觀의 깊이를 확보하는 유효한 열쇠를 제공한다. 그러나 휠라이트 자신이 지적했듯이 병치은유는 독자적 詩行만으로는 성립되지 않고 반드시 行과 行의 병치적 결합에 의해서만 성립되기 때문에 병치은유의 순수한 형태를 찾아내는 일은 불가능에 가까운 것으로 보인다.[72] 더구나 萬海 詩는 多衆의 隱喩로 결합된 行과 聯이 설명체의 산문적 서술로 연결되어 있기 때문에 병치은유의 개념으로 분석하는 것은 무리가 아닐 수 없다.

따라서 치환은유와 병치은유의 두 가지 방식으로 萬海 詩의 은유를 분석하는 것보다는 전통적인 隱喩文法을 적용하는 것이 효과적인 것으로 판단된

93~99.

70) P. Wheelwright. *Metaphor & Reality* (Bloomington: lndiana Univ. Press. 1968). pp. 70~91.

71) The apparition Of these faces in the crowd; Petals on a wet. black bough. 「ln a Station 0f the Metro」 Ibid., p. 80.

72) *Ibid.,* 80.

다. 本項에서는 브루크로즈의 形態論을 바탕으로[73] 筆者 나름의 意味論的 隱喩分析을 기도해 보기로 한다.

물난결에쉬어지는 한숨은 봄바람이되야서 야윈얼골을비치는 거울에 이슬꽃을핍니다
나의周圍에는 和氣라고는 한숨의봄바람밧게는 아모것도업습니다
하염업시흐르는 눈물은 水晶이되야서 깨끗한슯음의聖境을 비침니다
나는 눈물의水晶이아니면 이세상에 寶物이라고는 하나도업습니다
한숨의봄바람과 눈물의水晶은 써난님을긔루어하는 情의 秋收임니다 저리고 쓰린 슯음은 힘이되고 熱이되야서 어린羊과가튼 적은목숨을 사러움지기게함니다
님이주시는 한숨과눈물은 아름다은 生의藝術임니다

<生의藝術>全文

이 시의 構造를 總體的으로 형성해 가는 것은 隱喩的 方法論이다. <生의藝術>이라는 題目 자제가 「의」의 隱喩[74]로 짜여져서 生이 바로 藝術이라는 萬海의 生에 관한 認識과 解釋을 제시해 준다. 또한 / 한숨은 봄바람이되야서 야윈얼골을비치는 거울에이슬꽃을 피게함니다 / 라는 첫 行은 이 시의 基本發想法인 / 한숨=봄바람=눈=이슬꽃(눈물) / 이라는 은유적 等式으로 짜여져 있다. / 한숨 / 이라는 存在論的 虛脫感이 / 봄바람 / 이라는 流動的 自然現象과 은유적으로 結合함으로써 絶望과 所望의 對比라는 情緒的 緊張關係를 導出시키게 된다. / 한숨의봄바람 / 은 詩의 雰圍氣를 이루는 기초적 隱喩인 것이다. 이러한 發想的 隱喩法은 / 눈물의水晶 / 과 같은 審美的 表現와 결합되어 / 나는 눈물의水晶이아니면 이제상에 寶物이라고는 하나도업습니다 /

---

73) C. Brooke-Rose의 *A Grammar Metaphor* (London; Secker & Warbourg, 1958)의 理論과, 拙稿 「韓國現代詩의 隱喩形態分析」 ≪月刊文學≫ 34호(1971.10)를 참조.
74) C. Brooke-Rose, *Ibid.*. pp. 146~205.

라는 詩的 眞理의 發見을 성취하는 誇張的 隱喩法으로 변모된다. / 깨끗한슯음의 聖境을 비침니다 / 눈물의水晶 / 은 바로 이 詩가 情緖的 表現에서 한 걸음 더 나아간 自己克服의 審美的 카타르시스를 誘發하는 效果的 隱喩法으로 高揚되어 있음을 보여 주는 것이다. 그러므로 / 한숨의봄바람 / 과 / 눈물의水晶 / 은 단순한 隱喩的 表現段階에서 詩的 眞理의 發見과 洞察의 方法[75]으로 上昇된 內容價値를 지닌다. 또한 /슯음은 힘이되고 熱이되야서 어린羊과가튼 적은목숨을 사러움지기게함니다/라는 것은 克服의 意志가 隱喩의 漸層的 전개과정에서 詩的 깨달음의 깊이를 획득하여 觀念의 內容構造로 변모하는 모습을 보여 준다. / 한숨의봄바람 / 과 /눈물의水晶/은 목숨을 살아 움직이게 하는 生命의 原動力이 되는 것이다. 따라서 「生=한숨과 눈물의 藝術」이라는 逆說的 主題는 隱諭的 發想과 展開 및 結構 속에서 집중적 形象性을 성취하게 된다. / 生의 藝術 / 한숨의봄바람 / 눈물의水晶 / 슬픔=힘·熱 / 情의秋收 / 와 같은 複合的 隱喩結合은 표현 방법으로서의 審美的 價値와 더불어 詩의 總體的 組織秩序 아래에서 有機的 內容構造를 형성 한다. 萬海의 詩的 想像力은 隱喩에 의해 表現과 內容의 統一과 調和를 이루게 된다. 『님의 沈默』에서 全文隱喩로 구성된 시는 <알ㅅ수업서요>, <讚頌>, <어데 라도>, <나의품>, <버리지아니하면>, <어늬것이참이냐>, <심은버들>, <樂園은가시덤풀에서>, <달을보며>, <妖術>, <당신가신째>, <당신의 마음>, <여름밤이기러요>, <「사랑」을사랑하야요>, <리별> 등이며, 그의 대부분의 시도 基本表現手段과 想像力의 展開方法으로 隱喩를 사용하고 있다. 이란 점에 비추어 萬海의 消滅과 生成의 二元的 世界觀과 그 辨證法的 生命過程이 隱喩의 多承構造 속에 啓發的 이미지로 표현 있다는 점은 萬海 詩가 現代詩的 方法論의 自覺[76] 위에서 출발하고 있음을 단적으로 말해 준다.

75) C. Brooks & R.P. Warren, *Understanding Poetry* New York: Holt Rinehart & Winston. 1960) p. 270.: One function of Metaphor is to discover truth…… & Metaphor is a means of insight.

(2) 基本形式

그러면 萬海 詩에서 핵심 방법으로 활용되고 있는 隱喩法의 擴大와 深化 過程을 구체적으로 살펴보기로 한다.

바람도업는공중에 垂直의波紋을내이며 고요히써러지는 오동님은 누구의 발자최임닛가

지리한장마씃헤 서풍에몰녀가는 무서은검은구름의 터진틈으로 언뜻언뜻보이는 푸른하늘은 누구의얼골임닛가

씃도업는 깁흔나무에 푸른이씨를거처서 옛塔위의 고요한하늘을 슬치는 알ㅅ수업는향긔는 누구의입김임닛가

근원은 알지도못할곳에서나서 돌뿌리를울니고 가늘게 흐르는 적은시내는 구븨구븨 누구의 노래임닛가

련쏫가튼발쑴치로 갓이 업는바다를밟고 옥가튼손으로 씃업는하늘을만지면서 써러지는날을 곱게 단장하는 저녁놀은 누구의詩임닛가

타고남은재가 다시기름이됨니다 그칠줄을모르고타는 나의 가슴은 누구의 밤을지키는 약한등ㅅ불임닛가

<알ㅅ수업서요> 全文

全 2聯 6行으로 구성된 이 시는 전체가 隱喩로 구성되어 있다. 특히 이 시의 基本構造는 /오동닙 =발자최 /푸른하늘=얼 골/ 향기 =입 김 / 시내 =노래 / 저녁 놀=詩 / 재 =기름 / 가슴=등불 / 과 같은 繫辭隱喩 (copula Metaphor)[77]로 되어 있다. 이 繫辭型은 隱喩의 가장 기본적인 방법으로서, 그 基本屬性이 元觀念(tenor)와 補助觀念(vehicle)의 結合이다.[78]

有形-無形(tangible−intangible), 可視非可視(visible−invisible), 具象-抽象

76) 이 점에서 萬海 詩가 1930년대 모더니즘시의 비유보다 탁월한 것으로서 현대시적 기점이 됨을 알 수 있다.

77) C. Brooke-Rose. *op. cit.*, p. 18.

78) I.A Richards, *op. cit.*, p. 99.

(abstract－concrete) 등이 相互反轉 메커니 즘으로 主體와 客體의 和應과 統一에 의해 意味의 變化와 上昇을 企圖하는 것이다. 引用詩에서도 / 오동닙, 푸른하늘, 시내, 저녁놀, 등불 / 등의 客體로서의 自然物은 /발자최, 얼골, 입김, 노래, 詩, 가슴 / 등의 主體로서의 人間과의 거리가 繫辭型 隱喩에 의해 短縮되고 和合되고 連繫됨으로써 새로운 想像力의 內面空間을 형성하게 된다. 그러므로 이 시는 大自然의 神祕가 人間의 精神世界로 이끌어들여져 詩的 飛躍과 超越을 가능하게 하는 것이다. 따라서 萬海의 繫辭型 隱喩는 隱喩가 主觀과 客觀, 主體와 世界를 結合함으로써 詩的 想像力의 轉置機能과 眞理啓發 및 洞察力의 기본 방법으로 활용된다.

① 나는 나루ㅅ배
당신은 行人

당신은 흙발로 나를 짓밟음니다
나는 당신을안ㅅ고 물을건너감니다
나는 당신을안으면 깁흐나 옛흐나 급한여을이나 건너감니다
<나루ㅅ배와行人>에서

② 사랑의束縛이 ᄭᅮᆷ이라면
出世의解脫도 ᄭᅮᆷ임니다
우슴과눈물이 ᄭᅮᆷ이라면
無心의光明도 ᄭᅮᆷ임니다
一切萬法이 ᄭᅮᆷ이라면
사랑의ᄭᅮᆷ에서 不滅을엇것슴니다
<ᄭᅮᆷ이라면> 全文

③ 당신의소리는 「沈默」인가요
당신의 노래를부르지 아니하는ᄯᅢ에 당신의 노래가락은 역역히들

님니다 그려당신의 소리는 沈默이여요

<反比例>에서

例詩 ①의 경우 詩的 內容은 / 나는 나루ㅅ배 / 당신은 行人 / 이라는 發想法의 繫辭隱喩를 바탕으로 전개된다. 「나」와 「당신」이라는 主體와 客體는 隱喩媒質을 통하여 「나룻배」와 「行人」이라는 相對的 關係를 형성하게 되며 이로써 詩的 象徵의 空間 속에서 想像力의 展開가 가능해지는 것이다. ②詩의 경우에도 繫辭隱喩가 전체의 詩的 構成을 이끌어간다. / 사랑의束縛이 숨이라면 / 出世의解脫도 숨입니다 / 와 같이 假定法의 從屬節과 主節의 陳述로서 內容과 形式의 文法的 竝置性을 지니게 되는 것이다. 또한 / 사랑의束縛 / 出世의解脫 / 無心의光明 / 등이 /숨이라면 / 이라는 繫辭隱喩로 이어져 / 一切萬法이 숨이라면 / 사랑의숨에서 不滅을엇것슴니다 / 와 같이 「不滅」을 얻는 詩的 眞理의 成就에 도달한다. 이처럼 繫辭隱喩는 觀念의 凝結을 이루는 原動力으로 사용된다.

③詩의 경우 基本構造는 <소리=沈默 / 얼골=黑暗 / 그림자=光明>이라는 繫辭隱喩로 이루어져 있다. 특히 이 시는 平面的 隱喩의 二重單位(double unit)로서가 아니라 逆說的 隱喩의 緊張體系(crystallization)로 이루어져, 觀念의 超越에 의한 眞理의 啓發이라는 照明的 機能을 발휘한다. 이처럼 繫辭隱喩는 觀念과 表現의 等價物로서의 閃光的 照明을 일으키는 기본 방법이다.[79] 또한 이것은 萬海 詩의 發想法과 詩的 想像力의 展開原理가 된다. 이러한 閃光的 照明은 主體와 客體, 元觀念과 補助觀念 사이의 새로운 緊張關係와 意味變化를 誘發함으로써 詩的 光明의 中心像(central figure)[80]을 形成하는 動因이 된다. 이외에도 繫辭隱喩는 <당신이아니더면>, <의심하지마서요>,

---

79) H. Read, *op. cit.*, p.28.: Metaphor is the shift illumination of an equivalence. Two images, or an idea and an image. stand equal & opposite: clash together & respond significantly, surprising the reader with sudden light.

80) A. Tate, *On the Limits of Literature* (1948).
金洙暎. 李相沃 共譯『現代文學의 領域(서울 : 中央文化社. 1962). p.98.

<讚頌>, <타골의詩(GARDENISTO)를읽고>, <「사랑」을사랑하야요>, <눈물>, <리별은美의創造>, <리별>, <고적한방>, <幸福>, <?>, <님의얼골> 등 많은 시에서 獨自的으로, 혹은 여러 다른 隱喩法과 結合되이 想像力 展開의 기본 방법으로 有效하게 활용되고 있다.

(3) 「의」의 隱喩

그러나 繫辭隱喩는 二重單位의 固定性으로 말미 암아 思考의 定型性을 초래하여 詩的 緊張感을 鈍化시키는 弱點을 지니고 있다. 그러므로 萬海는 同格(appositive of」 Metaphor) 및 屬格隱喩(genitive 「of」 Metaphor)[81]를 有機的으로 활용하고 있다.

나는 禪師의說法을 드럿습니다
「너는 사랑의쇠사실에 묵겨서 苦痛을밧지말고 사랑의줄을끗어라
그러면 너의 마음이 질거우리라」고 禪師는 큰소리로 말하얏습니다

그禪師는 어지간히 어리석습니다
사랑의줄에 묵기운것이 압호기는 압흐지만 사랑의줄을끗으면 죽는것보다 더압흔줄을 모르는말입니다
사랑의束縛은 단단히 얼거매는것이 푸러주는것입니다
그럼으로 大解脫은 束縛에서 엇는것입니다

<禪師의 說法> 全文

이 작품은 詩的 逆脫의 알레고리 (allegory)로 짜여져 있다. / 사랑의쇠사실 / 사랑의줄 / 이라는 同格 「의」隱喩 속에는 사랑의 基本屬性과 樣式이 내포되

81) C. Brooke-Rose. *op. cit.*, pp. 146~205.

어 있다. 이것은 拘束의 이미지로 나타난다. 表面的으로 사랑이란 存在의 拘束이지만 / 사랑의줄에 묵기운것이 압호기는 압흐지만 사랑의줄을끈으면 죽는것보다도 더압흔줄을 모르는 말임니다 / 처럼 萬海는 拘束과 閉鎖를 통한 自由와 解放으로서의 사랑의 참뜻을 看破하고 있다. 어렵게 얻어지는 자유와 사랑이 보다 값진 것으로 믿는 萬海의 求道者的 姿勢가 엿보이는 것이다. 여기에서 / 사랑의쇠사실 / 이 주는 강한 拘束의 이미지는 禪師의 說法이라는 劇的 狀況(dramatic situation)[82]을 設定하도록 미리 意圖된 隱喩로서 이러한 話者의 設定을 통해 / 大解脫은 束縛에서 엇는것임니다 / 라는 寓意的 主題(allegorical theme)를 보다 선명히 드러낼 수 있게 된다. 萬海는 / 사랑의쇠사실 / 사랑의줄 / 이라는 簡略한 「의」隱喩를 통해 拘束性과 自由性의 兩面性에 대한 逆說的 眞理의 발견을 가능하게 한다. 그러므로 / 님이어 나를얽은 님의사랑의줄이 약할가버서 나의 님을사랑하는줄을 곱드렷슴니다 / 라는 誇張的 表現의 기교적인 흥미를 유발하게 한다. 테이트(A. Tate)에 의하면[83] 形而上學的 詩人이란 개념지시에 충실한 면에서부터 그것에 먼것에까지 자신의 詩的 意味를 投入하는 特性을 갖고 있다고 한다. 이렇게 본다면 / 사랑의쇠사실 / 사랑의줄 / 과 같은 사랑의 「의」隱喩에 의한 主題의 外延은 萬海의 시가 隱喩的 알레고리를 통하여 詩的 眞理에 도달하려는 形而上學的 內質을 지니고 있는 것으로 해석된다. 특히 시집 『님의 沈黙』 전체에 등장하는 사랑의 「의」隱喩를 보면[84] / 사랑의神 / 사랑의神聖 / 사랑의女神 / 사랑의聖殿 / 사랑의祭壇 / , / 사랑

---

82) 이 詩는 Eliot가 말하는 바 詩의 세 가지 목소리가 혼합되어 있는 독특한 작품이다. 自身에게 말하는 소리 (talking to himself), 聽者(님)에게 말하는 목소리 (the poet addressing an audience). 劇化된 목소리 (dramatic character speaking in verse)의 混用이 그것이다 : On Poetry & Poets (London: Faber & Faber, 1971). p. 89.

83) A. Tate, *op. cit.*, p. 104 : "形而上學的 詩人은 이성파로서 직전의 外延側 近方이나 또는 外延의 극단에서 시작한다. 낭만파나 상징파 시인은 그 반대의 內包側의 극단에서 시작한다. 그리고 각자들은 전제의 스케일을 점령하도록 상상력의 詩的 修練을 가지고 가능한 한 멀리 반대의 극단을 향해 각자의 의미를 투입하려고 한다."

84) 여기에 대해서는 이미 p. 93에서 자세히 살펴본 바 있다.

의언덕 / 사랑의팔 / 사랑의 바다 / 사랑의褓 / , / 사랑의눈물/ 사랑의불 / 사랑의 뒤웅박 / 사랑의칼 /./ 사랑의 동아줄 /사랑의쇠사실 / 사랑의酷法 /·/ 사랑의날개 / 등에서 알 수 있듯이 사랑의 神聖性과 世俗性(sacred & profane), 自由와 拘束性, 眞相과 虛像, 苦痛과 歡喜 그리고 熱情과 理智의 兩側面이 함께 表象되어 사랑의 眞理를 壓縮的으로 要約 제시하고 있는 것이다. 이러한 「의」隱喩는 觀念의 要約的 提示 방법으로서 몇 가지 다른 類型으로 변화된다.

① 黃金의쏫가티 굿고빗나든 옛盟誓는 차듸찬띄끌이되야서 한숨의 微風에 나러갓슴니다

<님의沈默>에서

② 리별의 눈물은 물거품의쏫이오 鍍金한金방울이다
피의紅寶石으로만든 리별의紀念반지가 어데잇너냐
리별의눈물은 咀呪의摩尼珠요 거짓의水晶이다.

<리별>에서

③ 가늘게쩔니는 그대의입설은 우슴의朝雲이냐 우름의暮雨이냐 새벽달의祕密이냐 이슬쏫의象徵이냐

<論介의愛人이되야서그의廟에>에서

④ 아니여요 님의주신눈물은 珍珠눈물이여요
아아 나는 날마다날마다 눈물의仙境에서 한숨의 玉笛을 듯습니다
나의눈물은 百千줄기라도 방울방울이 創造임니다
눈물의구슬이어 한숨의봄바람이어 사랑의聖殿을莊嚴하는 無等等의寶物이어

<눈물>에서

詩 ①에서 / 黃金의쏫 / 이라는 「의」隱喩는 그 자체가 永遠的 生命(黃金)과 限界的 生命(꽃)의 對應 속에 現象과 本質, 物質과 精神. 永遠과 瞬間의 衝突

과 持續을 對照的으로 暗示하고 있다. 補助觀念인 / 黃金의꽃 / 은 原觀念인 盟誓가 / 씨끌 / 이 되게 하고 / 한숨의 微風 / 은 한숨이 內包하는 絶望과 挫折의 무거운 분위기를 가벼운 微風과 「의」隱喩的 結合에 의해 精神의 瞬間的인 超克을 성취함으로써 詩精神의 柔軟性을 이끌어낸다. 그러므로 / 黃金의꽃 / 한숨의 微風 / 의 「의」隱喩는 / 黃金=꽃 / 盟誓=씨끌 / 한숨=微風 / 의 多重的 隱喩로 結合되어 시 전체의 構造와 主題에 부응하는 補助心像(complementary image)을 확립하고 있는 것이다. 例詩 ②에서 「의」隱喩는 繫辭隱喩와 결합하여 擴張된 隱喩의 反復的 形式美를 보여 주고 있다. / 리별의 눈물은 물거품의꽃이오 鍍金한金방울이다 / 처럼 「A of B=C of D」, 그리고 「E of F」와 같은 隱喩의 連鎖結合을 통해 이미지의 漸層的 擴大를 가져온다. 그러므로 / 리별 / 이란 / 물거품 / 이요 / 거짓 / 이라는 方法的 離別의 中核觀念을 / 꽃 / 金방울 / 摩尼珠 / 水晶 / 등과 같은 다양한 이미지로 分散하여 觀念과 情緖가 等價物이 되게 하는 것이다. 例詩 ③의 경우에 이「의」隱喩는 / 우슴의朝雲 / 우름의暮雨 / 새벽달의祕密 / 이슬꽃의 象徵 / 등과 같이 「우슴/우름」의 對比的 觀念이 / 朝雲 / 暮雨 / 새벽달 / 이슬꽃 / 처럼 서로 이미지의 和應方式을 통해 나타난다. 이 「의」隱喩를 통하여 觀念과 情緖를 融化시킴은 물론, 이미지 照應의 審美的 表現價値를 달성하고 아울러 自然現象에 대한 깊은 透視와 禮讚까지도 가능하게 만드는 것이다. 例詩 ④의 경우에도 / 眞珠눈물 / 한숨의玉笛/눈물의구슬 / 한숨의봄바람 / 등 서로 置換될 수 있는 「의」隱喩가 이미지의 多樣化와 相互照應을 이루어 審美的 表現價値를 上昇시키고 있다. 그럼으로써 자칫 觀念一邊倒 내지는 思辨的 抽象性에 떨어지기 쉬운 萬海 詩를 美的 情緖의 等價物로 이끌어올리고 있는 것이다. 萬海 詩에서 이 「의」隱喩는 / 명상의적은배 / 달빗의물ㅅ결 / 사랑의불 / 눈물의구슬 / 大地의침대 / 사랑의날개 / 생명의쇳대 / 칼의우승/ 생명의꽃 / 生의藝術 / 등 거의 모든 시에 활용되어 審美的 價値形成 및 副次心像 誘導, 그리고 中核觀

念의 表出에 긴요한 역할을 한다. 특히 시집『님의 沈默』全篇을 통해 이「의」隱喩가 <님의沈默>, <生의藝術> 등의 예처럼 詩的 洞察의 핵심적 방법이 되는 것은 隱喩가 眞理를 발견하고 主題를 제시하는 洞察力의 啓發機能을 갖고 있기 때문이다.「의」隱喩가 기본 수단으로 활용되고 있는 시로는 <나의노래>, <生命>, <슯음의三昧>, <七夕>, <苦待>, <거짓리별>, <잠꼬대>, <눈물>, <타골의詩(GARDENISTO)를읽고>, <사랑의불>, <버리지아니하면>, <冥想>, <리별은美의創造>, <차라리> 등이 있다. 실제로 단편적으로라도 이「의」隱喩가 나타나지 않는 시는 거의 없는 형편이다.

(4) 動詞型 隱喩

다음으로 萬海 詩에서 중요하게 사용되는 방법으로는 動詞隱喩(verbmetaphor)[85] 가 있다.

> 당신이 밝은새벽에 나무그늘새이에서 산보할때에 나의숨은 적은별이되야서 당신의머리위에 지키고잇것습니다
> 당신이 여름날에 더위를못이기여 낫잠을자거든 나의숨은 맑은바람이되야서 당신의周圍에 써돌것습니다
> 당신이 고요한가을밤에 그윽히안저서 글을볼때에 나의숨은 귀짜람이가되야서 책상밋헤서「귀똘귀똘」울것습니다
>
> <나의 숨> 全文

이 시는 / 나의숨은 적은별이되야서 / 나의숨은 맑은바람이되야서 / 나의숨은 귀짜람이가되야서 / 와 같은 三重의 動詞隱喩로 織造되어 있다. / 밝은새벽 / 여름날 / 가을밤 / 의 모든 客體의 日常事와의 詩的 密着은 바로 動詞隱

85) C Brooke-Rose. *op cit.*, pp 206~237.

喩에 의하여 획득되고 있으며 詩的 發想과 完結에 이르는 想像力의 運動이 이 動詞隱喩를 뼈대로 하여 전개된다. 그러므로 이 隱喩法은 상상력이 力動性을 획득하고 特的 飛躍과 擴大, 그리고 想像力의 逆剌戟을 가능케 하는 原動力이 된다.

① 달아레에서 거문고를타기는 근심을이즐ㅅ가함이러니 츰곡조가 씃나기전에
눈물이압흘가려서 밤은 바다가되고 거문고줄은 무지개가됩니다
거문고소리가 놉헛다가 가늘고 가늘다가 놉흘째에 당신은 거문고줄에서 그늬를뜁니다

<거문고탈째>에서

② 타고남은재가 다시기름이됩니다 그칠줄을모르고타는 나의 가슴은 누구의 밤을지키는 약한등ㅅ불입닛가

<알ㅅ수업서요>에서

③ 뜰압헤 버들을심어
님의말을 매럇드니
님은 가실째에
버들을썩어 말채칙을 하얏습니다
버들마다 채칙이되야서
님을싸로는 나의 팔도 채칠싸하얏드니
남은가지 千萬絲는
해마다 해마다 보낸恨을 잡어맴니다

<심은버들> 全文

④ 달은밝고 당신이 하도긔루엇습니다
자던옷을 고치입고 뜰에나와 퍼지르고안저시 달을한참보앗습니다

달은 차차차 당신의얼골이 되더니 넓은이마 둥근코 아름다은수염
이 녁녁히 보임니다
간해에는 당신의얼골이 달로보이더니 오늘밤에는 달이 당신의얼
골이 됩니다
당신의얼골이 달이기에 나의얼골도 달이되얏습니다
나의얼골은 금음달이된줄을 당신이아심닛가
아아 당신의얼골이 달이기에 나의얼골도 달이되얏습니다

<달을보며> 全文

詩 ①에서는 視覺心像 / 달 / 과 聽覺心像 / 거문고 / 가 情緖的 關聯을 가지며, 動詞隱喩 / 밤은 바다가되고 / 거문고줄은 무지개가됩니다 / 로 運結되고 있다. 또한 이러한 動詞隱喩를 바탕으로 / 거문고줄에서 그늬를ㅅ니다 / 라는 超越的 想像力의 力動的 飛躍이 가능해지며 아울러 立體的 構造를 획득하게 된다. 시 ②의 경우 / 타고남은재가 다시기름이됨니다 / 라는 動詞隱喩는 萬海의 想像力의 基本原理인 消滅과 生成의 價値軸을 형성하고 있다. 즉 想像力의 二元構造가 觀念的 統一을 획득하고 詩的 레알리떼와 力動性을 견지하게 된다. / 재 / 가 / 기름 / 이되는 動詞隱喩過程 속에 萬海의 克服과 越越意志의 佛教思想과 詩精神이 實體化되는 것이다. 시 ③에서 「버들=채찍」의 관계는 / 千萬絲는 / 보낸恨을 잡어맴니다 / 와 같은 想像力의 變奏(variation)를 형성하여 詩의 密度를 深化하는 動因이 된다. 시 ④에서 想像力의 求心點은 / 달 / 이다. / 달 / 을 둘러싼 그리움이라는 情緖의 表層이 시의 분위기를 造成하고 있는 것이다. / 달은 차차차 당신의얼골이 되더니 / 처럼 상상력을 전개시키는 것은 역시 動詞隱喩다. 그러므로 / 당신의얼골이 달로 보이더니 오늘밤에는 달이 당신의얼골이됨니다/처럼 /달/과 / 님의얼골 / 과의 相互浸透에 의해 觀念과 情緖의 融合과 和解가 이루어진다. 이러한 動詞隱喩에 의한 融和와 統一은 다시 / 당신의얼골이 달이기에 나의얼골도 달이되얏습니다 / 라는 主體와 客體의 一致로 이끌어진다. 이것은 그리움의 極端的 深化의 結果

로 얻어진 幻想的 超越의 幸福한 一致인 것이다. 그것은 / 나의얼골은 금음달이된줄을 당신이아심닛가 / 라는 애끓는 絶叫와 呼訴 속에 단적으로 드러난다. 그러나 幻想的 一致와 融合을 얻는 순간 님과의 先驗的 距離感은 主體와 님 사이의 도달할 수 없는 거리로 인식되고 마는 것이다. 그러므로 그리움이라는 이 시의 主題는 / 달 / 을 軸으로 하여 動詞隱喩의 活用에 의해 님과의 幻想的 合致에 대한 갈망과 함께 距離의 確認이라는 사랑의 明暗을 효과적으로 드러내게 된다. 이러한 動詞隱喩가 想像力의 動因이 되는 시로는 <어데라도>, <桂月香에게>, <나의꿈>, <繡의秘密>, <버리지아니하면>, <하나가되야주서요>, <生命>, <秘密>, <꿈과근심>, <비>. <참이 주시요>, <어늬것이참이냐>, <심은버들>, <樂園은가시덤풀에서>, <讚頌>, <달을보며> 등 例擧할 수 없이 많다. 특히 이 動詞隱喩는 活物變質型 隱喩와 자주 결합되어 좀더 力動的인 詩想을 전개하는 경우가 많다. 이처럼 動詞隱喩는 萬海의 想像力의 二元性을 統一하고 또한 想像力을 전개하고 자극하며, 그 속에서 詩的 飛躍과 力動性을 획득하여 超越과 克服을 성취하게 하는 萬海 詩 隱喩의 根幹動力이다.

(5) 活物論的 隱喩

이러한 想像力의 擴大와 力動性 獲得에 따른 能動的 이미지를 형성하는 動詞隱喩와 아울러 중요한 것으로는 活物變質型 隱喩, 精靈論的 隱喩가 있다.

> 나는 당신의 눈섭이검ㅅ고 귀가갸름한것도 보앗슴니다
> 그러나 당신의 마음을 보지못하얏슴니다
> 당신이 사과를짜서 나를주랴고 크고붉은사과를 따로쌀때에 당신의 마음이 그 사과속으로 드러가는것을 분명히보앗슴니다

나는 당신의 둥근배와 잔나비가튼허리와를 보앗습니다
그러나 당신의 마음을 보지못하얏습니다
당신이 나의사진과 엇든녀자의사진을 가티들고볼때에 당신의마음이 두사진의새이에서 초록빗이되는것을 분명히보앗습니다
나는 당신의 발톱이희고 발품치가둥근것도 보앗습니다
그러나 당신의 마음을 보지못하얏습니다
당신이 떠나시랴고 나의큰보석반지를 주머니에너실때에 당신의마음이 보석 반지넘어로 얼골을가리고 숨는것을 분명히 보앗습니다

<당신의마음> 全文

/당신의마음이 그사과속으로 드러가는것을 / 당신의 마음이 두사진의 새이에서 초록빗이되는 것을 / 당신의마음이 보석반지넘어로 얼골을가리고 숨는 것을 / 과 같이 觀念과 事物이 서로 形質을 탈바꿈하거나 物化하고 精靈化하는 것을 活物論的 隱喩 혹은 精靈論的 隱喩(animistic Metaphor)[86]라고 부른다. /당신의마음이 그 사과속으로 드러가는것을 분명히보앗습니다/라는 것은 / 사과 / 라는 中間媒質을 통하여 님의 마음과 主體의 마음이 만나는 것을 精靈的으로 隱喩한 것이다. 제2연의 / 초록빗 / 이나 3연의 / 보석반지 / 도 각각 主體인 나와 님의 靈魂이 그러한 것을 사랑의 靈媒物로 하여 交流되는 것을 象徵한다. 그러므로이 시는 님의 마음을 物質化 또는 精靈化하여 具體的媒介物 속에 移入함으로써 감춰진 사망을 具象的으로 感覺化하고 있는 것이다. 이처럼活物變質型 隱喩는 未知의 觀念이나 物質 속으로 더듬어 들어가 元觀念의 個性이나 特質을 補助觀念에 새롭게 浸透시켜 觀念과 事物을 可變的으로 精靈化하고 活物化하는 방법을 말한다.

① 나의 祕密은 눈물을것처서 당신의視覺으로 드러갓습니다
나의 祕密은 한숨을것처서 당신의聽覺으로 드러갓습니다

86) Wellek & Warren. *op. cit.*, p. 197.

나의 祕密은 떨니는가슴을것처서 당신의觸覺으로 드러갓슴니다
그밧긔祕密은 한쪼각붉은마음이 되야서 당신의꿈으로 드러갓슴니다

<祕密>에서

② 나는 당신을 리별하지아니할수가 업습니다 님이여 나의리별을 참어주서요
당신은 고개를넘어갈때에 나를도러보지마서요 나의몸은 한적은 모래속으로 드러가랴함니다

<참어주서요>에서

③ 그대의 붉은恨은 絢爛한저녁놀이되야서 하늘길을 가로막고 荒凉한떠러지는날을 도리키고자함니다
그대의 푸른근심은 드리고드린 버들실이 되야서 꼿다은무리를 뒤에두고 運命의길을떠나는 저문봄을 잡어매랴함니다

나는 黃金의소반에 아츰볏을바치고 梅花가지에 새봄을걸어서 그대의 잠자는겻헤 가만히 노아드리것슴니다

<桂月花에게>에서

詩 ①의 隱喩構造는 「祕密」의 感覺化에 핵심을 두고 있다. 「祕密」이라는 抽象觀念과 / 聽覺·視覺·觸覺 / 등 여러 感覺의 對應 속에 / 눈물·한숨·붉은마음 / 과 같은 情緖的 形質이 投入되어 섬세한 이미지의 돌발적인 轉換을 초래한다. 이처럼 「祕密」이 한 조각 붉은 마음이 되어 당신의 꿈으로 들어가는 觀念의 感覺化 내지 物質化는 萬海의 詩語가 日常語의 範疇를 뛰어넘어 當爲로서의 詩語로 上昇하는 神祕的 想像力의 源泉이 된다. ②의 경우에 / 나의몸은 한적은모래속으로 드러가랴 함니다 / 라는 誇張的인 活物變質型 隱喩는 / 리별을 참어주서요 / 나를도러보지마서요 / 와 같은 이별의 슬픔과 아픔을 超越的 想像力으로 극복하려는 안간힘을 形象化하는 것이다. ③의 시는 / 붉은恨

은 絢爛한저녁 놀이되야서 / 라는 動詞隱喩를 바탕으로 / 荒凉한서러지는날을 도리키고자 / 運命의길을써나는 저문봄을 잡어매 랴 / 하는 悔恨의 안타까움을 呼訴하고 있다. 이러한 哀恨의 情調와 對比的으로 / 黃金의소반에 아츰볏을바치고 梅花가지에 새봄을걸어서 / 와 같은 活物變質型 隱喩에 의한 맑고 희망적인 이미지를 결합함으로써 역사 속에서 消滅해 버린 桂月香의 生의 明暗과 함께 정신의 훌륭함에 대한 欽慕를 효과적으로 形象化하고 있는 것이다.

> 나는 永遠의時間에서 당신가신때를 끈어내것습니다 그러면 時間은 두도막이 남니다
> 時間의한긋은 당신이가지고 한긋은 내가가젓다가 당신의손과 나의손과 마조잡을때에 가만히 이어노컷습니다
>
> <당신가신때>에서

이 시는 이러한 活物變質型 隱喩의 特徵的인 면을 보여 준다. 즉 時間의 物質化가 바로 그것이다. / 時間에서 당신가신때를 끈어내것습니다 / 時間은 두도막이남니다 / 가만히 이어노컷습니다 / 라는 活物論的 정신의 힘을 반영한 것이다. 앞 章 時調論에서 살펴보았던 活物變質의 隱喩인 것이며 동시에 黃眞伊의 시조에서 찾아볼 수 있는 방법인 것이다. 이러한 活物變質型 隱喩가 활용된 시로는 <葡萄酒>, <?>, <참어주서요>, <어늬것이참이냐>, <여름밤이기러요>, <잠업는꿈> 등이 있다. 이처럼 萬海의 시에서 活物變質型 隱喩는 萬海의 시가 隱喩的 飛躍과 超越的 이미지의 形成에서 缺如되기 쉬운 詩的 레알리떼와 密度를 深化하는 중요한 기능을 수행하고 있다. 萬海의 시에서 이 隱喩法은 詩的 對象과 詩的 體驗 사이의 根源的 統一을 획득하는 것과 아울러 萬海의 全想像力을 하나의 支配原理로 묶어 詩的 形象力과 神祕感을 高揚시키는 原動力이 되는 것이다. 動詞隱喩의 力動的 이미지 構

成과 和應하여 얻어지는 이 活物變質型 隱喩法의 레알리떼 深化의 機能은 萬海 은유의 兩大原理가 된다.

이러한 핵심적인 방법 이외에도 萬海는 表現構造로서의 隱喩를 다양하게 分化하고 變奏하여 內容構造와 等價를 형성하는 審美的 섬세함을 보여 준다.

① 뉘라서 사다리를쎄고 배를깨트렷슴닛가
나는 보석으로 사다리노코 진주로배모아요
오시랴도 길이막혀서 못오시는 당신이 그루어요

<길이막혀>에서

② 님의사랑은 불보다도 뜨거워서 근심山을 태우고 恨바다를 말니는데 님의 손ㅅ길은 너머도차서 限度가업슴니다

<님의손ㅅ길>에서

손이야 낫든지 다리야 써르든지
情하늘에 오르고 恨바다를 건느랴면
님에게만 안기리라

<情天恨海>에서

③ 네모진적은못의 蓮닙위에 발자최소리를내는 시럽슨바람이 나를嘲弄할째에 나는 아득한생각이 날카로은怨望으로 化함니다

<苦待>에서

④ 칼로베힌 리별의「키쓰」가 어데잇너냐
生命의꼿으로비진 리별의杜鵑酒가 어데잇너냐
피의紅寶石으로만든 리별의紀念반지가 어데잇너냐

<리별>에시

⑤ 綾羅島를감도러흐르는 失戀者인大同江아

<사랑의불>에서

⑥ 님이어 사랑이어 아츰볕의 첫거름이어
님이어 사랑이어 옛梧桐의 숨은소리여

<讚頌>에서

시 ①에서는 / 보석으로 사다리노코 진주로배모아요 / 와 같은 助詞隱喩로 / 보석·사다리·진주·매 / 의 對應的 審美性을 표출하고 있다. 시 결에서는 / 근심山·恨바다·情하늘 / 과 같은 名詞隱喩를 통하여 근심·恨 ·情 등 元觀念 사이의 特끄 差異를 補助觀念` 山· 바다·하늘등의 對比로 간결하게 압축하고 있다. 시 ③에서는 / 蓮닙위에 발자최소리를내는 시럽슨바람이 나를嘲弄할째에 / 아득한생각이 날카로은怨望으로 化함니다 / 와 같이 擬人比喩를 활용하여 觀念과 對象을 感覺化하고 있다. 시 ④에서는 / 칼로베힌 리별의「키쓰」/ 生命의쏫으로비진 리별의杜鵑酒 / 피의紅寶石으로만든 리별의紀念반지 / 등과 같이 / 베힌·비진·만든 / 이라는 冠形隱喩를 「의」隱喩와 結合함흐로써 / 칼·리별의「키쓰」/ 生命의쏫·리별의杜鵑酒 / 피의 紅寶石·리별의紀念반지 / 등과 같은 唯美的 固着心像을 力動的 이미지로 高揚시키고 있다. 시 ⑤에서 / 綾羅島를감도러흐르는 失戀者인大同江 / 이라는 冠形隱喩도 觀念과 對象의 結合으로 주관적 해석을 통해 효과적인 客觀物의 象徵化를 가능하게 한다. 시 ⑥에서는 / 님이어 사랑이어 아츰볕의 첫거름이어 / 옛梧桐의 숨은소리여 / 와 같은 반복적인 頓呼隱喩를 활용하여 情緖의 弛緩과 持續을 조절하고 있다. 또한 多重的 情緖의 層 속에 觀念을 적절히 影함으로써 審美的 緊張을 보다 上昇的인 것으로 만들어 준다. 이러한 다양한 隱喩의 베리에이션은 萬海의 시가 哲學的 幽玄으로 인해 빠지기 쉬운 觀念一邊倒를 지양하여 審美的 價値와 簡潔性을 지속시키는 데 효과적 기능을 수행한다. 또한 이러한 可變的 隱喩組織은 隱喩의 圖式性이 誘發하는 詩的 思考의 固定性과 論理的 硬直을 柔軟化하여 美的 緊張體系를 擴大하고 深化하며 나아가서는 情緖와 知性이 等價를 이루는 바탕이 된다. 지금까지 살펴본 것처럼 消滅과 生成을 軸으

로 한 萬海의 存在와 無의 辨證法的 想像力은 元觀念과 補助觀念의 二元單位로 짜여지는 隱喩過程을 통하여 詩的 形象力을 획득하게 된다. 想像力의 二元構造는 隱喩의 兩極에서 서로 모순되고 통일되기도 하면서 詩的 實體를 具有하는 것이다. 想像力을 實體化하는 隱喩는 繫辭隱喩에 의한 觀念 사이의 等價의 閃光的 照明을 기본원리로 하여 「의」隱喩에 의한 洞察力의 集中的 啓發, 動詞隱喩의 力動的 이미지 形成과 詩的 超越과 飛躍의 成就, 그리고 精靈論的 隱喩에 의한 詩的 神秘의 分泌와 레알리떼의 밀착과 같은 효과적인 방법론적 기능을 수행하고 있다. 아울러 이러한 中核的機能과 함께 名詞隱喩·冠詞隱喩·頓呼鬱喩·擬人隱喩 등 다양한 表現構造로 확대되고 심화-되어 시의 審美的 價値를 높여 주고 있는 것이다.

이렇게 볼 때 『님의 沈默』은 한마디로 말해 「隱喩詩學」을 形成한다고 할 수 있다. 이 隱喩는 繫辭型을 기본 방법으로 하여, 「의」隱喩로 洞察의 直觀的 深化를, 動詞隱喩로 이미지의 力動性을, 活物變質型으로 想像力의 飛躍과 超越을, 그리고 名詞隱喩와 冠形詞隱喩 및 助詞隱喩로 審美的 價値를 획득하는 등 다양하면서도 핵심적인 形象化 방법이 되고 있는 것이다. 따라서 萬海詩의 隱喩法은 方法論的인 면에서 形象化의 原動力이 되는 동시에 시 자체의 목적으로도 존재한다. 萬海 詩의 이러한 方法論 確立은 韓國의 近代詩가 비로소 現代詩的 轉換을 성취하는 한 계기가 된다. 形而上學的 詩人으로서, 또한 現代詩的 方法論을 확립한 최초의 시인으로서 萬海의 詩史的 位置가 선명히 드러나는 것이다.

4. 逆說의 構造

(1) 現代詩와 逆說

역설(paradox)이란 진실이 아닌 것처럼 보이지만 면밀히 살펴보면 타당성이 입증되는 陳述方法이다.[87] 즉 表面的으로는 모순되지만 內面에는 진실을 내포하는 표현 방법인 것이다. 브룩스(C. Brooks)에 의하면 現代特는 隱喩와 逆說로 구성된다고 한다. 특히 그는 現代詩의 言語가 逆說의 言語임을 강조하는 데 주력하고 있다.[88] 逆說의 言語란 격렬하고 발랄하며 재치가 있는 詭辯의 言語이다. 따라서 情緖의 言語라기보다는 知性的인 資質을 지닌다. 現代詩가 主知性을 바탕으로 해서 이루어지는 특징이 있기 때문에 逆說은 시에 적합한 것이다. 科學의 言語는 槪念(meaning)과 陳述(referent)이 1 : l(one to one correspond)[89]의 관계를 추구하기 때문에 逆說을 배제한다. 그러나 詩語는 類推를 기초로 하기 때문에 逆鋭이 필수적인 요소가 된다. 따라서 逆說은 단순한 표현 방법으로서뿐만 아니라 生의 眞理를 洞察하고 解釋하며 超克하는 精神의 힘으로 존재하는 것이다. 現代詩에서 隱喩가 裝飾的인 表現技法이 아니라 想像力을 전개하고 觀念을 드러내는 핵심 방법인 것처럼 逆說도

---

87) A. Preminger edit., *Princeton Encyclopedia of Poetry & Poetics* (Princeton: Princeton Univ. Press, 1969), p. 598.
哲學에서도 ① 通念에 대한 反對槪念(a statement that goes against generally accepted opinion) ② 反對·矛盾의 命題로 區分한다. 이러한 逆說의 理論으로는 Burali-Forti paradox, Cantor's paradox, Russel's paradox, Richard's paradox, König paradox. Berry's paradox. Grelling's paradox 등 여러 學說이 있다. : Paul Edwards edit,, *The Encyclopedia of Philosophy* (New York: Macmillan. 1972) VOI. 5~6. pp. 45~51.

88) C. Brooks. *The Wellwrought Urn* (New York: Harcourt. Brace & World, Inc.,1975). p. 3

89) R. Wellek& A. Warren, *Theory of Literature*(Harmodsworth: Penguin Books, 1976), p. 22.

단순한 표현 방법이 아니라 詩의 基本構造로서의 特性을 지닌다.

실상 근본적인 면에서 볼 때 精神과 肉體, 現實과 理想, 運命과 自由등의 矛盾의 主體로서의 인간의 삶 자체가 逆說인 것이며, 物質文明과 科學主義가 지배하는 現代文明 속에 神話的 時間과 휴머니즘으로의 回歸를 志向하는 詩가 共存할 수 있다는 사실 또한 逆說인지도 모른다. 그러므로 現代詩가 機械主義의 現代文明을 人間主義의 詩로 이끌어들이기 위해서는 逆說이 불가결의 材源이 아닐 수 없는 것이다.

먼저 브룩스는 워즈워드(W. Wordsworth)의 詩篇들 특히 <웨스트민스터 다리 위에서 (Composed upon Westminster Bridge)>를 분석함으로써 逆說의 實例를 들어 보이고 있다.[90]

① Silent, bare.
Ships, towers, domes, theatres, and temples lie
Open unto the fields……

고요하고 황량한
배들, 탑들, 穹窿들, 극장들, 寺院들이
벌판을 향해 펼쳐져 있느니

② Never did sun more beautifully steep
ln his first splendour, valley, rock, or hill……

태양은 첫 햇살의 장엄한 광채로 이보다 더 아름답게 물들일 수는 없는 것을, 계곡이며. 바위며, 언덕을…

③ The river glideth at his own sweet will…
강물은 빛나며 自由롭게 흘러가고

90) 참고로 Brooks의 說明을 中心으로 具體的인 逆說의 樣相을 살펴보기로 한다. Brooks, *op. cit.* pp. 5~11.

④ Dear God! The very houses seem asleep
And all that mighty heart is lying still!
주여 ! 모든 집들은 잠들어 있고
모든 힘찬 生命들은 아직도 고요하기만 합니다

①에서는 참든 都市 런던의 모습이 輪廓으로 떠오른다. 아침 일찍 잠든 도시의 모습이 별판과 대조되어 逆說的인 詩的 狀況(paradoxical situation)을 이룬다. 都會地 아침의 고요한이 田園의 아침으로 類推되어 있는 것이다. 몽블랑山(Mt. Montblanc)과 같이 天然의 고요함이 아닌데도 런던이 그러한 모습으로 묘사되는 逆說인 것이다. ②에서는 人工의 都市 런던이 아침햇살에 의해 새롭게 탄생하는 모습을 묘사한다. 여기서도 溪谷과 바위 등 自然과 이미지 聯關을 갖는다. 도회지의 번잡도 아침의 한 순간에는 자연의 일부로서 清新한 아름다움을 획득한다는 逆說인 것이다. 따라서 ③에서는 江의 모습이 原初的인 形象을 지니게 된다. 즉 文明의 江이 아니라 아침결에는 流動的이며 자연스러운 屈曲을 지닌 自然의 江으로서의 元來的 아름다움을 지니는 것이다. 그러므로 ④에서 /집들이 잠들어 있고/ 라는 표현이 가능해진다. /잠들어있다 / 라는 표현은 그것들이 살아 있다는 類推를 前提로만 성립된다. 이처럼 런던이라는 도시가 자연의 일부로서 살아 있다고 느낄 수 있는 시간은 도회지가 잠들어 있는 새벽에만 가능하다는 逆說이 드러나게 되는 것이다. 이처럼 逆說은 아이러니와 驚異感을 屬性으로 지니며[91] 詩의 優秀性을 드러낼 수 있는 畜在的 動因이 되는 것으로 볼 수 있다. 가장 田園的인 詩人으로 알려져 있는 워즈워드의 경우에도 이처럼 우수한 逆說이 참재해 있다고 볼 때 逆說은 詩語의 言語的 屬性과 詩의 本質 자체에 된다고 보여진다.[92] 詩人의 用語는 꾸준히 시 속에서 相互浸透 하면서 事典的인 意味를 파괴하는 것이기

91) *Ibid.*. p. 7.
92) *Ibid.*. p. 8

때문이다. 브룩스는 또한 던(John Donne)의 <敍品(Canonization)>을 통해 사랑의 不滅姓에 대한 逆說的인 洞察을 선명히 제시한다. 不死鳥(phoenix)의 隱喩로써 사랑의 逆說을 설명하고 있는 것이다. 不死鳥는 이집트 神話에 등장하는 새로서 아라비아의 사막에 살며 500년의 수명을 갖는다 한다.[93] 수명을 다한 후에는 香爐에서 스스로 자신의 몸을 불태움으로써 재 속에서 다시 부활하여 또 500년을 산다고 한다. 그러므로 영원히 죽지 않는 傳說의 새인 것이다.[94] 이처럼 詩語로서의 逆說은 모순되는 陳述들이 「잘 구어진 陶瓷器」로서의 시에 담겨지게 될 때 새로운 생명과 진리로 탄생하게 되는 것이다. 즉 日常語로서의 의미가 逆脫에 의해 새로운 의미의 詩語로 탄생하는 것이며, 동시에 모순이 모순을 극복하고 超越的 眞理로 上昇하는 過程 그것이 바로 逆說의 참된 의미인 것이다. 이러한 브룩스의 理論은 휠라이트(Philip Wheelwright)에 이르러 구체적인 理論的 體系를 갖추게 된다. 휠라이트는 逆說이 驚異感과 흥미를 일으키고 새로운 透視(perspective)를 제시하는 現代詩의 基本方法임을 주장하면서 逆說의 세 가지 用法을 제시하였다.[95] 이것은 ① 表層的 逆說(the paradox of surface)과 ② 深層的 逆說(the paradox of depth), 그리고 ③ 陳述과 暗示의 逆說的 相互作用(the paradoxical interplay of statement and innuendo)이 그것이다. 表層的 逆說이란 慣習的인 矛盾語法으로서 "차가운 불(cold fire)", "病든 健康(sick health)", "사랑의 憎惡(loving hate)" 등이 여기에 해당된다. 深層的 逆說은 超越的인 眞理를 더욱 강하게 지향하는데, 이것은 의미있는 蓋然性의(probability) 提示에 있어 신비스럽고 多面的이기 때문에 다분히 부적당하고 難解한 느낌을 준다. 또한 思辨的이면서도 表現的인 面貌를 지니는 것이다. "時間을 征服하는 것은 時間뿐이다

---

93) *The Columbia Encyclopedia* (New York: CoIumbia Univ. Press, 1945). p. 1388.

94) For the Phoenix is not two but one. "We two being one. are it"; and it burns. not like the taper at its own cost, but to live again. lt's death is life.: Brooks. op. cit., p. 16.

95) P, Wheelwright. T*he Burning Fountain* (lndiana: lndiana Univ. Press. 1954). pp. 70~73.

(only through time is conquered)", "우리의 유일한 健康은 疾病뿐이다(our only health is the disease)" 등 形而上學的 깨달음이 內包돼 있다. 따라서 이러한 深層的 逆說은 創造精神을 마당으로 하는 시에 있어서 必須不可缺한 방법이며 材源인 것이다. 즉 矛盾을 克服하고 超越的인 同一性을 획득하는 바탕이 되기 때문이다. 그리고 ③항은 이미져리 속에 잠재해 있는 暗示에 의해 일어나는 逆說이다. 詩行에서 구체적으로 드러나는 直接的 陳述은 이미져리 속에 내포돼 있는 暗示的 眞理와 逆說的인 相互作用을 일으킴으로서 詩的 意味를 高揚시키는 방법이다. 이것을 흔히 詩的 逆說(poetic paradox)로 표현하는 것은 이미져리가 구체적으로 드러나기 때문이다. 따라서 휠라이트에 의하면 逆說은 同一性과 多樣性, 單純性과 複合性, 精神性과 肉體性 등 對立되는 命題들을 超越하고 克服하는 방법이 되는 것이다.

그러면 萬海 詩에서 逆說의 한 實例를 분석해 보자.[96)]

> 당신의 소리는 「沈默」 인가요
> 당신이 노래를부르지 아니하는때에 당신의노래가락은 역역히들님니다 그려 당신의소리는 沈默이여요
> 당신의얼골은 「黑闇」 인가요
> 내가 눈을감은때에 당신의얼골은 분명히보입니다 그려
> 당신의얼골은 黑闇이여요
>
> 당신의그림자는 「光明」 인가요
> 당신의그림자는 달이너머간뒤에 어두은창에 비침니다 그려
> 당신의그림자는 光明이여요

<反比例> 全文

---

96) 萬海 特의 逆說에 관한 부분적 연구로는 吳世榮의 「逆說의 詩語」 ≪論文集)(忠南大學校 人文科學硏究所, 1974) 제 1권 1호와 「沈默하는 님의 逆說」 ≪국어국문학) 65·66 함병호(국어국문학회, 1974.12)가 있다.

이 작품은 全文이 逆說로 이루어져 있다. 첫째 聯에서는 / 소리는 「沈默」 인가요 / 와 같이 「소리」와 「沈默」의 모순되는 두 命題가 가설적으로 결합된다. 따라서 / 노래를부르지 아니하는때에 당신의노래가락은 역역히들님니다 / 라는 詩的 逆說이 성취되는 것이다. 또한 / 소리는 沈默이여요 / 라는 確信이 가능해진다. 둘째 聯에서도 / 얼골=黑闇 / 의逆說이 성립됨으로써 / 눈을감은때에 당신의얼골은 분명히보임니다 / 라는 超越이 가능해지는 것이다. 세째 聯도 / 그림자=光明 / 의 逆說이 성립됨으로써 / 그림자는 달이너머간뒤에 어두운창에 비침니다 / 라는 飛躍이 성취된다. 그러므로 당신의 / 소리 / 얼골 / 그림자/ 등이 이미 詩的 主體의 삶을 지배하는 原理로 上昇되어 있음을 알 수 있다. 즉 主體와 客體가 逆脫에 의해 根源的 同一性을 획득하게 된 것이다. 이처럼 逆說은 矛盾을 克服하고 詩的 超越과 飛躍을 성취시키는 原動力이 되는 동시에 詩的 想像力을 전개하는 근본 원리로 사용된다. 바로 이 점에서 精神的 克服의 「힘」과 詩想을 전개하는 방법론으로서의 逆說의 중요성이 인정되는 것이다. 그러면 4海 詩에서의 逆說의 原理와 그 特性을 살펴보기로 하자.

(2) 論理的 形式

論理學에서 말하는 思考의 根本原理는 3 가지의 基本法則 즉 3原理를 바탕으로 이루어진다.[97] 同一律(The principle of identity)과 矛盾律(The principle of contradiction) 그리고 排中律(The principle of excluded middle)이 바로 그것이다.[98] 同一律이란 事實의 變遷과 관계없이 命題에 대하여 항상 적용되는 원

97) 金俊燮. 『論理學』(서울: 正音社, 1981). pp. 25~31.

98) P Edwards. *The Encyclopedia Philosophy* (New York: Macmillan. 1972). VoL3~4. pp. 414~416: The term "laws of thought" traditionally covered the principles of identity. of contradiction. of excluded middie. and occasionally the principk of

리를 말한다. 眞은 眞으로서 동일하고 爲는 僞로서 동일한 것으로서 自己同性을 주장하는 것이다. 이것은 /甲은 甲이다/사람이면 사람이다/의 陳述처럼 肯定的 思考의 기초가 된다. 한편 矛盾律은 / 甲은 非甲이 아니다 / A이면서 동시에 A아닌 것은 없다(nothing can be A and not A / 등과 같이 矛盾된 命題를 排斥하는 것이다. 이것은 否定的 思考의 기초가 되는 것으로 모순된 두 命題는 時間과 場所를 달리하면 모두 참일 수도 있는 것이다. 그리고 排中律은 두 개의 모순된 판단 사이에 第三判斷을 용납할 수 없다는 원리로서 中間을 배척하고 들 중의 어느 하나를 眞으로 선택케 하는 원리다. 즉 / 甲은 甲이든가, 또는 甲이 아니든가이다(any proposition must be either true or false)/ 라는 陳述 방법이다. 따라서 『님의 沈』의 逆說은 이상의 同一律, 矛盾律, 排中律에 대한 反對概念으로부터 출발하게 된다.

論理學		萬海의 逆說
同一律 : A=A	→	A≠A
矛盾律 : A≠non A	→	A=B
排中律 : A=A or non A	→	A≠A or B

① A=A→A≠A

님은갓지마는 나는 님을보내지 아니하얏습니다

<님의沈默>에서

사랑을「사랑」이라고하면 발써 사랑은아닙니다

<사랑의 存在>에서

남들은 님을생각한다지만
나는 님을잇고저하야요

<나는잇고자>에서

滿足을 엇고보면 어든것은 不滿足이오 滿足은 依然히 압헤잇다

<滿足>에서

---

sufficient reason.

첫번째 형식은 同一律에 대한 逆說이다. / 님은갓습니다 / 라는 陳述은 사실에 근거를 둔 論理的 判斷이지만 /나는 님을보내지 아니하얏습니다 / 라는 陳述에 의해 同一律이 파괴된다. 따라서 「갔지만 가지 않았다」는 論理的 二律背反이 일어나게 된 것이다. 또한 / 사랑을 「사랑」이라고하면 발써 사랑은 아닙니다 / 라는 陳述은 同一律을 否定한 것이 된다. 마찬가지로 / 님을 생각한다지만 / 님을 잇고저하야요 / 라는 陳述도「A≠A」의 逆說的 論理에 바탕을 둔 것이다. / 滿足을 엇고보면 不滿足이오 / 라는 陳述도 同一律에 대한 逆說的 論理가 된다. 이처럼 同一律의 論理를 否定함으로써 命題 속에 감추어져 있는 眞理를 逆說的으로 드러낼 수 있게 되는 것이다.

② A=B

타고남은재가 다시기름이됩니다

<알ㅅ수업서요>에서

그럼으로 大解脫은 束縛에서 엇는것입니다

<禪師의說法>에서

당신의소리는「沈默」인가요

<反比例>에서

밧분것이 게으른 것이다

<사랑의 쓧판>에서

두 번째 形式은 A≠non A 라는 二重否定의 矛盾律에 逆說이므로 「A=B」의 轉移가 일어나게 된다. / 타고남은재가 다시기름이됩니다 / 라는 陳述은 科學的 次元에서는 불가능한 論理이다. 矛盾律에 의해서도 論證될 수 없는 命題이므로 逆說이 성립되는 것이다. 따라서 「재=기름」이라는 論理的 超越의 逆說이 가능해진다. / 大解脫은 束縛에서 엇는것임니다 / 소리는 「沈默」인가요 / 밥분것이 게으른것이다 / 등도 觀念의 轉移와 超克이 이루어진다. 특히 이 形式은 隱喩的 表現에 의해 元觀念과 補助觀念의 統合과 超克이 성

취되는 특징을 지닌다.

③ A≠A or B

論介여 나에게 우름과우슴을同時에주는 사랑하는論介여
千秋에 죽지 안는 論介여
하루도 살ㅅ수없는 論介여

<論介의愛人이되어그의廟에>에서

感情과理智가 마조치는 刹那에 人面의惡魔와 獸心의天使가 보이라다 사러짐니다

<?>에서

가랴다오고 오랴다가는것은 나에게 목숨을째앗고 죽엄도주지안는것임이다

<차라리>에서

그대는 花環을만들냐고 써러진꼿을줏다가 다른가지에걸녀서 주슨꼿을헤치고 부르는 絶望인希望의 노래임니다

<타골의詩 (GARDENISTO)를읽고>에서

세 번째 形式은 排中律에 대한 逆說이다. 따라서 矛盾되는 두 命題가 동시에 結合되는 특징이 있다. 원래 排中律이 A=A or non A이기 때문에 A≠A or B라는 逆說的 等式이 성립되는 것이다. ③에서는 / 우름과우슴을同時에주는 사랑하는論介여 / 에서 울음이나 웃음 한 가지만을 줄 수 있어야 함에도 불구하고 두 가지를 함께 준다는 아이러니를 表出하며 특히 / 千秋에 죽지 안는 論介여 / 하루도 살ㅅ수업는 論介여 / 와 같이 동시에 성립될 수 없는 두 모순되는 命題가 共存함으로써 排中律을 拒否하는 것이다. 또한 / 絶望인希望의 노래 / 도 排中律에 어긋나는 逆的 表現인 것이다.

이러한 萬海의 逆說은 正常的인 論理에 대한 否定을 마당으로 形成·展開

된다. 즉 逆說은 前提된 論理를 否定함으로써 모순을 불러일으키게 되고 矛盾은 對立되는 두 契機의 沒落(zu Grunde gehen)을 誘導하게 되어 마침내 根據로 나아가게 된다.[99] 따라서 근거로 나아간다는 것은 裡面의 消極的인 同一性이 완전히 表面化하여 積極的인 同一性으로 바뀌게 되는 것이다.99) 따라서 두 對立되는 命題의 統一이 가능해지고 여기에서 逆說的 超克의 論理가 비로소 성취되는 것이다. 이처럼 萬海의 逆說은 現象的 論理에 대한 否定精神에 基底하는 것이 특징이다. 萬海가 當代社會를 矛盾의 時代로 인식하고 님이 沈默하는 悲劇의 時代로 파악하였음에 비추어 이러한 逆說에 의해 現狀의 矛盾과 悲劇을 克服하려 試圖하는 것은 지극히 당연한 일이다. 그것은 矛盾의 時代에 親得力을 가질 수 있는 유일한 論理는 逆說일 수밖에 없기 때문이다.

(3) 內容構造

萬海의 逆說은 內容的인 면에서 살펴보면 대략 세 가지의 構造를 지닌다. 첫째는 感性的인 느낌을 표출하는 情緖的인 것과, 意志와 信念이 드러나는 意志的 逆說, 그리고 思想이나 說教에 바탕을 둔 觀念的 逆說이 그것이다.

1) 情緖的 逆說

① 쏫은 써러지는향긔가 아름답슴니다
해는 지는빗이 곱슴니다
노래는 목마친가락이 묘함니다
님은 써날째의얼골이 더욱어엽븜니다

<써날째의님의얼골>에서

99) 朴鍾鴻, 『辨證法的 論理』(서울 : 博英社. 1980). p.148.

② 당신가신뒤에 이세상에서 엇기어려은 快樂이 잇슴니다
그것은 다른것이아니라 잇다금 실컷우는것임니다

<快樂>에서

③ 한숨의봄바람과 눈물의水晶은 써난님을긔루어하는 情의秋收임니다
저리고쓰린 슯음은 힘이되고 熱이되야서 어린羊과가튼 적은목숨을 사러움지기게함니다
님이 주시는 한숨과눈물은 아름다은 生의藝術임니다

<生의藝術>에서

④ 그럼으로 그사람을미워하는고통도 나에게는 행복임니다
만일 왼세상사람이 당신을사람하고자하야 나를미워한다면 나의행복은 더클수가업슴니다
그것은 모든사람의 나를미워하는 怨恨의白頭山이 놉허지는 까닭임니다

<幸福>에서

①詩는 消滅의 詩學에 근거를 둔다. / 써러지는향긔 / 지는빗 / 목마친가락 / 써날째의얼골 / 등은 下降的인 意味領域을 지닌다. 따라서 이러한 下降的 이미지의 禮讚은 悲劇的 認識에 기초하는 것으로서 情緖的인 緊張의 美를 誘發하게 되는 것이다. 피어나는 것, 떠오르는 것, 우렁찬것, 만날 때가 아름답고 좋은 것이라는 日常的 通念을 逆說的으로 뛰어넘는 것이다. ②詩도 「실컷우는것=快樂」이라고 하는 逆說을 표출한다. 快樂이 즐거움과 기쁨으로부터 얻어지는 感情認識의 한 樣態라는 常識的 通念을 拒否하고. 우는 것 그것도 / 실컷우는것 / 에서 찾을 수 있다는 陳述은 분명 아이러니가 아닐 수 없다. 이러한 逆說 속에는 「울음」을 통한 自己克服이라는 逆說的인 論理가 潛在돼 있어 積極的인 自己否定을 통해 肯定에 도달하려는 안간힘이 介在돼 있는 것

이다. ③詩에서도 / 한숨 / 과 / 눈물 / 이 / 情의秋收 / 이며, 동시에 / 生의藝術 / 이라는 隱喩的 表現 속에는 悲劇的 情緖가 내포돼 있다. 그러면서 / 슯음은 힘이되고 熱이되야서 어린羊과가튼 적은목숨을 사러움지기게 합니다 / 와 같이 슬픔의 悲劇的 情緖가 克服의 모티베이션이 되는 것이다. ④詩에서도「미워하는 고통=행복」이라는 情感的 認識이 시의 밑바탕이 된다.

이처럼 情緖的 逆說이란 感性的인 느낌과 깨달음에 바탕을 둔 방법으로서 消極的인 克服의 論理를 성립시키는 바탕이 된다. 또한 情緖的 美感을 高揚시키는 데도 중요한 기능을 수행하는 방법이다.

2) 意志的 逆說

① 우리는 맛날때에 써날것을염녀하는것과가티 써날때에 다시맛날것을 밋슴니다

아아 님은갓지마는 나는 님을보내지 아니하얏슴니다

<님의沈默>에서

② 남들은 님을생각한다지만

나는 님을잇고저하야요

잇고저할수록 생각히기로

행여잇칠가하고 생각하야보앗슴니다

<나는잇고자>에서

③ 남들은 自由를사랑한다지마는 나는 服從을조아하야요

自由를모르는것은 아니지만 당신에게는 服從만하고십허요

服從하고십흔데 服從하는것은 아름다은自由보다도 달금함니다 그것이 나의 幸福임니다

<服從>에서

④ 그러고 아즉 이세상에는 그주머니에널만한 무슨보물이 업습니다.
이적은주머니는 지키시려서 지치못하는것이 아니라 지코십허서 다지치안는 것임니다.

<繡의秘密>에서

意志的 逆說의 특징은 信念이나 希望, 또는 意志와 主觀 등이 명확하게 표출되는 데 있다. ①詩는 / 밋슴니다 / 보내지 아니하얏슴니다 / 와같이 확고한 신념이 응집돼 있다. 즉 事實이나 理性의 次元을 뛰어넘어 想象力의 世界 속에서 信仰的 次元의 信念을 획득하는 것이다. ②詩에서는 / 나는 님을잇고저하야요 / 와 같이 강력한 意志가 작용한다. / 남들은 님을생각한다지만 / 과 같이 보편적인 일상적 의미가 / 나는 님을 잇고저하야요 / 처럼 主觀的 意志 속에서 逆視的 超克을 성취하는 것이다. 또한 / 잇고저할수록 생각히기로 / 행여잇칠가하고 생각하야보앗슴니다 / 라는 逆說 속에는 사랑의 괴로움과 갈등, 그리고 超克意志가 함께 內在해 있다. ③詩에는 自由의 참된 의미가 逆說的으로 제시된다. / 남들은 自由를사랑한다지마는 나는 服從을조아하야요 / 라는 구절은 自由와 服從이 銅錢의 表裏와 같은 것임을 逆說的으로 말해 준다. 自由는 解放의, 服從은 拘束의 同意語로 사용되고 있기 때문이다. 진정한 자유는 구속 속에서 얻어질 수 있으며, 마찬가지로 진정한 해방은 복종을 통해 성취되는 것이다. /服從하고십흔데 服從하는것은 아름다은自由보다도 달금합니다 / 라는 逆說은 바로 이러한 自由와 拘束, 解放과 服從의 참뜻을 드러내는 구절이다. 복종함으로써 얻게 되는 자유와 해방이 참 기쁨을 줄 수도 있다는 確信[100]이 潛在해 있는 것이다. ④詩에도 이러한 意志的 逆說이 더욱 신명하게 드러나 있다. / 이적은주머니는 지키시려서 지치못하는것이 아니라

100) "그러므로 만약 법을 구하는 사람은 일께의 법에 읽매인이 없어야 합니다(若求法者 於-切法 應無所求)." : 小林-郎, 『維摩經講義』 李法華 譯(서울 : 靈山法華社 出版部, 1979), pp. 7~8

지코십허서 다지치안는것입니다 / 라는 逆說은 사랑의 原理를 제시한다. / 지코십허서 다지치안는것 / 이라는 구절은 사랑의 永遠한 未完의 緊張을 지속하기 위하여 주머니를 완성하지 않는다는 탁월한 隱喩인 것이다. 의도적으로 완성하지 않는 주머니는 바로 사랑이 可能態이며 理念態로 존재한다는 점을 透視한 逆說的 表現이다. 이러한 意志的 逆說은『님의 沈默』이 諦念과 悲觀의 시로서가 아니라 信念과 意志의 시로 존재한다는 사실을 거듭 확인할 수 있게해 준다. 情緖的 逆說이 消極的 克服과 美學的 超越의 방법이라면 意志的 逆說은 積極的이며 能動的인 克服의 방법인 것이다. 특히 意志的 逆說은 萬海 詩가 宗敎的 超克性과 敬虔性을 획득하게 하는 밑바탕이 된다는 점에 중요성이 있다.

3) 觀念的 逆說

① 一莖草가 丈六金身이되고 丈六金身이 一莖草가됩니다
天地는 한보금자리오 萬有는 가튼小鳥입니다

<樂園은가시덤풀에서>에서

② 滿足을 엇고보면 어든것은 不滿足이오 滿足은 依然히 압헤잇다.
滿足은 愚者나聖者의 主觀的所有가아니면 弱者의期待뿐이다

<滿足>에서

③ 사랑의줄에 묵기운것이 압호기는 압호지만 사랑의줄을끈으면 죽는것보다도 더 압흔줄을 모르는말입니다
사랑의束縛은 단단히 얼거매는것이 푸러주는것입니다
그럼으로 大解脫은 束縛에서 엇는것입니다

<禪師의說法>에서

④ 사랑을 「사랑」이 라고하면 발써 사랑은아닙니다
사랑을 이름지을만한 말이나글이 어데잇슴닛가

<사랑의 存在>에서

나는 그들의사랑이 表現인것을 보앗습니다
진정 한사랑은 表現할수가 업습니다
그들은 나의 사랑을볼수는 업습니다
사랑의 神聖은 表現에 잇지안코 祕密에잇습니다

<七夕>에서

觀念的 逆說은 思辨的인 것이 특징이다. ①詩에서 / 一莖草가 丈六金身이 되고 丈六金身이 一莖草가됩니다 / 라는 陳述은 佛敎的 觀念으로 이루어져 있다. 여기서 丈六金身이란 身長이 一丈六尺인 佛身을 말한다. 따라서 / 一莖草가 丈六金身이되고 / 라는 깨달음의 境地에서는 한 줄기 풀과 휘황하게 金빛을 발하는 佛身이 자유롭게 서로 상대방으로 변한다[101]는 佛敎的 깨달음의 逆說이 내포돼 있다. 또한 天地는 萬有의 보금자리라는 禪的 洞察에도 역설이 內包돼 있다. ②詩에서도 滿足이란 잡을수 있는 구체적인 實體가 아니라 精神的·主觀的으로 존재하는 것임을 喝破한다. / 滿足을 엇고보면 어든것은 不滿足이오/라는 逆說은 滿足이란 영원히 充足될 수 없는 것으로서 無이며 동시에 空이라는 說法이 제시돼 있는 것이다. ③詩에서는 사랑의 拘束性이 逆說的으로 드러난다. / 사랑의줄에 묵기운것이 압흐기는 압흐지만 / 이라는 逆說的 表現은 사랑이 運命的인 拘束性을 지닌 것이라는 점을 말해 준다. 따라서 /사랑의束縛은 단단히 얼거매는것이 푸러주는것입니다 / 라는 사랑의 矛盾的 兩面性이 제시돼 있다. 사랑은 拘束을 통해서 비로소 자유와 기쁨을

---

101) 宋稶 『님의 沈默 全篇解說』, p. 213 그리고 이 原文은 『碧巖錄』에서 由來한다고 한다. 有時將一莖草 作丈六金身用 有時將丈六金身 作一莖草用. 同書 第一卷 第八則 再引用.

얻는 것이라는逆說이 성립되는 것이다. 그러므로 /大解脫은 束縛에서 얻는것입니다 / 와 같이 구속과 자유 등 아무것에도 얽매임이 없는 것으로서의 眞正한 解脫에 대한 깨달음을 성취하게 되는 것이다. ④詩에서는 / 사랑을 「사랑」이라고하면 발써 사랑이아닙니다/와 같이 사랑이 言說로 표현될 수없는 정신적인 것으로 존재함을 역설한다. 佛敎에서 말하는 사랑의 不立文字說을 說破한 것이다[102]./ 진정한사랑은 表現할수가 업습니다/ 라는 逆說도 마찬가지이다. 또한 /사랑의神聖은 表現에잇지안코 秘密에잇습니다/라는 逆說도 사랑이 精神性에 바탕을 둔 것으로서 결코 言說로 드러낼 수 없는 데 참뜻이 있음을 강조한 것이다.

이처럼 觀念的 逆說은 佛敎的 知識이나 形而上學的 깨달음을 표출하는 방법으로 주로 많이 사용된다.

(4) 表現的 特性

逆說은 표현방법에 있어 對照的인 構文과 比喩的인 構文의 두 가지 형태로 나뉘어진다. 먼저 對照의 構文을 살펴보기로 한다.

1) 對照形式

> ① 당신과나의距離가멀면 사랑의量이만하고 距離가가까으면 자람의量이 적을것입니다

---

102) 石田瑞麿,『般若·維摩經의 智慧』. 李元燮 譯(서울:玄岩社. 1976). PP. 178~179·
"일체의 존재는 환상 같은 것이니까. 왜냐하면 모든 언어도 환상임을 면치 못하는 까닭이다. 지혜로운 사람은 문자 같은 것에 집착하여 근심하는 일이 없다. 문자는 그것이 나타내고자 하는 사물에서 분리돼 있는 까닭이다. 말하자면 문자라는 것은 처음부터 없었던 것이다. 이것이 바로 진정한 해탈이며, 이 해탈의 모습이 곧 인체의 존재 그것이다."

그런데 적은사랑은 나를 웃기더니 만한사랑은 나를 울님니다

<사랑의測量>에서

② 머리는 희여가도 마음은 붉어감니다
피는 식어가도 눈물은 더워감니다
사랑의언덕엔 사태가나도 希望의바다엔 물ㅅ결이뛰노러요

<거짓리별>에서

③ 사람이머러질수를 마음은가까워지고 마음이가까워질수록 사람은머러진다
보이는듯한것이 그의 흔드는손수건인가 하얏더니 갈마기보다도적은 쪼각구름이 난다

<그를보내며>에서

④ 그것은 모든사람의 나를미워하는 怨恨의豆滿江이 깁흘수록 나의 당신을 사랑하는 幸福의白頭山이 놉허지는 까닭임니다

<幸福>에서

⑤ 님의사랑은 鋼鐵을녹이는불보다도 뜨거은데 님의손길은 너머차서 限度가 업습니다
님의 사랑은 불보다도 뜨거워서 근심山을 태우고 恨바다를 말니는데 님의손ㅅ길은 너머도차서 限度가업습니다

<님의손ㅅ길>에서

① 에서는 「님」과 「나」 사이의 距離와 사랑의 量이 對比된다. 즉 / 당신과 나의距離가멀면 사랑의量이만하고 距離가가까으면 사랑의量이 적을 것 / 이라는 逆說은 사랑이 現實的인 것이 아니라 理念的인 것으로 존재함을 말해주며, 거리가 멀수록 사랑의 양이 많다는 陳述은 님과의 사랑이 거리에 의해 측정될 수 있다는 아이러니를 드러낸다. 또한 / 적은 사랑은 나를 웃기더니

만한사랑은 나를 울님니다 / 와 같이 對照構文을 통해 「웃음」과 「울음」이라는 사랑의 兩面的 眞實을 표출한다. 이처럼 「距離」 : 「量」, 「웃음」 : 「울음」 등의 對照構文으로 아이러니를 特徵的으로 드러내는 것이다. ②도 對照의 構文을 형성하고 있다. /머리 : 마음 / 희여가도 : 붉어감니다/ , / 피 : 눈물 / 식어가도 : 더워감니다 / , / 사랑의언덕 : 希望의바다/사태가나도 : 물ㅅ결이뛰노러요/와 같이 정확한 對稱의 構文을 통해 사랑의 强烈性과 持續性 그리고 生命의 躍動을 표출하는 것이다. ③ 의 경우도 對照構文으로 이루어져 있다. / 사람이 머러진수록 마음은가까워지고 마음이가까워질수록 사람은머러진다 / 라는 陳述은 ①에서처럼 사랑이 精神的·理念的인 것으로 존재함을 말해 주는 역설로서, 逆說의 眞理가 對照構文을 통해 더욱 선명히 드러난다. ④에서는 / 모든사람 : 나 / 미워함 : 사랑함 / 怨恨 : 幸福 / 豆滿江 : 白頭山 / 깁흘수록 : 놉허지는 / 과 같이 정확한 對稱의 對照構文을 이루고 있다. 따라서 사랑이 主觀的인 것이며 고통 속에서 더욱 깊어지고 확실해지는 것임을 강조하게 된다. ⑤에서는 / 사랑 / 과 / 손ㅅ길 / 을 對應시키고 있다. 여기서 / 사랑 / 은 情熱이며 感性이고, / 손ㅅ길 / 은 理智이며 知性이어서 역시 사랑의 두 側面을 선명히 제시한 것이다.

이처럼 逆說은 表現構造에 있어서 對稱의 對照構文을 취하고 있는데, 이것은 矛盾이 모순으로 끝나지 않고 두 眞理의 差異를 드러냄으로써 그 本質的 屬性을 더욱 선명히 강조하려는 데 특징이 있는 것으로 보인다. 그러면 다음에는 比喩構文을 들어보자.

2) 比喩形式

① 아아 나는 날마다날마다 눈물의仙境에서 한숨의玉笛을 듯슴니다 나의눈물은 百千줄기라도 방울방울이 創造임니다

<눈물>에서

② 리별은 美의創造입니다

리별의美는 아츰의 바탕(質)업는 黃金과 밤의 올(糸)업는 검은비단과 죽엄업는 永遠의生命과 시들지안는 하늘의푸른꼿에도 업습니다

님이어 리별이아니면 나는 눈물에서죽엇다가 우슴에서 다시사러날수가 업습니다 오오 리별이어

美는 리별의創造입니다

<리별은美의創造> 全文

③ 그러고 마즈막秘密은 하나잇습니다 그러나 그秘密은 소리업는 매아리와가터서 表現할수가 업습니다

<秘密>에서

④ 아아 님이어 죽엄을 芳香이라고하는 나의님이어 거름을돌니서요 거긔를가지마서요 나는시려요

<가지마서요>에서

⑤ 님의얼골에 단장을하는것이 도로혀 험이되는것과가터 나의노래에 곡조를 부치면 도로혀 缺點이됩니다

나는 나의노래가 님에게들니는것을 생각할때에 光榮에넘치는 나의지은 가슴은 발발발썰면서 沈默의音譜를 그립니다

<나의노래>에서

①은 / 눈물의仙境 / 한숨의玉笛 / 등과 같이 美化法의 隱喩로 구성되어 있다. 또한 /눈물은 百千줄기라도 방울방울이 創造입니다 / 처럼 「눈물=創造」라는 隱喩的 逆說로 이루어져 있어 눈물이 創造의 源泉으로서 高揚된다. 이러한 逆脫의 比喩的 表現法은 ②에서 더욱 선명히 드러난다. / 리별은 美의創造입니다 / 라는 前提는 「리별=美의創造」라는 超越的 眞理를 隱喩的으로 표출한 것이며, 또한 / 죽엄업는 永遠의生命 / 시들지 안는 하늘의푸른꼿 /도

誇張法의 逆說이다. 生命의 永遠性과 天上的 價値로서의 「꽃」의 不滅性을 表象한 것이다. 그러므로 /리별이아니면 나는 눈물에서죽엇다가 우슴에서 다시사러날수가 업슴니다 / 처럼 눈물과 죽음을 통한 웃음과 생명의 復活을 逆說的으로 제시할 수 있게 된 것이다. 또한 結構 역시 / 美는 리별의創造임니다 / 처럼 다시 한번 美를 逆說的인 隱喩로 강조한다. ③에서는 / 그祕密은 소리업는매아리와 가터서 表現할수가 업슴니다 / 처럼 直喩法으로 表現되어 있으며 이 直喩의 構文 속에 다시 / 소리업는매아리 / 와 같은 矛盾語法(oxymoron)[103] 이 내포되어 二重의 逆說을 형성하는 것이다. ④에서는 / 죽엄을 芳香이라고하는 나의님이어 / 처럼 「죽엄=芳香」의 隱喩的 等式의 逆說이 제시대 있다. 죽엄이 芳香으로 되어 죽엄의 超克이 가능해진 것이다. ⑤에서도 / 단장을하는것이 도로혀 험이되는것과가티 / 라는 補助觀念의 直喩構文과 / 나의노래에 곡조를부치면 도로혀 缺點이됨니다 / 라는 原觀念이 결합되어 자연스러움의 아름다움을 찬양하고 있다. 또한 여기서도 / 沈默의音譜 / 처럼 矛盾語法이 附加되어 있는 것이 특징이다. 이처럼 逆說의 形式은 比喩構文으로 이루어져 矛盾의 超克과 統一을 성취 하고 있는 것이다.

지금까지 살펴본 것처럼 逆脫은 現代詩에서 필수불가결한 要素인 동시에 萬海 詩에서 重核的인 方法論으로 사용되었음을 알 수 있다. 萬海詩에서 逆說은 단순한 표현 방법이 아니다. 즉 矛盾되는 두 命題를 극복하고 초월시키는 정신의 「힘」으로서뿐만 아니라 想像力을 전개하고

完結하는 「方法論」으로서도 중요한 기능을 발휘하는 것이다. 萬海 詩가 悲劇的 世界觀과 否定的 認識에 기초를 두고 있으며 또한 神聖과 世俗의 葛藤에 마당을 두고 있음에 비추어 이러한 逆說의 重要性이 강조될 수밖에 없다. 그리고 萬海 詩가 逆說로 이루어져 있다는 사실은 그의 詩精神이 克服

103) oxymoron이란 모순되는 것처럼 보이는 두 요소를 결합하는 비유법으로서 응축된 역설 (condensed paradox)의 일종이다. : A. Preminger. *op. cit.*, p. 595

의 精神에서 비롯한다는 사실을 단적으로 말해 주는 것이 된다. 따라서 表題『님의 沈默』에서 「沈默」은 萬雷가 담겨져 있는 극복과 생성. 그리고 끈질긴 기다림의 탁월한 逆說인 것이다.

V. 文學史的 研究

1. 外來詩와의 影響關係

(1) 比較文學的 檢討

지금까지 萬海詩를 검토하는 데 있어서 타골詩 특히 『園丁』과의 比較文學的 研究는 필수적인 작업으로 인정되어 왔다. 이것은 그만큼 다를 詩가 萬海詩 『님의 沈默』에 미친 영향이 지대한 것으로 생각되었기 때문이다. 타골과 萬海 詩의 비교문학적 연구는 宋稶의 「唯美的 超越과 革命的 我空」[1]에서부터 비롯된다. 이 작업은 객관적인 비교문학적 탐구가 목적이기보다는 『님의 沈默』의 탁월성과 문학사적 위치 확보를 목표로한 비교연구의 성격을 지녔다. 따라서 <타골의詩(GARDENISTO)를읽고> <당신을보앗습니다> 등 대표작 몇 편을 대상으로 만해와 타골의 문학정신을 비교 검토하고 있다. 그 결과 "絶對者에 대한 憧憬"으로 타골의 詩를 요약했으며, 『園丁』을 社會的 歷史的 正義에 비추어 現實을 보았을 때 느낄 수 있는 義憤의 불기둥이 없는

---

1) 이 논문은 ≪思想界≫ 117호(1963.2)에 발표되고 『詩學評傳』(서울 :一潮閣. 1963.5)에 수록되었다.

작품[2])으로 批判하게 되었다. 이러한 송욱의 작업은 단편적인 것이어서 체계와 깊이가 부족하고, 또한 『님의 沈默』의 우수성을 지나치게 강조하려는 의도가 노출됨으로써 객관적 설득력을 확보하는 데는 다소 무리가 있는 것으로 보인다. 그러나 극히 단편적으로 운위되던 타골과의 본격적인 비교연구가 작품을 통해서 전개된 최초의 업적이라는 점에서 공적이 인정된다. 宋皙來는 『님의 沈默』에 미친 타골의 영향을 『기탄잘리 (Gitanzali)』를 예로 들어 검토하였다.[3]) 그는 自然觀照와 東洋的 知性의 詩的 調和라는 가도에서 상호관련경을 제시하였다. 그러나 이 연구는 <알ㅅ수업서요> 한 편에 대한 부분적 검토로서 "임의 沈默이 Tagore의 刺戟과 影響을 받지 않고 나올 수 있었다고 생각하는 것을 허황된 일"이라거나 "Tagore의 詩魂을 통하여 아시아 精神과 유럽 精神과의 渾然-體化된 詩的 調和의 美에 接하였을 것"이라는 과장적인 결론[4])을 도출한 데서 문제점이 쉽게 드러난다.

金允植은 이에 관해 보다 포괄적인 논의를 전개하였다.[5]) 그는文化史的인 측면에서 타골 수용의 과정과 한계점을 상세하게 분석하였다. 이 논의에서 그는 타골문학이 지닌 西洋文學的 同和性으로 인해 한국문학에의 수용에는 한계가 드러날 수밖에 없음을 예리하게 지적하였다. 타골 受容이 다분히 心情的 反應에 가까운 것으로 이해한 것은 타당성이 인정될 수 있는 것으로 보인다.

辛夕汀은 「詩人으로서의 萬海」에서 타골의 영향에 대해 구체적 분석을 缺한 피상적 고찰을 전개하지만 어느 면 요령있는 지적을 하고 있다.

그는 "만해는 詩의 技倆(형식)은 타골에게서 얻었고 사상적 바탕은 차라리

---

2) *Ibid.*, p.312.

3) 宋皙來, 「임의 沈默研究」 ≪國語國文學論文集≫ 4·5 한병호 (서울·동국대 국어국문학회· 1964)

4) *Ibid.*, pp.111～118.

5) 金允植, 「韓國新文學에 있어서의 타골의 影響에 대하여」≪震檀學報≫ 32호(서울 : 震檀學會, 1969), 『近代韓國文學研究』(서울 : 一志社 1973)· pp· 191～243 참조

간디에 두고 있다고 보아야 마땅할 것"[6] 이라고 지적하여, 타골의 영향이 형식적인 면에 그칠 뿐 독립운동에 비협조한 타골의 시정신은 만해가 용납할 수 없었던 것으로 이해하고 있다.

金容稷은 그간의 연구에서 한걸음 더 나아가『님의 沈默』과『園丁』의 구체적인 비교 분석을 제시하였다.[7] 그는 타골의 수용과정을 문학사적으로 면밀히 검토하면서『園丁』을 중심으로『님의 沈默1과의 대비 가능성을 직접적으로 제시 함으로써 원천·영향 관계를 추출하는 성과를 보여 주었다. 따라서 타골 시가만해 시의 形成動因이 됨을 밝혀내었다. 그러나 이 연구 역시 대비 가능성에 부수되는 상관 관계를 개괄적으로 기술하는 단계에 머물고 만 느낌이 있다.

鄭漢模와 金澤東도 이에 관한 논의를 전개한 바 있다. 정한모는[8] 萬海의『님의 沈默』에 수록된 詩篇들이 타골의 본격적 도입 이후에 이루어진 것으로 보아 한국의 近代詩의 形成과 그 전개에 미친 영향을 강조하였으나, 구체적인 비교 겸토를 제시하고 있지 않다. 金澤東[9] 역시 타골과 만해의 영향관계를 지적하고 있으나 구체적인 작품 분석을 전개하지는 않고 있다.

따라서 본 항목에서 필자는 타골의 대표작이며『님의 沈默』과 직접적인 연관성이 있는 것으로 생각되는『園丁』과『님의 沈默』을 비교 검토 하고자 한다. 여기에서 문제가 되는 것은 金岸曙譯本의『園丁』을 텍스트로 할 수밖에 없는 어려움이다. 岸曙가 사용한 텍스트가 英譯本인지 日譯本인지 혹은 에스페란토譯本인지 하는 문제는 아직도 명확히 밝혀져 있지 않은 숙제의 하나이다. 확실한 것은 벵갈語로 씌어진 原詩를 직접 참고하지 않았을 것이라는 점뿐이다. 따라서 벵갈語로 된 原詩가 지닌 본래의 문학성의 깊이와 넓이

---

6) 辛夕汀.「詩人으로서의 萬海」≪나라 사랑≫ 2집(서울: 외솔회 1971), pp·26～29
7) 金容稷,「Rabindranath Tagore의 수용」『韓國現代詩硏究』(서울 : 一志社. 1974)
8) 鄭漢模.『韓國現代詩文學史』(서울 : 一志社. 1974). p.400.
9) 金澤東,『韓國近代詩人硏究』(서울 : 一潮閣. 1974), pp. 73～79.

는 이것이 英譯되고 다시 日語 또는 에스페란토譯으로 重譯되고 또다시 韓譯되는 과정에서 크게 변모한 것이 사실일 것이다.[10] 萬海가 上記의 여러 外國語譯을 직접 참고했는지와 여부는 불분명한 일이지만, 國譯本『園丁』을 주로 참고했으리라는 것은 믿기 어렵지 않다. 다음 項에서 설명하겠지만 岸曙의 국역본『園丁』은『님의 沈默』과 여러 가지 점에서 直接·間接의 관련성과 영향 관계가 드러나기 때문이다. 특히『園丁』은 李光洙의 지적대로 타골의 가장 대표적인 시집으로 "모든 生靈을 한 동산안에 사는 愛人으로 보고 愛의 세레나데를 보내는 것"[11]이기 때문에 사랑의 노래인『님의 沈默』과 가장 밀접히 연결될 수 있는 것이다.

(2) 受容과 克服

타골의 대표시집『園丁』(The Garadener)은 大正 1924년 12월 7일 金億에 의해 <동산직이>라는 異題가 붙은『園丁』(La Gardemsto)으로 반역 출한되었다. 이 시기는 萬海가『님의 沈默』을 탈고한 1925년 8월 29(음)일과는 약 9개월, 出刊日(1926.5.2)과는 약 1년 6개월 정도의 시간적 격차가 있는 것이다. 이 밖에도 이 두 시집은 여러 가지 점에서 공통점을 지니고 있다. 무엇보다 이 두 시집은 發行社가 모두 滙東書館으로 동일한 점이 特異하다. 이것은 편집과 제작 과정이 유사하다는 외면적인 사실 이상으로 중요한 것이 된다. 왜냐하면 거의 비슷한 시기에 같은 출판사에서 시집이 앞서거니 뒤서거니 출판되었기 때문에 有形·無形의 유대 및 영향관계가 성립 될 수 있기 때문이다. 인쇄 및 장정은 물론 내용면에서도 뒤에 나온 것이 앞에 나온 것의 영향을 받았으리라는 점을 누구나 인정할 수 있는 것이 사실이다. 따라서 두 시집의 비

10) 鄭漢模, *op. cit.*, p.396.
11) 李光洙,「타고아의 <園丁>에 대하야」≪東亞日報(1925.1.20.)

교를 통해 원천·영향 관계를 추적해 본다는 것은 전혀 무의미한 일이 아닐 것이다.

萬海는 이미 「生의 實現」[12] 등 타골의 著作을 번역한 일도 있으며, 또한 詩集『님의 沈默』 속에 詩 <타골의詩(GARDENISTO)를읽고>를 쓸 정도로 타골에 심취되어 있었던 사실로 보아도 영향 관계는 실제적인 것으로 드러난다. 두 번째는 시집의 構成上의 유사성을 지적할 수 있다. 민저 『園丁』은 <原著者의 緖言>(譯者의 한마듸)→目次→詩本文(①아모쪼록 慈悲을→85 讀者여 이로부터)순으로 짜여져 있다. 목차에는 시 번호와 제목이 함께 표기되어 있으나 본문 중에는 번호만 붙어 있다. 『님의 沈默』 역시 <군말>→차례→詩本文 및 <讀者에게>로 끝나고 있다.[13] 이렇게 볼 때 『님의 沈默』의 집필이 『園丁』의 구성을 참고로 했으리라는 점은 미루어 짐작할 수 있는 사실이다. 특히 시 본문의 작품 수가 각각 85편과 88편으로 구성되어 있다는 사실과, 그것이 連作詩 形式으로 짜여져 있다는 점도 간과할 수 없는 중요한 相似點이 된다. 또한 末尾의 <讀者여 이로부터>와 <讀者에게>는 체제 및 내용상에 있어서도 酷似하다는 점에서 영향 관계의 긴밀성을 추출해 낼 수 있다.[14]

> ① 讀者여, 이로부터 멧百年뒤에 나의 詩를 닑을 그대들은 누구입니가?
>
> 나는 그대들에게 봄쳘의財産에서 꼿한송이를 드리지못햇습니다. 그리고 저구름속에서 한줄기의黃金을 드리지도 못햇습니다

12) 번역자가 밝혀져 있지 않으나 만해가 ≪惟心≫誌를 주재하고 직접 여러 가지 글을 自擔 周旋한 것으로 보아 번역자는 만해로 여겨진다. 또한 원제가 Sadhanael 이 글은 ≪惟心≫1호(1918.9.1)에서 연재되기 시작하여 2호까지 <個人과 宇宙의 關係>項을 연재하다 당국의 不認可로 중단하고 말았다. ≪惟心≫3호(1918.12.1)

13) 특히 말미가 一九二三年 七月二七日 夜 畢稿(園丁) 및 乙丑八月二十九日밤끗(님의 沈默)으로 기록되어 있는 점은 특이하게 유사한 점이다.

14) 이하 『園丁』 詩의 引用은 金億 譯 『園丁』(서울 : 滙東書館. 1924) 참조.

그대들이 門을 여러노코 먼곳을 보십시오

그대들의 꼿핀동산에서 百年前에 스러진 꼿들의 香氣롭은記憶을 모하봅시오

그대들의맘의즐겁음에 그대들은, 엇던봄날아츰에, 멧百年의 세월을 것쳐서 즐겁은노래를 보내면서. 노래한사람이 잇는 깃븜을 늣기게 될넌지도 모르것습니다

『園丁』에서

② 讀者여 나는 詩人으로 여러분의압헤 보이는 것을 부끄러함니다

여러분이 나의 詩를 읽을 때에 나를 슯어하고 스스로 슯어할 줄을 압니다.

나는 나의詩를 讀者의子孫에게까지 읽히고십흔 마음은 업습니다

그째에는 나의詩를읽는것이 느진봄의꼿숩풀에 안저서 마른菊花를비벼서 코에대이는것과 가틀는지 모르것습니다

밤은 얼마나되얏는지 모르것습니다

雪嶽山의 무거은그림자는 엷어감니다

새벽종을 기다리면서 붓을 던짐니다

『님의 沈默』에서

詩의 形式을 취한 이 두 後記에서 우리는 구성의 유사성과 함께 상이한 個性의 특징을 찾아낼 수 있다. 우선 이 두 글의 공통점은 이들이 讀者를 의식하여 文學의 時間的 存在性에 대해 논급하고 있다는 점이다.

"멧百年 뒤에 : 讀者의 子孫"으로 요약할 수 있는 두 시인의 文學작품의 時間性 인식은 어느 면 문학작품이 時間의 흐름과 空間의 전개 속에서 개방하고 意味를 비로소 완성해 나아가는 것이라는 점을 깨달은 소치인 것으로 보인다. 또한 중심 비유인 꽃과 香氣 역시 이러한 문학의 시간적 存在性을 반영한 것이 분명하다. 그럼에도 불구하고 두 시인은 이야기하는 태도와 말하고자 하는 내용에서 근본적인 차이점을 드러낸다. 타골은 / 그대들은 누구십니

가? / 보십시오 / 모하봅시오 / 와 같은 의문형과 명령형 어미를 통해서, 또한 / 그대들은……노래한 사람이 있는 깃븜을 늣기게 될넌지도 모르겟습니다 / 라는 자못 겸손한 듯한 또현 속에 詩人으로서의 위풍당당한 자부심과 자랑스러움을 표출하고 있다. 이에 비해 萬海는 / 부끄러함니다 / 讀者의……마음은 업습니다/ 와 같은 회의적 진술의 語訥함과 / 느진봄의 쏫숩풀……마른菊花 / 라는 비유 구문을 통해 겸손함과 수줍음의 태도를 드러내고 있다. 아마튜어 시인을 자처하고 自己詩의 生命力이 없을 것임을 예언하는 태도는 타골의 태도와는 判異한 것으로 받아들여진다. 그러나 萬海의 이 겸손한 자처와 예언은 그것이 逆說的인 설득력을 강하게 유발한다는 점에서 그가 타골과 다른 個性과 獨創性을 지니고 있음을 시사해 준다. 타골의 강한 자부심과 만해의 소박한 겸손함은 그것이 個人的 취향이나 문학적 스타일의 차이 이상으로 萬海의 독특한 個性과 生命力의 發現에서 우러난 것임을 느끼게 해 주기 때문이다. 이 점에서 『園丁』이 構成이나 내용면에서 『님의 沈默』과 깊은 영향관계를 맺고 있으면서도, 『님의 沈默』이 『園丁』의 영향을 극복하고 獨自的 詩世界와 個性의 獨創性을 확보할 수 있는 원동력이 됐던 것으로 보인다. 萬海는 타골의 문학적 樣式의 영향을 강한 個性과 生命力으로 變容하고 克服해 낸 것이다.

詩 <타골의시 (GARDENISTO)를읽고>는 萬海가 타골의 詩와 그 影響을 극복하고 있음을 보여 주는 實例가 된다.[15)]

벗이어 나의벗이어 愛人의무덤위의 픠여잇는 쏫처럼 나를울리는 벗이어

적은새의자최도업는 沙漠의밤에 문득맛난님처럼 나를깃부게하는

15) 이 작품에 대한 중요 논의로는 宋稶의 『님의 沈默 전편해설』을 비롯하여 쇼允植·金澤東 등의 前揭書와 金興圭의 『韓國現代詩를 찾아서』(서울 : 한샘, 1982) 등의 내용이 있다.

벗이어
그대는 옛무덤을깨치고 하늘까지사뭇치는 白骨의香氣임니다.
그대는 花環을만들냐고 써러진꼿을줏다가 다른가지에걸녀서 주슨꼿을헤치고 부르는 絶望인 希望의 노래임니다

벗이어 깨여진사랑에우는 벗이어
눈물이 능히 써러진꼿을 옛가지에 도로픠게할수는 업슴니다.
눈물을 써러진꼿에 쑤리지 말고 꼿나무밋희씌끌에 쑤리서요.

벗이어 나의벗이어
죽엄의香氣가 아모리조다하야도 白骨의입설에 입마출수는 업슴니다
그의무덤을 黃金의노래로 그물치지마서요 무덤위에 피무든旗대를 세우서요
그러나 죽은大地가 詩人의노래를거처서 움직이는것을 봄바람은 말합니다.

벗이어 부끄럽습니다 나는 그대의노래를 드를째에 엇더게 부끄럽고 쩔니는지 모르것슴니다.
그것은 내가 나의님을써나서 홀로 그노래를 듯는까닭임니다.

이 詩는 論介· 桂月香과 같이 구체적으로 人名(타골)이 밝혀져 있는, 『님의 沈默』의 詩세 편 중의 하나이다. 우선 여기서 알 수 있는 것은 다른 85편의 작품과는 달리 이 세 편이 비교적 직접적으로 主題를 드러내고자 했다는 점이다. 詩 <論介의愛人이되야서그의廟에>와 <桂月香에게>는 殉國義妓를 직접 들어서 그들의 忠節을 흠모하고 遺德을 찬양한 시편이다. 이것은 여타 대부분의 작품이 상징적인 내용으로 씌어진 것과 좋은 대조를 이룬다. 이 점에서 이 시는 타골을 대상으로 하여 타골 시에서 받은 깊은 感動을 서술하고, 타골을 비판하는 동시에 같은 詩人의 위치에서 그 명성을 칭송한 것이 특징

이다. 타골은 만해에 있어 / 우름과 우숨을 同時에 주는 사랑하는 論介 / 처럼 二律背反的인 존재인 것이다. 4연으로 구성된 이 시는 1연에서 타골에 대한 추모와 찬양을 노래한다. / 愛人의무덤위의 픠여잇는쏫처럼 나를 울리는 벗이어 / 라는 구절 속에는 죽음을 넘어서서 비로소 향기를 발하는 타골문학에 대한 共感이 표출돼 있다. 타골은 만해에게 / 沙漠의밤에 문득맛난님 /처럼 救援과 希望의 상징적 존재가 되는 것이다. 따라서 타골은 / 하늘까지 사못치는 白骨의香氣 / 처럼 죽음을 超克한 巨人으로, / 絕望인希望노래 / 처럼 절망을 넘어선 救援의 표상으로 나타나게 된다. 이 점에서 1연은 『園丁』에서처럼 타골에 대한 감명과 사랑을 찬양한 것이다. 2연과 3연은 타골에 대한 批判을 통해서 타골을 극복하고 있다. 2연과 3연의 핵심은 각각 대칭되는 문장 구조를 지닌다. 그것은 / 벗이어 / 업습니다 / 말고(마서요)-쌔리서요(세우서요) / 의 대칭·반복이다. 2연은/ 깨여진 사랑에 우는 벗이여 / 와 같이 타골의 현실적 번뇌의 원인이 밝혀져 있다. 그것은 깨어진 사랑, 즉 빼앗긴 현실이거나 잃어버린 조국을 暗喩하는 것으로 보인다. 여기에서 만해의 타골과의 同病相憐과 함께 그에 대한 비판의지가 나타난다. 그것은 / 우는 / 타골이 흘린 / 눈물 /을 살릴 수 있는 참된 길은 / 서러진 못 / 이라는 현상집착에서가 아니라 / 쏫나무밋희씌끌에 쌔리서요 / 라는 本質에 대한 투시와 실천을 통해서만 획득되어진다는 믿음을 강조하는데서 드러나게 된다. 이 점은 3연에서 더욱 구체적으로 강도 있게 표명된다. / 무덤을 黃金의 노래로 그물치지 마서요 / 무덤위에 피무든旗대를 세우서요 / 라는 구절은 노래와 찬양이 아닌 진실과 생명에 뿌리박은 삶과 예술에 대한 실천적 열정을 강조한 것이다. 그것은 바로 역사에 대한 날카로운 비판의식이며, 현실에 대한 강렬한 저항의지이고, 동시에 미래에 대한 투철한 신념과 소망의 표출인 것이다. 萬海는 타골의 문학적 한계를 바로 이 역사의식과 현실의식의 결핍으로 인식하고 이에 대한 극복을 시도한 것이다. 그러므로 만해는 / 죽은大地가 詩人의 노래를 거쳐서 움직이는 것 / 과 같이 詩人의 참된 사명이 예술의 창조자, 정신의 지도자로서 부활과 초월 및 극복을 노래하는데 있음을 말해 준다. 동시에 시가 단순한 찬양· 찬송이 아니라 현실적인 극복의 힘을 제공하는 생명의 원천이어야 하는 데 뜻이 있음을 밝혀 준다. 4연에서는 다시 타골에 대한 찬양과 흠모를 표출한다. 그것은 1연의 단순한 반복이 아니라 / 나의 님을 써나서 홀로 그노래를 듣는 / 과 같이 님과 나의 同病相憐의 관계를 다시 설정함으로써 시적 긴장감을 고조시기고 있다. 타골 비판을 통해 드러난 현실의식과 저항의지를 다시 戀歌形式으로 잡아당겨 서정적으로 상징화하는 것이다. 이러한 점에서 이 시는 만해가 타골의 영향을 충분히 個性으로 소화·극복하면서 독자적인 시정신과 표현의 능력을 성취하는 데 성공하고 있음을 보여 주는 단적인 한 예가 된다. 萬海의 萬海다운 個性과 詩力이 타골을 통해서 상대적으로 성숙되고 발전해 감으로써 詩的 生命力과 藝術的 가치를 더욱 확보할 수 있었던 것이다.

(3) 文體論的 分析

『園丁』과 『님의 沈默』의 詩篇들은 대체로 한문시를 지향한 줄글 형식의 自由詩型으로 이루어져 있다. 『園丁』 85편과 『님의 沈默』 88편의 어절 수는 대략 잡아 각각 8,999와7,438어로서 『園丁』이 약간 많은 편이다. 이것은 『園丁』이 평균 1 편당 105.87語이며 『님의 沈默』이 84.5語로 볼 때 『園丁』이 『님의 沈默』보다 文의 길이 즉 詩行과 數에 있어 약간 긴 것으로 나타나고 있다. 또한 聯의 數에 있어서도 두 시집은 밀접한 연관성을 보여 준다.[16)]

16) 이하 통계는 著者의 指導로 작성한 延圭和의 「1920년대 韓國詩에 미친 타고르의 影響」(청주: 충북대학교 학사논문, 1980)을 많이 참고하였다.

시집 \ 연수	1	2	3	4	5	6	7	계
園　丁	35	13	17	12	7	1		85
님의沈默	14	37	19	11	4	1	2	88

이렇게 볼 때 非聯, 2·3聯 構衣의 시가 전체의 70%를 상회하고 있음에 비추어 여기에서도 영향관계를 검증할 수 있는 한 가능성이 지적된다. 특히 非聯과 2聯구성의 시가 전체 시편의 과반수가 넘는다는 점에서는 聯構成에 있어 산문시를 지향한 두 시집의 자연스런 귀결일 수 있기 때문이다. 일반적으로 짧은 詩行의 경우는 非聯이거나 혹은 起承轉結樣式의 4聯 구성으로 이루어진 것이 많은 것도 한 傍證이 될 수 있다. 散文體로 詩行이 길어지면 그에 어울리는 비례로 한 연의 길이가 길어지며 따라서 聯은 비교적 간단한 1·2聯構成을 취하는 것이 자연스럽기 때문이다.

品詞를 중심으로 해서 두 시집을 비교해 보면 그 공통점과 차이점이 더욱 선명히 드러나게 된다· 품사의 구성과 그 비율은 詩의 文體 특성을 좌우하는 辨別的 資質(distinctive feature)이 되기 때문이다.[17]

품사 \ 시집		園　丁			님의 沈默		
		어휘수	백분비		어휘수	백분비	
체언	명사	2,160	24.0	34.5	1,941	25.6	32.5
	대명사	916	10.2		551	6.7	
	수사	34	0.3		17	0.2	
용언	동사	2,146	23.7	46.2	2,086	27.3	54.2
	형용사	2,026	22.5		2,047	26.9	
수식언	관형사	167	1.9	15.1	91	1.2	9.5
	부사	1,176	13.2		628	8.3	
독립언	감탄사	202	2.2	2.2	139	1.8	1.8
	계	8,999		98,0	7,595		98.0[18]

17) 여기서 品詞分析은 대세로 學校文法에서 사용하는 9품사 체계에 따르되, 助詞는 제외하였다. 또한 「의」의 형용사는 문장 성분에 따라 관형사로 분류될 소지도 많지만 편의상 형용사로 처리하였다.

이 도표를 참고로 살펴보면 『園丁』과 『님의 沈默』 사이에는 큰 차이가 발견되지 않는다. 『님의 沈默』이 『園丁』보다 用言을 많이 활용하고 있으며 修飾言을 적게 사용하고 있다는 점이 특징으로 드러나는 정도이다. 여기서 알 수 있는 것은 『님의 沈默』이 보다 動的이고 活氣 있으며 變化가 있는 文體를 구사하고 있다는 점이다. 일반적으로 體言型의 文章은 靜的이며 思辨的이고 修飾的인 데 비해 用言型은 力動的이며 彈力있는 文體로서 보다 바람직한 것으로 운위된다.[19] 또한 修飾言이 『園丁』에 비해 적다는 것은 문장이 비교적 명료하다는 점을 말해 준다. 관형사나 부사가 많이 차용된다는 것은 설명적인 요소를 더해 주며 따라서 蔓延體를 구사함으로써 文章이 산만·현란한 느낌을 주는 것이 사실이다. 이 점으로 볼 때 『園丁』이 『님의 沈默』보다 더 설명적·요설적인 문체 특성을 지니고 있으며, 이것은 『園丁』이 님에 대한 영원한 愛慕와 찬송을 노래하기 때문인 것으로 풀이된다. 수식언을 많이 사용할수록 문장이 부드러워지고 상세해지며 풍부해지는 것도 한 이유가 된다. 특히 용언에 있어서는 否定動詞 및 否定形容詞가 많이 사용되고 있는 특징을 지적할 수 있다. 사용된 동사 중에서 부정동사가 『園丁』에는 257語로 전체동사 수 1,889語의 10%가 넘는다. 『님의 沈默』에는 1, 803 : 283으로 15% 가량이나 될 정도로 否定的인 終止法이 사용되고 있다. 이것은 앞장에서 살펴본 것처럼[20] 萬海의 詩精神의 중요한 한 특징이 否定的 世界觀에 자리잡고 있기 때문이라는 점을 새삼 확인할 수 있는 자료가 된다.

語彙面에서도 두 詩集은 좋은 비교 대상이 된다. 흔히 詩人의 어휘(詩語)는 詩人의 정신적인 性向을 반영한 것으로서 어휘의 결합에 의해 형성되는 문장

---

18) 여기서 『님의沈默』의 경우에는 시집 마지막의 <讀者에게>도 포함시킨 통계이다. 또한 어휘 수나 백분비가 수학적으로 엄격히 통계 처리된 것이 아니라 일반적인 품사 경향을 추출하기 위한 개략적인 자료임을 밝혀 둔다.

19) 朴甲洙. 『文體論의 理論과 實際』(서울 : 世運文化社. 1977), p.238.

20) 本書, Ⅲ章3節 (2)項 否定的 世界觀 參照.

내지 文體는 작자의 특징을 드러내는 것이며 결과적으로는 인격의 反映이 된다고[21] 한다. 따라서 두 詩集의 특징적인 어휘 사용을 살펴보는 것은 源泉·影響관계의 탐구를 위해 유효한 작업이 아닐 수 없다.

두 시집에 공통적으로 많이 사용되는 詩語의 하나는 사랑이다.

① 님이어, 나는 그대를 사랑합니다. 내사랑을 容恕해주셔요.

<園丁 33>에서

表現할수업는 사랑은 神聖합니다.[22]

<園丁 56>에서

사랑은 서름 마시고 눈물의天國에 나기爲하야, 自己의遊戲에서 반드시 불니어오게됩니다.

<園丁 68>에서

②나는 우슴이제워서 눈물이되고 눈물이제워서 우슴이됩니다.
容恕하셔요 사랑하는 오오 論介여

<論介의愛人이되야서그의廟에>에서

진정한사랑은 表現할수가 업습니다
그들은 나의 사랑을볼수는 업습니다
사랑의神聖은 表現에잇지안코 祕密에 잇습니다

<七夕>에서

눈물의구슬이어 한숨의봄바람이어 사랑의聖殿을莊嚴하는 無等等의 寶物이어

---

21) 朴甲法, op. cit., p.112.

22) 영어판 원문은 / Love unexpressed is sacred / 이다 : 이하 영시 원문은 *Collected Poems and Plays of Rabindranath Tagore* (New York: Macmillan co. 1953) 참조.

아아 언제나 空間과時間을 눈물로채워서 사랑의世界를 完成할까요
<눈물>에서

①과 ②의 詩篇들은 主題語 「사랑」을 중심으로 한 유사한 詩想과 분위기로 구성되어 있다. 『園丁』은 님에 대한 가없는 사랑과 찬양의 頌歌이므로 자연히 사랑이나 노래 등의 시어가 전편을 이끌어가고 있으며, 『님의 沈默』 역시 이별과 만남을 주제로 한 戀歌이므로 사랑의 슬픔과 기쁨이 주로 표출되고 있다. 다만 『園丁』은 사랑의 찬송과 환희가 주제이기 때문에 즐거움과 찬양의 밝은 색채로 詩語가 주조를 이루는 데 비해 『님의 沈默』은 이별을 전제로 한 辨證法的 갈등을 중심내용으로 하기 때문에 눈물·슬픔 등의 어두운 색조로 사랑이 노래되고 있는 점이 다르다.

또한 전체적인 詩語의 흐름을 보면 등불·거문고·沈默·音樂·黃金·愛人·永遠·生命·時間·微風·눈물·洪水·遊戲·塔·蓮꽃·天國·苦痛 ·容恕·微笑·바람· 숲· 새·祕密·創造·幸福·술· 祭壇 등 무수한 詩語群이 두 시집에서 우열의 빈도를 가리기 힘들 정도로 사용되고 있다. 특히 이들 중에서 愛人·自己·音樂·키쓰·寢臺·天國 등의 詩語는 萬海에게는 다분히 익숙치 않은 것들로서[23] 타골의 영향성이 짙게 드러나는 어휘군이다.

① 下臣은 사다파르나(Sataparna)의 가지사이에 낸 거네로 殿下를 흔들어 들이겟읍니다. 그곳에는 이르게 올으는 저녁달이 綠葉을 것쳐, 殿下의 치마에 키쓰하랴고 애닯아합니다.
<園丁 1>에서

나는 따님에게 키쓰하며, 「그대는 꼿과갓치 눈멀엇습니다 그대는 그대自身좃차. 그대의 선물이 얼마나 아름답은지 몰읍니다.」고 하엿

23) 이미 金允植도 이와 유사한 지적을 한 바 있다. 『近代韓國文學硏究』(서울 :一志社, 1973). p.241 각주 참조.

습니다

<園丁 58>

② 날카로은 첫「키쓰」의追憶은 나의運命의指針을 돌너노코 뒷ㅅ거름처서 사러젓습니다

<님의沈默>에서

칼로베힌 리별의「키쓰」가 어데잇너냐

<리별>에서

例詩에서 보듯이 각각 시집의 첫머리에서부터 키쓰라는 詩語가 등장하며, 많은 시편에서 이 키쓰라는 외래어가 서슴지 않고 사용되고 있다. 실상 1920년대 초반에 이 어휘는 퍽 낯설고 자극적인 느낌을 주었을 것이고 그만큼 드물게 사용되었을 것이 분명하다. 그런데도 불구하고 키쓰라는 시어가 萬海의 첫시 <님의沈默>에서 쓰였으며 <첫「키쓰」>라는 제목은 물론, 시집의 도처에 등장하는 것은 만해가 『園丁』 등을 통해서 부지불식중에 영향받은 어휘가 『님의 沈默』에 자연스럽게 반영된 때문인 것으로 보인다.

① 天國의音樂은 님의노래의反響입니다 아름다은별들은 님의눈빗의化現입니다

<님의얼굴>에서

②自由戀愛의神聖(?)을 덥허노코 否定하는것도 아님니다
大自然을따러서 超然生活을할생각도 하야보앗습니다

<自由貞操>에서

③ 그러고 당신의 집과 寢臺와 꼿밧에잇는 적은돍도 쓰것습니다

<藝衛家>에서

①詩에서 / 天國 / 音樂 / 反嚮 / 化現 / 등의 詩語는 전통적인 시어와는 다수 거리가 있는 것들이다. 天國이라는 개념은 당대 한국인들에게 특히 승려시인인 萬海에게는 낯설은 시어가 아닐 수 없다. 또한 音樂은 더욱 그렇다. 修道生活과 社會運動 및 著述生活로 이어지는 萬海의 求道的 生活과 實踐的 生涯에 있어서 音樂은 분명 異質的인 느낌을 주는 것이기 때문이다. 그럼에도 불구하고 그의 많은 시편에 音樂(노래)이 등장하는 것은 찬양·찬송의 노래로 가득찬 『園丁』에서의 音樂에 영향받은 것으로 해석된다. 反響이나 化現이라는 어휘도 在來의 詩語에신 퍽으나 드물게 사용되는 어휘들이다. ②에서 自由戀愛·否定·大自然· 超然生活· 自由貞操 등의 관념어도 다분히 외래적 영향에서 차용된 것으로 보인다. 『園丁』에 무수한 외래적 觀念語들이 활용되고 있는 점에 비추어 보면 이것 역시 타골의 영향권에서 비롯된 것이라 풀이된다. ③에 등장하는 침대라는 시어도 마찬가지다. 침대는 고유어로서는 거의 사용되지 않던 어휘로서[24] 역시 『園丁』의 영향에서 파생된 것으로 생각되기 때문이다.

또한 접속법과 終止法에 있어서도 상관성이 검출된다. 『園丁』에서 접속법은 「그러나·지마는·그렇지만」 등 역접이 35회 「그리고·또·이리하여·그리하여」 등 順接이 40여회, 「그래서·그런데」 등의 因果接이 10회 가량 사용되는 등 산문적인 문장법이 구사되고 있다. 『님의 沈默』에서도 「그러나·지마는·그렇지만」 등이 40회, 「그리고·그리하여」등이 20회 정도 , 「그래서·그러므로·그런데」 등이 20회 정도 사용될 정도로 산문적인 접속관계사가 사용되고 있다.

終止法에 있어서는 두 시집이 더욱 밀접한 상관관계를 맺고 있다.

---

24) <園丁 82>에서 / 나는 新婦에게 쏫寢臺를 지어주엇습니다. 그리고 新婦의 눈에서 거츠른 빗을 내어쫓기 위하야 窓을 다닷습니다 / 라는 구절처럼 침대라는 어휘가 習用되고 있다.

① 그밋헤는 밤과낫이 하나입니다. 그러고 노래는 沈默입니다
<園丁 12>에세

제곡조를못이기는 사랑의노래는 님의沈默을 휩싸고돔니다
<님의沈默>에세

② 님이시어, 내許諾업시는 가지말으셔요.
<園丁 34>에세

마서요 제발마서요
보면서 못보는체마서요
<첫「키스」>에서

①과 ②는 각각 / 읍니다 ; 셔요 / 라는 경어체의 종지법을 사용하고 있다. 『園丁』과 『님의 沈默』은 거의 전편에서 이 두 가지 敬語體의 종지법(의문형 포함)을 교차 사용함으로써 시적 신비감과 경건성을 高揚시키고 있다. 『園丁』이 물론 한글 번역체이기 때문에 『님의 沈默』과 유사한 語形을 지닐 수밖에 없는 문제점이 지적될 수도 있지만, 그 표현양태로써 볼 때 그 영향관계가 인정되는 것이 당연하다. 경어체의 종지법에 의해 내용의 곡진함과 진솔함을 불러일으킴으로써 시적 경건성의 무게와 깊이를 더할 수 있게 된 것이다.

이렇게 볼 때 『님의 沈默』은 詩型과 文體 및 終止法에 있어서 『園丁』과 밀접한 영향관계를 맺고 있는 것으로 보인다. 그러나 『님의 沈默』에서는 타골적인 詩語와 文章法이 완전할 정도로 萬海의 것으로 수용되어 녹아 있기 때문에 전혀 생소한 느낌을 주지 않는다. 이 점에서 『님의 沈默』의 예술성과 독창성이 인정될 수 있는 소이가 있다.

(4) 措辭法의 考察

『님의 沈默』에서 주로 사용된 詩方法이 隱喩와 逆艙이있음은 이미 살펴본 바 있다. 여기서 우리는 이 은유와 역설이 鄕歌 등 傳統文學 특히 佛教的 상상력과 은유법에 원천을 두고 있음도 알 수 있었다. 그럼에도 불구하고 『님의 沈默』의 은유와 역설은 『園丁』 등의 외래적 영향을 받았으리라는 점 또한 간과할 수 없는 사실이다. 이 두 시집은 詩語면에서뿐 아니라 은유· 이미지· 역설에 있어서도 비교될 수 있는 연관성이 추출되어지기 때문이다.

두 詩集에 공통적으로 가장 많이 나타나는 은유는 「의」의 은유형이다.

> ① 내맘이 幸福의洪水에 쓸니워갈째에, 나의危險만흔放棄를 보고 웃지만아주셔요.
> 내가 나의玉座에 안자서 사랑의暴政으로 그대를 支配할째에..
>
> <園丁 33>에서
>
> 生命은 黃金의그림자속에 빠지기爲하야 落日을 向하고 써러집니다.
> 사랑은 서름을 마시고 눈물의天國에 나기爲하야, 自己의遊戲에서 반드시 불니어오게 됩니다.
>
> <園丁 68>에서[25]
>
> ② 한손에는 黃金의 칼을들고 한손으로 天國의꼿을꺽든 幻想의女王도 그림자를 감추엇습니다
>
> <고적한 방>에서

---

25) ㉝When my heart is borne away by the flood of happiness, do not smile at my perilous abandonment.
When I sit on my throne and rule you with my tyranny of love. Tagore. *op. cit*, p.92
⑹⑻ Life drops oward itts sunset tO be drowned in the golden shadows.
Love must be called from its play tO drink sorrow and be borne to the heaven of tears *Ibid.*, p. 108.

닷과치를일코 거친 바다에漂流된 적은生命의배는 아즉發見도아니 된 黃金의나라를 꿈꾸는 한줄기希望이 羅盤針이되고

<生命>에서

잠의나라에서 몸부림치든 사랑의눈물은 어늬덧 벼개를적셧슴니다

<잠ㅅ대>에서

例詩에서 『園丁』은 / 幸福의 洪水 / 사랑의 暴政 / 黃金의 그림자/ 눈물의 天國/ 등처럼 많은 은유 결합으로 이루어져 있다. 『님의 沈默』도 / 黃金의 칼/ 天國의꽃 / 幻想의 女王/生命의 배/黃金의 나라/ 등과 같이 「의」 은유의 결합으로 詩想이 전개된다. 특히 두 시집에 黃金·天國·生命·눈물·사랑 등 공통적인 詩語가 다수 등장하는 것은 영향관계의 긴밀성을 암시해 준다. 『園丁』의 도처에서 발견되는 觀念語의 「의」 은유형은 『님의 沈默』의 그것과 유사한 느낌을 주는 경우가 많다. 그러나 자세히 살펴보면 이 「의」 은유는 두 시집에 있어 결합방식 내지는 사용방법상의 중요한 차이점이 발견된다. 그것은 『園丁』에서 「A of B」의 「의」 은유형이 /幸福의 洪水에/사랑의 暴政으로/눈물의 天國에/등과 같이 장소· 방법·시간을 지시하는 副詞語로 많이 사용되는 데비해 『님의 沈默』에서는 /黃金의 칼을/天國의꽃을/幻想의 女王도/生命의 배는/과 같이 主語 또는 目的語로서 주로 활용된다는 점이다.따라서 『園丁』에서의 「의」 은유가 裝飾的 機能을 위주로 하는 것과 상대적으로 『님의 沈默』의 그것은 詩의 根幹成分으로서 핵심 방법으로 사용된다는 점을 알 수 있다. 다시 말해 『님의 침묵』의 은유는 詩의 전개에있어 중추적인 기능을 수행함으로써 詩의 창조적 본성에 이바지하는 필수적인 요소가 된다. 이 점에서 萬海의 隱喩가 타골의 그것보다 方法論的 중요성을 지니고 있으며 『님의 沈默』의 독자성이 인정될 수 있는 확고한 근거가 제시된다.[26]

26) 여기에서 각 번호마다 앞의 시는 『園丁』. 뒤의 것은 『님의 沈默』의 작품이다.

① 그대는 나의 ᄉᆞᆱ하늘에 써도는 저녁구름입니다.

<園丁 30>에서

당신의얼골은 봄하늘의 고요한별이여요

<「사랑」을 사랑하야요>에서

② 밤바다의 알지도 못할섬 (島)으로서 봄철의 갑작스럽은 덥은입김이 왓습니다.

<園丁 22>에서

봄마다가 깁다기로
恨바다만 못하리라

<情天恨海>에서

③ 것츤들의 小鳥인 내맘은 그대의눈속에 自己의 하늘을 찻앗습니다

<園丁 31>에서

님이어 ᄭᅳᆺ업는抄漠에 한가지의 깃듸일나무도업는 적은새인 나의 生命을 님의가슴에 으서지도록 ᄡᅧ안어주서요

<生命>에서

④ 나의 熱情가득한 두손은 空虛를 내맘에 힘것 세여안습니다, 하던 그空虛는 내가슴을 傷處내입니다

<園丁 51>에서[27]

나의팔이 나의가슴을 압호도록 다칠ᄯᅢ에 나의두팔에 베혀진 虛空은 나의 팔을 뒤에두고 이어젓습니다

<잡업는ᄉᆞᆱ>에서

27) 원문은 My eager hands press emptiness to my heart and it bruises my breast이다. Tagore *op cit.*, p. 100.

⑤ 하로아츰은 花園에, 눈먼쌰님이 와서, 蓮닙속에 싼 쏫사슬을 내게 주엇읍니다

<園丁 58>에서

만일 당신이 비오는날에 오신다면 나는 蓮입으로 윗옷을지어서 보내것습니다

<비>에서

①에서 는 /그대 =저녁 구름/당신의 얼골=고요한별/과 같이 繫辭隱喩가 동일하며, 그 결합방식도 /인간 : 天體的 이미지 / 로서 유사한 분위기를 형성한다. 계사은유에 의해 이미지의 轉移와 초월이 이루어지는 한 예이다. ②시들은 /맘바다/恨바다/처럼 名詞의 竝置隱喩가 유사한 이미치를 이룬다. 원관념이 / 맘 : 情/으로 대비되고 보조관념이 /바다/로 동일하다는 점에서 유추의 상관관계가 드러난다. ③의 시들은 /小鳥인 내맘/적은 새인 나의 生命/과 같이 形容詞隱諭로 구성돼 있으며 원관념과 보조관념의 유사성과 함께 전체적인 이미지가 흡사한 느낌을 준다. ④에서는 /空處→껴안다→가슴을 상처낸다/두팔에 베혀진 虛空→허공이 이어진다/와 같은 活物變質型 은유가 사용됨으로써 이미지의 근원적 동일성을 느끼게 해 준다. ④의 이러한 활물론적 은유는『園丁』에서는 擬人法을 제외하면 별반 나타나지 않으나『님의 沈默』에서는 이미지를 형성하고 전개하기 위해 특징적으로 사용되는 중심방법론의 하나이다. ⑤에서는 /시간 배경/온다/蓮잎/쏫사슬(옷)/주다(보내다)/처럼 유사한 시어와 이미지로 시가 구성되어 있다. 이렇게 본다면『園丁』과『님의 沈默』사이에는 은유법의 공통점과 함께 이에 따른 發想法,이미지 제시와 전개에 있어 상당 시편에서 근친관계가 드러난다. 실제로<園丁 11>과 <나의노래>, <12>와 <님의沈默>·<오셔요>, <14>와 <금강산>, <20>과 <숨깨고서>, <34>와 <가지마서요>, <39>와 <예술가>, <51>과

<잡업는움>, <52>와 <알ㅅ수업서요>, <58>과 <비>, 그리고 (85>와 <독자에게> 등의 여러 시편[28]에서 이러한 은유와 이미지의 유사성이 나타나고 있다. 이 점에서 『님의 沈默』이 『國丁』의 영향을 받은 것은 여러모로 보아 분명한 사실로 드러난다. 그러나 『園丁』에는, 상상력의 力動的 전개와 비약을 위해 萬海 詩에 특징적으로 사용되어 중핵적인 기능을 수행하는 動詞隱喩가 거의 발견되지 않는다. 活物變質型 은유도 극히 부분적으로 나타날 뿐이며 관형 은유, 돈호법은유, 특수조사 은유 등의 섬세한 은유도 잘 사용되지 않고 있다. 또한 사용된 「의」은유, 명사은유, 형용사은유, 계사은유도 그 쓰임새의 빈도와 깊이가 『님의 沈默』의 그것과는 비교하기 힘들 정도로 빈약하다. 동사은유를 비롯한 만해 시에 특징적으로 사용된 풍부한 은유법과 이에 의해 형성된 이미지의 다양성은 『님의 沈默』이 『園丁』의 영향에서 벗어나 독창적인 시 방법론을 확립하고 있음을 말해 주는 것이 된다. 또한 이 방법론의 확대와 심화에 의해 획득된 형상성의 탁월성은 『님의 침묵』의 예술적 가치를 고양시키는 바탕이 된다.

이 점은 逆說면에서 보다 실증적으로 밝혀질 수 있다. 逆說 역시 이 두 시집에 공통적으로 활용되고 있는 시 방법이지만 『園丁』의 역설은 『님의 沈默』의 그것에 비하면 부족한 느낌을 주는 것이 사실이다.

> 그것은 꿈도업는 잠처럼 어둡습니다
> 그밋헤는 밤과낫이 하나입니다, 그러고 노래는 沈默입니다.
>
> <園丁 12>에서[29]

---

28) 여기 제시한 것 중 상당수는 金容稷이 「Rabindranath Tagore의 受容」 *op. cit.*, p.145에서 지적한 바 있다.

29) It is dark like a sleep that is dreamless.
There in its depths nights and days are one. and songs are silence. Tagore *op, cit.*, p.82

나는 이村의 第一절믄이와갓치 점고, 第一늙은이와갓치 늙엇읍니다.

<園丁 2>에서

『님의 沈默』의 풍부하고 深度 있는 逆說과는 달리 『園丁』에는 역설이 많이 사용되지 않고 있다. 이것은 『님의 沈默』이 궁핍한 시대를 극복하기 위한 미래지향적 성향을 강하게 지니는 데 비해 『園丁』이 초월자를 향한 찬송·한양의 현재성을 주로 표출하기 때문인 까닭으로 풀이된다. 萬海가 <타골의詩(GARDENISTO)를 읽고>에서 비판한 점도 바로 이 점이다. 당대의 朝鮮과 印度라는 被支配民族으로서 식민지 시대를 살아가는 공통된 입장으로 볼 때, 보다 절실한 문제는 當代를 모순의 시대로 파악하여 이를 극복할 수 있는 정신적 응전력의 획득임에도 불구하고 타골은 치열한 현실의식이니 미래의식 등 진정한 역사의식을 결여하고 초월자에 대한 찬양만을 노래하였기 때문이다. 이 점에서 만해는 타골에 깊이 공감하면서도 결코 만족할 수만은 없었던 것으로 생각된다. 따라서 만해는 모순된 현실을 극복하는 힘과 방법을 逆脫에서 추구할 수밖에 없었던 것이다. 바로 이 점에서 『님의 沈默』에서 풍부하고 다양한 역설이 구사될 수 있었으며. 이로 인해 철학적 깊이를 획득하게 되었고 아울러 타골의 영향을 완전에 가까울 정도로 극복하게 된 것으로 판단된다. 이렇게 생각해 볼 때 『님의 沈默』은 『園丁』의 방법론의 영향을 광범하게 수용하였으면서도 여기에서 한걸음 더 나아가 풍부하고 섬세한 은유의 발굴로 예술성을 확대하였고, 다양하고 깊이 있는 역설의 구사로 철학적 깊이를 성취한 데서 『원정』을 뛰어넘는 작품으로 평가될 수 있다. 방법론에 있어서 전통시학에 뿌리를 두고 있으면서 외래적 영향을 주체적으로 소화 흡수하여 독자적이며 창조적인 은유시학과 역설의 시학을 확립한 데서 萬海의 詩史的 중요성이 드러나는 것이다.

타골은 사상면에 있어서도 自然思想과 女性主義 등에서 萬海와 연결 될 수 있으나, 이것은 心證的인 차원에 가까운 것으로 보인다. 왜냐하면 萬海의 自然思想과 女性主義는 타골의 영향에서보다는 한국의 전통시와 그 정신에 더욱 밀착돼 있는 것으로 파악되기 때문이다. 타골적인 정신 양식의 유입이 짧은 기간에 그것도 한두 권의 詩集이나 논설의 번역을 통해 이루어졌기 때문에 쉽사리 문학 정신으로 變容된다는 것은 처음부터 界線이 그어질 수밖에 없었다. 이보다도 타골의 정신이 문학적 共感 이상으로 만해의 정신에 충격적인 영향을 미쳐서 만해가 이를 전면적으로 수용·용해하기에는 만해의 정신이 지나치게 완강하였고 이미 굳어 있었던 것으로 보인다. 이렇게 볼 때 타골 시는 정신면보다 형식적인 면과 시적 분위기의 면에서 영향을 미쳐 만해가 『님의 沈默』을 창작· 출간하는 데 직접적인 자극의 한 모티베이션이 되었다는 점에서 그 중요성이 인정된다.

2. 傳統詩와의 接脈

우리는 앞에서 萬海 詩가 樣式과 方法的인 면에서 적지 않게 타골 시의 영향을 받으면서 형성됐음을 살펴보았다.

지금까지 萬海 詩 연구는 이러한 外來文學과의 비교문학적 연구에 큰비중을 두고 전개되어 왔다. 그러나 만해시는 외래시의 영향 이상으로 傳統詩의 精神과 方法에 깊은 근거를 두고 있음을 새롭게 인식해야만 할 것으로 생각된다. 만해 시가 전통시와 맺고 있는 정신과 방법상의 공통점을 추출해 보는 것은 한국문학사의 주체성과 지속성을 파악하고 문학적 전통을 확립하는 데 있어 필수적인 요건이 되지 않을 수 없다. 만해문학의 외래성을 정확히 구명하는 것 이상으로 이러한 전통성을 명확히 발굴해 내는 작업은 만해문학의 문학사적 위치 확립을 위해서도 중요한 일인 것이다.[30]

---

30) 이 점에서 本章은 아직 試論的 性格을 지닌다는 점을 밝혀 둔다. 논리의 비약이나

(1) 鄕歌的 源泉

먼저 萬海詩의 傳統性은 신라 향가에서 그 원천을 찾을 수 있다. 무엇보다도 그것은 「이별-만남」이라는 未來指向的 構造의 근원적 동일성을 보여 준다는 점이다.

> 生死길흔
> 이에 이샤매 머믓그리고,
> 나ᄂᆞᆫ 가ᄂᆞ다 말ㅅ도
> 몯다 니르고 가ᄂᆞ닛고
> 어느 ᄀᆞᄉᆞᆯ 이른 ᄇᆞᄅᆞ매
> 이에 뎌에 ᄠᅳ러딜 닙ᄀᆞᆮ
> ᄒᆞ ᄃᆞᆫ 가지라 나고
> 가는 곧 모ᄃᆞ론뎌
> 아야 彌隨刹아 맛보올 나
> 道맛가 기드리고다.
>
> <祭亡妹歌>[31]

이 작품의 기본 구조는 「이별 (죽음)-만남」이라는 두 상대축으로 형상돼 있다. 삶의 본질이 만남과 떠남, 죽음과 태어남이라는 二元性으로 이루어져 있으며, 이러한 떠남과 죽음은 宗教的 믿음과 기다림에 의해 超克된다는 형이상학적 깨달음이 제시돼 있다. 이러한 「떠남-만남」, 「죽음-재생」의 시적 구조는 萬海 詩에서의 「이별-만남」이라는 消滅과 生成의 過程과 근원적 동일성을 지닌다. 두 작품은 「떠남」과 「만남」에 따르는 현상과 본질, 소멸과 생성, 그리고 生과 死에 대한 세계인식의 유사성을 지니고 있는 것이다. 이 점

오류가 있다면 앞으로의 보다 정밀하고 체계 있는 연구를 통해 수정 보완하기로 하겠다.

31) 金完鎭. 『鄕歌解讀法硏究』(서울 : 서울대학교출판부, 1980). p.124

에서 <祭亡妹歌>의 이별의 상상력은 萬海 詩의 중요한 한 源泉이 된다.

늣겨곰 ᄇᆞ라매
이슬 ᄇᆞᆯ갼 ᄃᆞ라리
ᄒᆡᆫ구름 조초 ᄣᅥ간 언저레
몰이 가른 물서리여ᄒᆡ
耆郞ᄋᆡ 즈ᅀᅵ올시 수프리야
逸烏나릿 ᄌᆡ벼긔
郞이여 디니더시온
ᄆᆞᅀᆞᄆᆡ ᄀᆞᄉᆞᆯ 좇ᄂᆞ라져
아야 자짓가지 노포
누니 모ᄃᆞᆯ 두폴 곳가리여

<讚耆婆郞歌>[32]

<제망매가>가 生과 死라는 형이상학적 주제에 있어서 『님의 침묵』과 정신적 구조의 근원적 동일성을 지니는 데 비해 <찬기파랑가>는 또 다른 면에서 『님의 침묵』과 연결된다. 먼저 이 작품은 기파랑을 흠모한다는 점, 즉 찬양하는 대상으로서의 「님」을 지닌다는 점에서 『님의 沈默』과 공통점을 지닌다. 기파랑의 고결한 德性과 굳센 志操에 대한 찬양과 흠모는 『님의 沈默』에서 님에 대한 가없는 戀慕와 渴望으로 연결되는 것으로 볼 수 있다. 「님志向性」이라는 한국시가의 한 原型質을 엿볼 수 있는 것이다. 또 한 가지는 <찬기파랑가>가 「달의 想像力」에[33] 기반을 두고 있다는 점을 들 수 있다. 『님의 沈默』의 상상력의 근간이 달의 상상력에 자리잡고 있는 것과 같이

32) 金完鎭의 現代語譯은 「흐느끼며 바라보매/이슬밝힌 달이/흰구름 따라 떠간 언저리에/ 모래가튼 물가에/ 耆郞의 모습이올시 수풀이여/ 逸烏내 자갈벌에서/ 郞이 지니시던 마음을 갓을 쫓고 있노라/ 아아, 잣나무 가지가 높아/ 눈이라도 덮지못할 고깔이여」이다. *Ibid.*, pp.81~91.

33) 本書, 2節 (4)項 참조.

<찬기파랑가>에서도 달은 기파랑의 맑고 밝고 높은 德과 용모를 상징함으로써 시의 中心像을 이끌어가고 있는 것이다. 다음으로는 形式의 문제를 클 수 있다. 이것은 落句構造와 10句體의 形式性을 들 수 있다. 특히 落句構造는 『님의 沈默』에서도 중요한 형식적 특성이 되었음에 비추어[34] 源泉·影響 관계를 추출해 볼 수 있다. 제 9구에서 <아야>라는 감탄의 落句는 <님의沈默> 9句의 /아아/와구조적 대응을 이루는 것으로 보여지기 때문이다.

鄕歌는 특히 표현방법에 있어 『님의 沈默』과 형태적 연관성을 지닌다.

① ᄆᆞ ᅀᆞ ᄆᆡ 부드루 그리ᅀᆞᆯ ᄫᆞᆫ 부텨前에(心未筆留慕呂白乎隱佛體前衣)
<禮敬諸佛歌>에서

② ᄀᆞᇫ업ᄂᆞᆫ 德바ᄃᆞᆯ ᄒᆞᆯ (際于萬隱德海肸)
<稱讚如來歌>에서

③ 燈油는 大海이루가라(燈油隱大海逸留去耶)
<廣修供養歌>에서

④ 煩惱熱루 다려내매 (煩惱熱留煎將來出來)
<請轉法輪歌>에서

⑤ 大悲ㅅ물루 저지여 (大悲叱水留潤良只)
<直顧衆生歌>에서[35]

①에서는 / ᄆᆞ ᅀᆞ ᄆᆡ 붇/과 같이 「의」의 隱喩가 나타나 있다. ②에서는 /德마다/ 와 같은 名詞의 동격은유가, ③에서는 / 燈油＝大海이루다/ 라는 동사은유가 의미의 핵심을 이룬다. ④에서는 / 번뇌열 /이라는 명사은유. ⑤에는 /大

34) 本書, pp. 125～128 참조
35) 이상 예문 梁柱東, 『增訂古歌研究』(서울 : 一潮閣. 1977), pp.673～842 참조

悲ㅅ물 / 과 같은 관형은유가 활용되는 등 다양한 표현방식을 보여 주고 있다. 이러한 은유법은 실상『님의 沈默』에서 특징적으로 활용되는 중심 방법임에 비추어, 佛教的 隱諭法의 큰 테두리 안에 묶을 수 있는 표현구조가 된다. 이렇게 볼 때 鄕歌를 관류하고 있는 宗教的 想像力과 佛教的 隱喩法은 정신과 방법의 양면에 있어서 만해 시의 원천이 됨을 알 수 있다.

(2) 麗謠와의 脈絡

高麗歌謠는 鄕歌의 宗教的 想像力과는 달리 사랑의 시로서의 人間的想像力에 마당을 두는 것이 특징이다. 生과 死라는 근원적인 존재성에관한 형이상학적 탐구보다는 사랑의 기쁨과 슬픔, 기다림과 그리움이라는 인간적 정감에 의지하고 있는 것이다.[36)]

① ᄃᆞᆯ하 노피곰 도ᄃᆞ샤
어긔야 머리곰 비취오시라
어긔야 어강됴리
아으 다롱디리

<井邑詞>에서

② 二月ㅅ 보로매
아으 노피현 燈人불 다호라
萬ㅅ 비취실 즈이샷다
…(中略)…
六月ㅅ 보로매
아으 별해 ᄇᆞ룐빗 다호라
도라 보실 니믈
젹곰 좃니노이다

<動動>에서

36) 이하 작품 인용은 梁柱東.『麗謠箋注』(서울 : 乙酉文化社. 1971) 참조.

③ 내님들 그리ᅀᆞ와 우니다니
山졉동새 난 이슷ᄒᆞ요이다
아니시며 거츠르신ᄃᆞᆯ 아으
殘月曉星이 아ᄅᆞ시리이다
…(中略)…
니미 나ᄅᆞᆯ ᄒᆞ마 니ᄌᆞ시니잇가
아소 님하 도람 드르샤 괴오쇼셔

<鄭瓜亭>에서

④여ᄒᆡ므론 질삼뵈 ᄇᆞ리시고
괴시란ᄃᆡ 우러곰 좃니노이다
구스리 바회예 디신ᄃᆞᆯ
긴힛ᄯᆞᆫ 그츠리잇가 나ᄂᆞᆫ
즈믄ᄒᆡ를 외오곰 녀신ᄃᆞᆯ
信잇ᄃᆞᆫ 그츠리잇가 나ᄂᆞᆫ

<西京別曲>에서

⑤ 가시리 가시리 잇고
나ᄂᆞᆫ ᄇᆞ리고 가시리잇고

날러는 엇디 살라ᄒᆞ고
ᄇᆞ리고 가시리 잇고

잡ᄉᆞ와 두어리 마ᄂᆞᄂᆞᆫ
선ᄒᆞ면 아니올세라

셜온님 보내ᅀᆞᆸ노니
나ᄂᆞᆫ 가시ᄂᆞᆫ ᄃᆞᆺ 도셔오쇼셔

<가시리>

①작품은 달을 매개로 님을 그리는 女人의 심정이 애틋하게 표출돼 있다. 달과 님의 정서적 呼應(concord) 『님의 침묵』의 그것과 共感帶를 형성한다. ②시에는 님에 대한 흠모와 戀情이 함께 드러난다. 「높이 켠燈불」로서, 「萬人비취실 모습」으로서의 님에 대한 찬송이 바탕에 깔려 있으면서 버려진 모습, 님을 잃은 가련한 모습으로서의 悲戀의 심정이 주제를 이룬다, 「님」이라는 구체적 표현이 文面에 나타난 점도 특징이 된다. ③시에는 님에 대한 그리움과 안타까움이 더욱 절실하게 표출돼 있다. /殘月曉星/이라는 달과 별의 비유적 심상 속에는 애절한 원망과恨 그리고 끈질긴 기다림과 하소연이 참재해 있는 것이다. 특히 이 시는 표면적으로는 男女의 애정을 노래한 戀歌이면서도 내면적으로는 忠臣戀君之詞로서의 象徵詩的 성격을 共有하고 있다는 점에서 『님의 沈默』과 發想的 連繫姓을 지닌다. 「님」이 핵심적인 오브제로 직접 나타난 것도 『님의 침묵』의 원형성 탐구에 한 시사를 제공할 수 있다는 점에서의미가 있다. ④시에선 /질삼뵈 ᄇ리시고/와 같이 詩的 주체가 여성으로 구체화되어 있다. 여자의 本業의 하나인 길쌈하는 일도 버리고 님을 따르겠다는 비장한 다짐과 결의, 그리고 천 년이 지나도 믿음은 변치 않으리라는 가없는 戀慕와 그에 대한 확신은 『님의 沈默』의 영원한 사랑의 源泉이 아닐 수 없다. ⑤의 시도 앞의 시들과 대동소이하다. 이별에 따르는 비극적 정서가 주조를 이루며, 끈질긴 기다림과 극복의 자세가 여성적 토운으로 내면에 깔려 있다. 세속적인 연정이 치렁치렁한 생명감각의 율조와 결합되어 한국 이별시의 한 典型을 보여 주는 것이다.

이처럼 高麗歌謠는 사랑과 이별, 한과 기다림, 슬픔과 하소연이라는 인간적 정감이 적나라하게 표출돼 있다는 점에서 『님의 沈默』의 그것과 내면적인 맥락을 지닌다. 향가에서의 종교적 상상력이 내포한 神聖志向과 함께 고려가요의 인간적 상상력이 불러일으키는 世俗偏向性이 『님의沈默』에 이어져 神聖과 世俗의 갈등을 형성하게 된 것이다. 이 점에서 향가와 麗謠는 『님의 沈默』의 시 정신과 정서의 胎盤으로서의 중요성을 지닌다.

高麗의 漢詩도 『님의 沈默』에 영향을 미친 것으로 보인다.

> 雨歇長堤草色多　送君南浦動悲歌
> 大同江水何時盡　別淚年年添綠波
>
> 鄭知常 <大同江>

> 문밧긔 시내물은 믈ㅅ결을보태랴고 나의눈물을바드면서 흐르지안습니다
>
> <어늬것이참이냐>에서

이 두 시편에서 / 江 : 시냇물 / , / 파도 : 물결 / 의 대응과 / 別淚年年 添綠波 : 믈ㅅ결을 보태라고 나의 눈물을 바드면서 / 라는 이미지는 긴밀한 상호연관성을 지니는 것으로 보인다. 특히 눈물과 물결의 類推的 照應은 두 시편의 원천 영향 관계의 추정을 가능하게 한다. 단편적으로 드러나는 이러한 한시와의 원천·영향 관계는 실상 『님의 沈默』의 많은 시편·지구에서 중요한 胎盤을 이루고 있을 것으로 추측된다는 점에서 보다 면밀한 천착이 필요한 것으로 판단된다. 이것은 만해가 지니고 있던 漢詩에 대한 풍부한 지식과 소양이 유형무형으로 『님의 沈默』의 창작에 작용했을 것으로 보이기 때문이다.

(3) 朝鮮朝詩歌의 계승

朝鮮朝에 이르러서는 漢詩와 時調, 그리고 歌辭가 보다 구체적으로 萬海詩와 接脈되는 것으로 보인다.

먼저 許蘭雪軒, 黃眞伊 등 女流의 詩작품과 『님의 침묵』은 형식과 내용면에서 직접적인 원천·영향 관계를 지닌다.

精金凝寶氣 鏤作半月光　　갈고닦은 黃金으로 반달모양 보배 만들어
嫁時舅姑贈 繫在紅羅裳　　시부모님 주신 그것 치마끈에 차고 있었네
今日贈君行 願君爲雜佩　　오늘 길 떠나시는 님에게 정표로 드리니
不惜棄道上 莫結新人帶　　비록 버리는 것 괜찮사오나 다른 여인에겐 주지 마소서

許蘭雪軒 <遣興>[37]

언제인지 내가 바다ㅅ가에가서 조개를주섯지요 당신은 나의치마를 거더주섯서요 진흙뭇는다고

나는 그째에 조개속에서 진주를어더서 당신의적은주머니에 너드렷슴니다

당신이 어듸 그眞珠를 가지고기서요 잠시라도 웨 남을빌녀주서요

<眞珠>『님의 沈默』에서

이 두 작품은 패물과 진주가 각각 사랑을 의미하는 상징물이다. / 패물 : 진주 / . / 님 : 당신 / 의 대응에는 사랑하는 님에 대한 사랑과 믿음이 내포돼 있다. 또한 / 莫結新人帶 : 잠시라도 웨 남을빌녀주서요 / 라는 結句는 단순한 착상의 유사성 이상으로 직접적인 영향 관계가 잠재돼있는 것으로 보인다.

楊柳含煙霞岸春　　해마다 버들꺾어 가는님주엇나니
年年攀折贈行人　　봄바람 이離恨을 그어이 알을것가
東風不解傷離別　　낮가지슬슬불어서 길먼지만쓸더라
吹却低枝掃路塵

許蘭雪軒 <楊柳枝詞>[38]

大同江上送情人　　대동강 저은날에 고혼님 보내올제
楊柳千絲不繫人　　千萬絲 고이고이 느러진 실버들은
含戾眼着含戾眼　　가는임 얽을체안코 휘놀기만하느니

37) 許蘭雪軒外.『歷代女流漢詩文選』全智勇譯(서울 : 大洋书籍. 1975). p. 97.
38) 金岸曙譯,『꽃다발』(서울 : 博文書館, 1942) p·56.

斷腸人對斷腸人

桂月 <무심한 실버들>[39]

뜰압헤 버들을심어
님의말을 매랏드니
님은 가실째에
버들을꺽어 말체칙을 하얏습니다
버들마다 채칙이되야서
님을싸르는 나의말도 채칠까하얏드니
남은가지 千萬絲는
해마다 해마다 보낸恨을 잡어맴니다

<심은버들>『님의 沈默』에서

두 여류 漢詩와 萬海 詩에서 버들은 사랑과 이별, 그리고 그 恨의 정감을 상징하는 매개물로서의 공통성을 지닌다. 버들은 길 떠남의 정표로서, 千萬絲 늘어진 가지는 천만 갈래 情恨과 離恨의 상징성을 지니는 것으로서 많은 傳統漢詩에 폭넓게 사용되었던 것이다. 이러한 전형적 상징으로서의 버들이 만해 시에 그대로 사용되고 있다는 점은 만해 시 정서의 전통적 형질을 반영한 것이 된다. 특히 이 시가 4행 2연으로 구성된 것만 보더라도 傳統漢詩의 형식이 미친 한 영향을 짐작할수 있다. 시조나 漢詩 등 전통시가에 흔히 등장하는 중심 詩語인 사랑·이별·恨·그리움·서러움 등의 관념어와 달· 비·눈 등의 田園象徵語 그리고 대숲·오동·매화· 버들 등의 植物的 이미져리群 및 등불·거문고·눈물 등의 詩語들은 그대로 萬海詩의 中心詩語群이 되고 있다는 점에서 보더라도 만해시의 전통시와의 맥락을 확인할 수 있다.

黃眞伊의 詩篇도 萬海 詩의 중요한 원천이 된다.

39) *Ibid.*, p 150.

相見相見只憑夢	꿈길밖에 길없는 우리의신세
儂訪歡時歡訪儂	님찾으니 그님은 날찾았고야
願使遙遙他夜夢	이뒤엘랑 밤마다 어긋나는꿈
一時同作駱中逢	같이떠나 路中에서 만나를지고

黃眞伊 <꿈>[40)]

밤근심이 하 길기에
숡도길줄 아럿더니
님을보러 가는길에
반도못가서 깨엿고나

새벽숡이 하 써르기에
근심도 써를줄 아럿더니
근심에서 근심으로
슷간데를 모르겟다

<숡과근심>『님의 沈默』에서

이 두 작품의 핵심은 간진한 그리움의 ,心思가 「꿈길」로 비유된 데 있다. 꿈길은 님과 나의 거리를 좁혀 주고 떨어져 있는 님과의 만남을 성취시켜 주는 장소 혹은 통로로서의 의미를 지닌다. 또한 꿈길은 이별의 슬픔을 위로받을 수 있는 안식처의 의미도 내포하고 있다. 이러한 복합 적인 의미를 내포한 꿈길의 은유법은 단순한 표현기법으로서가 아닌 恨과 슬픔의 現實止揚의 방법으로서의 상징성을 강하게 지닌다는 점에서 두 시의 공통성이 드러난다.

冬至ㅅ돌 기나긴 밤을 한 허리를 버혀내여
春風 니불아레 서리서리 너헛다가
어른님 오신날 밤이여든 구뷔구뷔 펴리라

<黃眞伊 時調>[41)]

---

40) 全岸曙. *op. cit.*, p.146.

나는 永遠의時間에서 당신가신째를 끊어내것습니다 그러면 時間은 두도막이 남니다

時間의한숫은 당신이가지고 한숫은 내가가젓다가 당신의손과 나의손과 마조잡을째에 가만히 이어노켓슴니다

<당신가신째>『님의沈默』에서

그러나 당신이오시면 나는 사랑의 칼을가지고 긴밤을베혀서 一千도막을 내것슴니다

<여름밤이기러요>에서, 同上

위 작품들의 공통점은 /기나긴 밤을 한 허리를 버혀내여 : 간밤을베혀서 一千도막을 내것슴니다/와 같이 時間을 物質化하는 活物論的 隱喩法을 사용하고 있으며, 그것이 사랑과 그에 따른 그리움과 기다림의 情緖를 표출하고 있다는 점이다. 즉 님에 대한 사항의 哀恨과 願箸의 애절한 정감이 活物變質型 隱喩法을 통해 효과적으로 형상화된 것이다. 이처럼 時間을 空間化 내지 物質化하는 고도의 은유법은 萬海가 黃眞伊 등[42] 古典詩歌에서 발굴· 계승한 중요한 측면이 되는 동시에 새삼 𩗗海 詩의 전통적 맥락을 확인해 주는 實例가 된다. 이처럼 萬海詩는 許蘭雪軒 및 黃眞伊를 대표로 하는 女流들의 作品과 內面的인 詩精神과 情緖의 形質을 共有하고 있으며 隱喩法 및 詩形式에 있어서도 밀접한 상관관계를 지니고 있는 것으로 보인다.

이러한 萬海 詩의 傳統詩와의 接脈은 鄭澈文學과의 相關性에서 더욱 具體的으로 드러난다. 먼저 松江과 萬海文學은 장르 선택과 文字行爲에서 공통성을 지닌다. 松江文學의 文字行爲, 즉 표현방법은 漢文과 國文(한글)의 二重構造로 이루어져 있다. 松江의 저작 중 漢文으로 표현된 것은 疏·啓 ·文· 記·辭

41) 정병욱, 『時調文學事典』(서울 : 新丘文化社. 1966). p·165.

42) 萬海의 隨想 중에는 <天下名妓 黃眞伊> 등의 글이 있는 것으로 미루어 그가 황진이 등 고전시인들의 생애와 문학에 대해 관심을 가졌던 것으로 보인다. 『全集』 p.242.

및 漢詩 등을 들 수 있으며, 한글 작품으로는 時調를 비롯하여 <星山別曲>·<關東別曲>·(思美人曲>·<續美人曲> 등 歌辭가 여기에 속한다. 그렇다면 松江은 왜 이러한 二重的 文字體系와 장르體系를 지니고 있는가? 실상 이러한 문제는 傳統文學史 수의 많은 文士들, 예컨대 朴仁老·尹善道 등의 문학작업과도 暗默的인 연관성을 갖는 보다 중요한 수수께끼인 동시에 전통적인 문학의식의 해명에도 포괄적인 상징성을 제시해 준다. 실상 松江의 二重的 文字體系와 장르體系의 해명은 송강의 문학의식을 밝혀 줄 뿐 아니라 傳統文士들의 문학의식과 작품의 內密構造를 드러내 주는 유효한 한 열쇠가 될 수 있다.[43)]

松江의 漢詩와 한글 시가를 대비해 보면 쉽게 그 장르 선택의 動因을 짐작할 수 있다.

君子辭黃閣	군자는 정승자리 사양하고
小人秉東銓	소인이 吏曹를 차지하누나
賢邪進退際	군자와 소인이 들고나는데
副學心恬然	부제학은 마음이 담담하기만[44)]

歸田不早竟趍塵	일찍 田園에 못 돌아가 끝내 먼지구덩에 빠졌으니
除却人非自誤身	남의 잘못 잡아내다 내 한몸만 망쳤구나
嬴得鏡中千丈白	거울 속 하나 가득 흩날리는 백발뿐
莫言圖盡在麒麟	이상의 政治는 이룰 날 아득하도다

<自嘆>[45)]

43) 이에 관해 밝혀진 사신은 漢文體系가 公式性을 지니고 있으며 한군체계가 非公式性인 측면을 지니고 있을 것이라는 조심스런 지적이 있다. : 權斗煥. 「松江의 訓民歌에 대하여」 ≪震檀學報≫ 42호 (서울 : 震檀學會, 1976)

44) 『松江全集』(서울 : 大東文化研究院. 1964) 영인본, p. 153.

45) *Ibid.*, p.17.

예시에서 보듯이 漢詩에는 松江의 現實意識이 선명히 드러나고 있다. 現實의 政治的 상황에 대한 예리한 감각과 함께 現實生活에 대한 자기한성이 뒤따르고 있다. 이렇게 漢詩는 대부분 交友·紀行·政治事·問答·風流·反省 등 생활체험 전반을 형상화하는 것이 특징이다. 漢詩는 송강 자신의 생활사 전체를 직접 서술한 生活詩이며, 社會生活을 반영한 公式·非公式的인 人生의 縮圖인 것이다. 따라서 漢文은 다분히 公的生活에 있어서의 기본 수단으로서의 성격이 강하게 드러난다.

漢詩가 생활체험 전반을 종합적으로 수용하고 있음에 비하면 한글작품은 특정한 기능 즉 感化的 호소나 하소연을 위한 상징시로서의 성격을 지닌다.

> 이몸삼기실제님을조차삼기시니ᄒᆞᆫᄉᆡᆼ연분이며하ᄂᆞᆯ모ᄅᆞᆯ일이런가나ᄒᆞ나점어잇고님ᄒᆞ나날괴시니이ᄆᆞᄋᆞᆷ이사랑견졸ᄃᆡ노여업다평ᄉᆡᆼ에원ᄒᆞ요ᄃᆡ한데네자하얏더니늘거야무ᄉᆞ일로외오두고그리난고엇그제님을뫼셔광한뎐의올낫더니…中略…어와내병이야님의타시로다출ᄒᆞ리ᄉᆡ여듸여…향므틘날애로님의옷ᄉᆡ올므리라님이야날인줄모ᄅᆞ셔도내님조차려ᄒᆞ노라
>
> <思美人曲>에서

> 내ᄆᆞᄋᆞᆷ 버혀내어 뎌 ᄃᆞᆯ을 ᄆᆡᆼ글과져 구만리당텬의 번드시 걸녀이셔 고온님겨신고ᄃᆡ 가 비최여나 보리라[46)]
>
> <時調>

---

46) 이러한 古典詩의 영향을 제시하는 글로는 다음과 같은 것이 있다. "우리들 삼십삼인이 기미년 사건으로 서대문 감옥에 갇혀 있던 것이, 나는 그때 수년 옥중생활 하는 사이에 충동을 받아본 것이 한두번이 아니었으나…나는 전창 바깥으로 흘러들어오는 달빛에 흘리어…무어라 말할 수 없이 상쾌하였다/ 저달을 베어 내 마음 만들고자/ 라는 시조의 생각도 난다. 「秋七月旣望에 蘇子與酒客」이라는 古詩도 생각난다…… 그 철창 밑에서 바라보던 달. 나는 영원이 잊지 못하노라" 『全集』 卷一, p.241.

두 작품은 모두 님을 대상으로 그리움을 하소연하고 있다. 이 님이 宣祖를 의미한다는 것은 旣知의 사실임에도 불구하고 작품의 文面에는 그것이 구체적으로 밝혀져 있지 않고 인간적 정감의 보편적 차원으로 서술돼 있을 뿐이다. <思美人曲>은 昌平流配의 절망적 상황에서 님을 향한 一片丹心을 한 女人의 心思에 假託하여 애절하게 표출하고 있다. 굳이 君臣의 관계를 드러내지 않고 평범한 匹女의 하소연을 통해 사랑의 안타까움과 그리움, 그리고 기다림을 드러낼 뿐이다. 그러나 실상 「離別—그리움과 기다림의 안타까움-만남」에 이르는 <思美人曲>의 시적 구조 속에는 님을 잃은 상대에서 님에 대한 사랑을 호소하고 復職을 갈망하는 松江의 염원이 象徵化되어 있음을 알 수 있다. 이것은 『님의 沈默』에서 「이별—갈등과 괴로움—만남」의 구조가 다양한 해석의 가능성을 지닌 상징적 성격을 내포한 사실과 대응이 된다. 「님」에 대한 가없는 사랑, 영원한 그리움을 하소연 한으로써 現實克服과 上昇을 지도한 점에서 두 작품은 공통성을 지니는 것이다. 예를 든 時調의 경우에도 표면에 드러난 것은 총칭으로서의 님이지만 내면적 의미는 宣祖에 대한 그리움과 忠誠心을 표현한 것으로서의 상징성을 지닌다. 『님의 沈默』 역시 님을 잃은 상태, 님의 不在의 상황에서 님에 대한 동경과 갈망을 표출한 작품 이라는 점에서는 <思美人曲>과 대동소이한 범주에 속한다. 이렇게 볼 때 한글 작품들은 漢詩가 生活過程에서의 即景即事를 노래한 生活詩였음에 비추어 流配 등 불우한 상황에서 不在의 님에 대한 忠情을 戀情의 양식으로 노래 함으로써 現實上昇을 시도한 象徵詩로서의 성격을 강하게 지닌다는 점을 알 수 있다.

萬海 詩의 경우에도 漢文·한글의 二重構造가 그대로 드러 난다. 萬海에 있어서 이러한 二元性은 漢詩와 이에 대응되는 시조 및 현대시 『님의沈默』으로 나뉘어진다. 이미 앞에서 우리는 漢詩가 萬海의 生涯史 전체를 집약적으로 표출하는 生活詩이며, 이에 비해 한글체 시 『님의 沈默』이 상징시로서의

성격을 지니고 있음을 살펴본 바 있다.[47] 萬海의 漢詩는 松江의 경우와 마찬가지로 交友·勝景·風流·紀行·佛事·現實·社會問題·囹圄生活 등 생활체험 전체를 직접적으로 형상화하고 있다. 이에 비해『님의 沈默』은 松江의 <思美人曲>과 같이 戀詩的 發想과 전개를 바탕으로 사랑의 원리인 消滅(이별)과 生成(만남)의 문제를 집중적으로 형상화함으로써 다양한 상징성을 내포하는 象徵詩의 가능성을 지니고 있다. 個體原理로서의 이별과 만남의 변증법을 당대 현실이나 민족·역사 ·국가의 公的 次元의 문제로 상승시킬 때 萬海 詩는 보다 넓이와 깊이를 지닐 수 있는 것이다. 松江이 王權으로부터의 疎外에 應하여 <思美人曲>이라는 戀愛·象徵詩를 쓴 것처럼 萬海도 日帝라는 폭력적 상황하에서 不在하는 님에 대한 신앙의 상징으로『님의 沈默』을 집필한 것이라고 해석할 수 있기 때문이다. 萬海가 漢詩에 능통하였으며 실제로 전생애에 걸쳐 漢詩를 지속적으로 창작하였음에 비추어, 더구나 初期詩壇 形成過程인 20년대 전반에 시집『님의 沈默』을 단행본으로 묶어낸 것은 분명히 상징적인 그 어떤 의도 내지 필연성이 있었음에 분명하다.

『님의 沈默』 이전에 時調 몇 편과 이후에 단편적인 詩篇 약간이 발표될 정도로 萬海는『님의 沈默』만을 대표작으로 詩壇에 던져놓고 있을 뿐인 것이다. 이 점에서 萬海는 松江의 文字表記 내지는 장르의식에 接脈되어 있음을 알 수 있다.

이러한 松江과 萬海의 文字意識과 장르선택의 공통점은 詩精神 내지는 情緖面에서도 類似性을 지니게 된다.

> ① 올져긔비슨머리얼킈연디삼년이라연지분잇ᄂᆡ마ᄂᆞᆫ눌위ᄒᆞ야고
> 이ᄒᆞᆯ고마ᄋᆞᆷ의ᄆᆡ친실음텹텹이싸혀이셔짓ᄂᆞ니한숨이오디나니눈물
> 이라…중략…원앙금버혀노코오색션플텨내어금자ᄒᆡ견화이셔님의옷

---

47) 本書. 第Ⅲ章 장르적 接近 참조..

지어내니…중략…紅裳을늬미차고翠袖를반만거더日暮修竹의혬가림
도하도할샤

<思美人曲>에서

② 나는 당신의 옷을 다지어노앗습니다
심의도지코 도포도지코 자리옷도지엇습니다
지치아니한것은 적은주머니에 수놋는것뿐임니다

<繡의祕密>『님의 沈默』에서

③ 나의周圍에는 和氣라고는 한숨의 봄바람 밧게는 아모것도업습
니다
하염업시흐르는 눈물은 水晶이되야저 깨긋한슯음의聖境을 비침
니다
님이주시는 한숨과눈물은 아름다은 生의藝術임니다

<生의藝術>『님의 沈默』에서

松江의 ①詩는 萬海의 ②③詩를 혼합한 내용과 같은 느낌을 준다. ①과 ②는 女性主體에 있어 공통점을 지닌다. 옷 짓고 繡 놓는 것과 같이 女性的인 主體 및 분위기로 이루어져 있다. 松江과 萬海는 詩의 主體를 女性化함으로써 詩的 呼訴力과 說得力을 강화한다. 松江에게는 「王」이, 萬海에게는 「님」이 男性으로 표상됨으로써 이에 대한 사랑의 하소연과 호소가 女性化한 主體를 통해 이루어질 때 자연스러우며 또한 시적 간장이 유발되고 哀訴의 곡진함이 드러나게 되는 것이다. 이 점에서 전통문학사에서 女性主義는 現實의 어려움을 극복하는 한 정신적 응전방법이 될 수 있었던 것으로 이해된다. ①과 ③시는 기본 정조가 「눈물」과 「한숨」이라는 비극적 情緖로 이루어져 있다는 점에서 공통성을 지닌다. 「눈물」과 「한숨」의 표출은 現實의 어려움에 기인하는 부정적 측면을 지니지만 동시에 현실의 어려움을 완화하고 극복하기 위한 카타르시스의 의미를 내포하고 있는 것도 사실이다. 이 점에서 한숨

과 눈물이라는 비극적 정서가 松江과 萬海 詩의 주된 정조의 하나로서 한국 시가의 전통적인 한 흐름을 형성하고 있는 것으로 보인다. 이러한 女性主體에 의한 女性主義와 부정적 현실인식에 기인한 悲劇的 정서는 한국의 詩文學을」 貫流하는 정서적 형질의 한 原型으로 이해되는 것이다. 이렇게 볼 때 松江과 萬海의 문학은 여러 가지 점에서 공통점을 지닌다. 문자의식과 장르 선택은 물론, 詩的 전개의 방법과 내면적 情緖에 있어서도 內的인 共感帶를 지니고 있는 것이다. 송강은 文字行爲의 二重性에 의해 詩장르를 선택하였으며, 그 기본정서의 形質과 詩方法에 있어 女性主義에 뿌리박고 있다. 萬海 또한 二重的 詩장르와 표현방법을 지녔으며 한글시에서는 女性主義에 의한 상징적 호흡으로 현실 극복을 기도하고 있는 것이다. 松江과 萬海文學이 300년 정도의 相距가 있으며 그 사이 開化期가 가로놓여 있음에 비추어, 이 양자 사이의 方法과 精神의 共通性은 전통 단절론을 극복할 수 있는 유효한 한 단서가 된다. 松江文學과 岸曙의 『오뇌의 무도』 등은 분명히 異質性을 지니는 것이 확실하지만 松江과 萬海文學을 貫流하는 전통적인 시 의식과 방법 및 정신의 공통성은 1920년대 중반에 있어 새삼 전통의 살아 있음을 확증케 해 주는 중요한 실증적 자료가 되는 것이다.舊韓末에 이르러 黃梅泉의 詩와 精神도 萬海 詩에 연결된다.

楓川渡口水猶香	풍천의 강물이 하그리 향기로워
濯我鬚眉拜義娘	수염을 깨끗이 씻고 義娘에게 절한다
感質何由能殺賊	연약한 여자몸으로 왜적을 죽이니
藁砧己自使編行	남편이 시키는 대로 군대에 들었음이라
長溪父老詩鄉產	장수고을 늙은이는 딸자랑 한참이고
矗石丹青祭國殤	촉석루 붉은 단청 가신 넋을 위로하네
追想穆陵人物盛	돌이켜 보면 선조대왕때는 인물이 하도 많아
千秋妓籍一煇光	기생도 그 이름을 천추에 전함을

黃玹 <義妓論介碑>[48]

날과밤으로 흐르고흐르는 南江은 가지 안습니다
바람과비에 우두커니섯는 矗石樓는 살가튼光陰을따러서 다름질침니다

論介여 나에게 우름과우슴을 同時에주는 사랑하는 論介여
그대는 朝鮮의무덤가온대 피엿든 조흔쏫의하나이다 그레서 그향기는 썩지만는다

……中略……

千秋에 죽지 않는 論介여
하루도 살ㅅ수업는 論介여
그대를사랑하는 나의 마음이 얼마나 질거우며 얼마나 슯흐것는가
나는 우슴이제워서 눈물이되고 눈물이제워서 우슴이됩니다
容恕하여요 사랑하는 오々 論介여

萬海 <論介의愛人이되야서그의廟에>에서

이 두 편의 詩는 論介의 殉國忠節의 높은 절개와 지조를 찬양하는 데 공통점이 있다. 이러한 義妓 論介의 찬양과 추모 속에는 당대 현실에 대한 개탄과 抵抗意志가 담겨져 있으며, 아울러 志士魂으로서의 살아 있는 선비정신이 번뜩이고 있는 것이다. 『님의 沈默.』에 희귀하게 나타나는 人名 중에서 論介는 바로 萬海의 현실비판과 저항정신을 표상한 것이며 이 정신은 黃梅泉을 대표로 하는 전통적인 선비들의 비판정신의 맥락을 잇고 있는 것이다. 따라서 萬海 漢詩에는 직접적으로 梅泉을 대한 작품도 있으며 次韻한 작품도 발견된다.

就義從容永報國	의에 나아가 나라 위해 죽으니
一瞑萬古劫花新	만고에 그 절개 꽃피어 새로우리
莫留不盡泉臺恨	다하지 못한 한은 남기지 말라
大慰苦忠自有人	그 忠節 위로하는 사람 많으리니!

萬海 <黃梅泉>

48) 任重彬, 『韓末抵抗詩集』(서울: 正音社, 1976), p.121.

半歲蕭蕭不滿心　　참으로 불만에 찬 반년이었기
天涯零落獨相尋　　천애에 영락하여 산수 찾았네
(中略)
乾坤正當風塵節　　온통 하늘과 땅 풍진을 만난 이때
肯數西川杜甫吟　　두보의 난중시 읊조리고 앉아 있네

萬海 <留山巖寺次梅泉韻>

<黃梅泉>은 萬海가 黃玹의 殉國을 추모하여 지은 詩이다. <絶命詩>를 남기고 自決한 黃玹의 殉國精神과 義氣를 흠모하고 遺德을 기림으로써 만해 자신의 저항의지와 조국애를 표출한 작품이다. 또한 <留仙巖寺次梅泉韻> 역시 梅泉의 詩에 次韻함으로써 그의 문학정신과 저항의식을 계승코자 하는 것이다. 이렇게 볼 때 萬海의 詩精神은 『님의 沈默』이나 漢詩의 양면에서 梅泉의 문학정신에 깊이 연관되어 있다. 萬海는 漢詩 <安海州>, <獄中感懷> 등의 많은 시편에서 직접적으로 현실에 대한 비판정신을 표출하고 있음을 볼 수 있다. 萬海의 漢詩 속에는 저항정신을 바탕으로 한 志操와 克服 정신으로서의 전통적인 선비정신의 맥락이 계승되어 있는 것이다. 이 점에서 보더라도 漢詩는 生活詩로서 직접적인 의사 표출의 특성을 지니며, 한글시는 우회적이고 간접적인 상징시로서의 성격을 지니고 있음을 알 수 있다.

3. 當代詩와의 相關性

漢詩는 1926년 詩集 『님의 沈默』이 刊行되기 이전에 있어서 萬海의 生涯史를 반영한 生活詩로서 萬海詩의 기본 장르가 되어 왔다. 이미 살펴 본 대로 漢詩 이외에 『님의 沈默』 이전에 씌어진 詩로서 지금까지 발견된 작품으로는 <心>과 <무궁화 심으과저> 두 편이 있을 뿐이다 萬海의 社會參泉活動이 시작되는 한 起點인 ≪惟心≫誌로부터 『님의 沈默』에 이르는 10년 가까운 시기는[49] 주로 己未獨立運動과 그에 따른 論說發表 및 囹圄生活, 그리고 계몽운동 등으로 이어지는 치열한 대결정신의 시대이자 萬海生涯와 活動의 絶頂期에 해당된다. 그는 이러한 치열한 정신의 暗鬪 속에서 어느날 홀연 百潭寺에 들어가서 五歲庵의 한여름 동안 『十玄談註解』를 집필(1925.6.7)하고 이어서 『님의 沈默』을 탈고(同年 8.29)하는 등 폭발적인 精神의 힘을 과시하였다. 初期詩壇의 形成期인 이 時期에 文壇과 아무런 직접적 緣故를 갖거나 習作이나 詩的 훈련과정을 전혀 보여 주지 않은 萬海가 어떻게 갑자기 『님의 沈默』을 탄생시킬 수 있었던가 하는 문제는 아직도 수수께끼가 아닐 수 없다. 더구나 그것이 그때 그때 발표된 생활 주변의 단편적 詩篇을 정리한 나열식 시집이 아니라, 처음부터 끝까지 일관된 主題를 다양하게 천착한 連作詩集으로 판단된다는 점에서 그러한 의문은 더욱 신비한 것으로 남는다. 왜, 어떠한 동기에서 『님의 沈默』이 씌어졌으며, 또한 씌어질 수밖에 없었던 것인가. 傳統詩의 광범위한 血脈과 타골 시의 受容 말고도 當代에 萬海詩의 形成과 相關關係가 있는 밀접한 詩人이나 詩作品은 없었는가 등의 문제가 대두되게 된다. 먼저 著者는 當代詩人 중에서 六堂 崔南善과 金素月을 밀접한 관련자로 제시 할 수 있으리라 생각한다. 崔南善은 新文化運動의 선구자로서 폭넓은 文化活動을 통해 직접·간접으로 萬海의 生活 내지 文化的 指向에 영향을 미치면서 갈등을 이루어 왔다는 점에서 상관관계를 지닌다. 素月은 『님의 沈默』 이전에 『진달내꼿』(1925.12 賣文社)을 내는 등 활발한 詩作活動을 함으로써 萬海에게 직접적인 자극을 주었던 것으로 이해되기 때문이다. 특히 「님」의 思想으로 요약할 수 있는 朝鮮心을 집중적으로 추구한 六堂의 詩精神과, 悲劇的 世界觀을 바탕으로 하여 사랑과 이별의 哀恨을 노래한 素月詩의 전통적 情緖는 실상 萬海 詩世界 형성의 중요한 한 태반을 제공한 것으로 판단된다는 점

49) 나이로는 대략 30대 중반(39세)으로부터 4대 후반(47세)까지의 인생의 가장 왕성한시기한 靑·壯年期에 해당한다.

에서 더더욱 그러하다. 이 점에서 六堂과 萬海, 素月 詩와 萬海 詩를 比較 分析해 보는 것은 의의있는 일로 여겨진다.

먼저 高銀은 『님의 沈默』의 창작 動因이 崔南善에 대한 萬海의 "뿌리 깊은 열등감"과 "치열한 질투심"[50]에 의한 것이라고 주장하여 관심을 끈다.

> 韓龍雲은 崔南善의 이러한 「님」의 문학을 알고 있었다. 그것 (筆者註 『百八煩惱』)― 이 출판된 것은 韓龍雲이 『님의 沈默』을 쓴 1925년이지만……中略……韓龍雲은 어떤 意味에서나 감정적으로 대립되었던 崔南善을 극복하려는 의지에 불을 질렀다. 그의 雪岳行(『님의 沈默』 집필) 역시 그 원인은 崔南善의 굴레를 뛰어넘으려는 데 있었다.[51]

『님의 沈默』 胎動에 崔南善의 文學活動 특히 『百八煩惱』가 직접적인 동기가 되었다고 하는 진술은 지나친 논리적 비약이 내포된 이상으로 문제점이 드러난다. 첫째는 年代의 착오를 들 수 있다. 『百八煩惱』는 『님의 침묵』 이전인 1925년 12월에 간행된 것이 아니라 그 이후인 1926년 12월에 간행됐다는 점이다. 물론 여기 수록된 작품들이 시집 발간 2,3년 전부터 씌어진 것을 모은 것이긴 하지만, 이 사실을 직접적인 동기로 과장하여 육당콤플렉스 운운하는 것은 분명히 비약에 속한다. 두 번째는 문학의식과 장르 선택의 차이가 현저히 두드러지는 두 시집을 직접 비교하려는 시도가 적절치 못하다는 점이다. 『百八煩惱』는 "다만 時調를 한 文學遊戲의 굴헝에서 건져내어서 엄숙한 思想의 容器를 맨들어 보려고"[52] 노력한 時調復興運動의 일환으로 씌어진 것으로서 계몽적인 문학의식이 두드러진다. 이에 비해 『님의 沈默』은

---

50) 高銀, 『韓龍雲評傳』(서울: 民音社. 1975). pp.300～301.

51) *Ibid.*, p.304.

52) 이 시조집은 제1부 <동청나무그늘)(님때문에 끈킨애를 읊흔 36수). 제2부 <구름지난자리>(국토순례의 祝文으로 쓴 36수). 제3부 <날아드는잘새>(案頭三尺에 제가 저를 잊어버리던 36수) 등 108편으로 되어 있으며, 自序와 朴漢泳·洪命憙·李光洙·鄭寅普 등의 跋文이 붙어 있다. 발행 東光社·발매 漢城圖書株式會社이다.

"해저문벌판에서 도러가는 길을일코 해메는 어린羊이 긔루어서" 씌어진 휴머니즘 지향의 象徵的인 문학의식에서 비롯된다는 점이 다르다. 또한 『百八煩惱』는 朝鮮心을 드러내기 위해 형식마저도 의도적으로 時調를 채택한 데 비해 『님의 沈默』은 比喩와 逆說을 바탕으로 戀歌的 발상과 전개를 통해 散文體의 自由詩를 추구했다는 相異한 장르 특성을 지닌다. 따라서 비교 검토돼야 할 것은 두 사람의 時調이지, 집필 취지와 지향 및 양식이 다른 시조와 현대시를 직접 비교한다는 것은 논리상의 모순을 내포하게 되는 것이다. 이렇게 볼 때 高銀의 『님의 沈默』 창작동인 분석은 선입견이 빚어낸 방법상의 오류를 빚고 있는 것이 사실이다. 이 점에서 崔南善과 그의 『百八煩惱』가 萬海의 『님의 沈默』 탄생의 직접적 동기로서 작용했다기보다는 文學의 신구지로서의 崔南善의 사회적·문화적 活動이 직접·간접으로 萬海의 生活과 관련된다는 점에서 『님의 沈默』 形成에 遠因으로 작용한 것으로 보는 것이 옳을 듯하다. 실제로 이들의 중요 活動을 살펴보면 共通點이 다수 발견된다.

	六堂	연대		萬海
출생	漢城中部土梨洞 中人以上의 신분	1890	1879	忠南洪城 結城面, 殘班으로서의 농촌 지식인
교육	書堂 수학 京城學堂·東京府立中 早稻田高師部地歷科	1901	1905	書堂 수학 白潭寺出家·受戒 以後 佛敎 受業
文化 活動	新文館 설립 ≪少年≫ ≪青春≫ 발간 東明社 ≪東明≫ 발간	1907 1908－1 914 1922	1918 1931	≪惟心≫誌 발간 ≪佛敎≫誌 발간
文學 活動	詩 <海에게서 少年에게> <太白山詩集> 『時調類聚』 편찬 완료 『百八煩惱』 이후 주로 역사 연구·시조 창작	1908 1910 1926.10 1926.12	1918 1922 1926.5 1935	詩 <心> 발표 시조 <무궁화심으과저> 시집 『님의 沈默』 소설 『흑풍』 발표 및 이후 소설 창작
사회 활동	朝鮮光文會 창립 時代日報 창간 사장	1910 1924	1922 1924	法寶會 발기 조선불교청년회 총재

	조선사 편수회 임원 滿蒙日報 고문 만주 建國大 교수 취임	1928 1938 1939	1927	민중계몽과 불교대중화를 위해 일간신문 발행 구상·시대일보 운영난에 인수기도 실패. 新幹會中央집행위원 비밀독립결사 卍黨 당수
독립 운동	己未獨立宣言書 受刑生活 (1919.3~1921.10 병보석)	1919	1919 1919	公約三章 受刑生活 (1919.3~1922.3 만기출옥) 朝鮮獨立의 書

이 표에서 보면 文學活動이나 文化活動, 그리고 社會活動에 있어서 대부분 11세 연하인 六堂이 한발씩 앞서고 있음을 알 수 있다. 특히 文學作業에 있어서는 新詩·時調 창작 등에 있어 六堂이 단연 新文學의 선구자로서 활약했음을 알 수 있다. 이 점에서 미루어 六堂의 文學活動이 萬海의 그것에 영향을 미쳤을 개연성은 충분히 드러난다. 山中生活에 젖어 있던 萬海가 1918년 ≪惟心≫誌와 1919년 己未獨立運動을 계기로 본격적인 社會活動을 전개하면서 자연히 六堂과 접하게 되고 六堂·春園을 통해 新文學에 친숙하게 된 것으로 보인다. 이 점에서 崔南善의 문학 활동이 萬海文學 특히『님의 沈默』태동에 遠因으로 작용했을 것이라는 추리가 충분히 성립될 수 있는 것이다. 그러나 1920년대 초에 이미 岸曙와 耀翰을 비롯하여 ≪創造≫(1919), ≪廢墟≫(1920), ≪白潮≫(1922) 등의 文藝同人誌와 ≪開闢(1920) 등 종합지에 素月·相和, 樹州·巴人 등 전문시인과 詩가 나타남으로써 初期詩壇이 본격적으로 전개되기 시작된 때인만큼 「六堂『百八煩惱』→萬海『님의 沈默』」이라는 직접적인 관계 등식의 성립은 온당치 않다. 그러나 六堂·萬海의 文化活動과 生涯史的 연관성으로 미루어 六堂의 文學活動이 자극이 되었던 것만은 확실하다. 무엇보다도 이 추구한 朝鮮心과 님의 思想은 萬海文學에 중요한 形成素가 된 것으로 보인다. 六堂의 歷史硏究와 民族運動의 핵심으로 요약되는 朝

鮮心은 萬海가 獨立運動과 社會活動을 통해 끈질기게 추구하던 民族主義와 自主·主體思想 및 平等·自由思想과 연결될 수 있는 것이다. 이러한 民族主義라는 時代精神이 文學的으로 具象化한 것이 바로 「님」의 思想인 것이다. 六堂이 時調에서 주로 노래하던 「님」은 朝鮮(祖國·民族·國土)이라는 사실이 항상 표면에 강조돼 왔기 때문에 계몽·선전적인 전달가치를 강하게 지녔던 것이 사실이다. 이 점에서 六堂이 선구한 「님」의 思想이 當代에 時調復興運動·歷史小脫·한글연구 등과 因果關係를 맺지 않을 수 없었다. 萬海 역시 이러한 時代的 상징인 「님」의 사상에 공감하고 영향받은 것이 사실이다. 그러나 萬海는 최초 저술로 불교개혁론인 『佛敎維新論』을 집필했던 도도한 批判과 否定精神의 필연적 결과로 당대의 상투적인 朝鮮心 상징의 「님」의 사상에 반기를 든 것이다. "「님」만 님이 아니라 긔룬것은 다님이다……戀愛가 自由라면 님도 自由일 것이다"라는 파격적 선언을 『님의 沈默』 첫머리에 첫말로 제시하게 된 것이다. 萬海의 『님의 沈默』은 님이 「님」(朝鮮)이어야만 한다는 당대의 보편적 통념과 관습에 대한 도전을 감행한 것이며, 이것이 바로 『님의 沈默』의 「님」이 하나로 규정되지 않고 다양한 상징의 變數로 해석될 수 있는 가능성을 개방함으로써 『님의 沈默』의 차원 높은 文學性·藝術性을 확보하는 밑거름이 되었다. 이 점에서 萬海의 否定精神·批判精神이 『님의 沈默』 탄생의 바탕이 되었음을 확인할 수 있으며, 표면적인 「이별→사랑」의 노래 역시 단순한 戀歌가 아닌 否定과 克服을 통한 生成의 정신을 내포하고 있음을 類推할 수 있다.

바로 이 점에서 素月의 詩가 六堂과 대척적인 지점에서 『님의 沈默』 形成에 작용한 것으로 보인다. 六堂으로 대표되는 「님=朝鮮」이라는 상식적 통념을 거부한 萬海가 문학적 형상성을 회득하기 위해서는 계몽의식의 「님」과 대극에 놓이는 또다른 순수의 님, 즉 戀人으로서의 「님」이 필요했던 것이다. 사회적·시대적 요구의 결과인 朝鮮心으로서의 「님」과 개인적·본원적 갈망으로서의 사랑의 「님」이 對極에 놓임으로써 美的 緊張과 탄력이 회득될 수 있었던 것으로 보인다. 이 점에서 <진달래꽃>으로 대표되는 素月의 시집 『진달내쏫』의 사랑의 미학이 『님의 沈默』에 暗默的인 연관성을 지니게 되는 것이다. 詩集 『진달내쏫』은 1925년 12월 發行되어 (漢城圖書印刷·賣文社發行) 『님의 沈默』의 탈고 이후가 되지만 素月의 대표작들은 이미 그 2,3 년 전에 발표됐기 때문에 萬海가 이 詩들을 자주 접했으리라는 것은 쉽게 짐작할 수 있는 사실이다.[53]

나보기가 역겨워
가실때에는
말업시 고히 보내드리우리다

寧邊에 藥山
진달내쏫
아름따다 가실길에 ᄲᅮ리우리다

가시는 거름거름
노힌그쏫츨
삽분히 즈려밟고 가시옵소서

나보기가 역겨워
가실때에는
죽어도아니 눈물흘리우리다

<진달내쏫>

이 詩의 모티브는 「님이 가신다」라는 假定的인 離別의 상황 설정에서 비

53) <진달내쏫>은 ≪開闢≫ 25호(1922). <먼후일>온 ≪開闢≫(1922년 8월호). <못잊어>는 同 23년 5월 등에 이미 발표된 바 있다.

롯된다. 우선 이 점이 <님의 沈默>의 "님은갓슴니다. 사랑하는 나의 님은 갓슴니다"라는 상황 제시와 유사하다. 또한 「눈물」이라는 공통시어가 중요한 심상을 형성한다. 이별과 눈물이라는 두 중심 심상은 이 두 작품이 悲劇的 世界觀에 基底하고 있다는 점을 반영한 것일 수 있다. 또한 傳統詩의 비극적 정서와 접맥되어 있는 것일 수 있다. 그러나 더욱 중요한 것은 두 작품이 모두 克服과 生成의 意志를 내포하고 있다는 점이다. "죽어도 아니 눈물흘리오리다"라는 逆說의 과장법은 실상 그 속에 눈물의 카타르시스를 통한 자기극복의 몸부림이 개재되어 있는 것이다. 가정적인 이별의 상황을 제시함으로써 오히려 그 속에 만류와 애원 이상으로 역설적인 사랑의 호소를 내포할 수 있기 때문이다. 이 점이 「이별 — 눈물 — 사랑을 깨치는 것 — 슬프의 힘 — 희망의 정수박이에 들어부음 — 만남」이라는 <님의 沈默>[54]의 근본정신과 통하는 것이다. 님과 사랑을 둘러싼 『진달내쏫』과 『님의 沈默』의 존재론적 갈등의 드라마가 성취한 사랑의 詩學은 그 일관성 속에 다양성의 깊이와 넓이를 확보하고 있다는 점에서 20년대 초기시단에 拔群의 업적이 아닐 수 없다. 이렇게 볼 때 『진달내쏫』과 『님의 沈默』의 近親 관계의 한 모서리가 드러난다. 이러한 근친관계는 『님의 沈默』 속에 들어 있는 특이한 형태의 詩(짧은 詩行의 短詩 7편)를 자세히 살펴보는 데서 논점을 보강할 수 있다.

① 남들은 님을 생각한다지만
나는 님을 잇고저하야요
잇고저할수록 생각히기로
행혀잇칠가하고 생각하야보앗슴니다

---

54) 여기서/ 죽어도아니/ 눈물흘리우리다/ 로 표기가 돼 있다는 점은 '아니'가 '죽어도아니'라는 한국인의 역설적 강조법을 반영한 것이지/ 아니 눈물흘리우리다/ 와 같이 '아니'가 '눈물'이나 '흘리우리다'를 한정하는 것이 아니라는 점을 말해 준다./ 죽어도 아니/ 라는 역설적 과장법은 강한 다짐을 통한 극복의지가 개재돼 있다는 점에서 중요하다.

……中略……

귀태여 이즈랴면
이즐수가 업는것은 아니지만
잠과죽엄뿐이기로
님두고는 못하야요

萬海 <나는 잊고저>에서

못니저 생각이 나겟지요
그런대로 한세상지내시구려
사노라면 니칠 날잇스리다

못니저 생각이 나겟지요
그런대로 세월만 가라시구려
못니저도 더러는 니치오리다

그러나 또한긋 이러치요
「그립어살뜰히 못닛는데,
어째면 생각이 나지요?」

素月 <못니저>

② 두견새는 실컷운다
울다가 못다울면
피를흘녀 운다

리별한恨이냐 너 뿐이랴마는
울내야 울지도못하는 나는
두견새못된恨을 또다시 엇지하리

야속한 두견새는
도러갈곳업는 나를 보고도

「不如歸 々々々」

萬海 <두견새>

접동
접동
아우래비 접동

……中略………

누나라고 불너보랴
오오 불설워
싀새움에 몸이죽은 우리누나는
죽어서 접동새가 되엇습니다

아옵이나 남아되든 오랩동생을
죽어서도 못니저 참아못니저
夜三更 남다자는 밤이깁프면
이山 저山 올마가며 슬피웁니다

素月 <접동새>에서

『님의 沈默』은 대부분 散文型으로 詩行이 구성돼 있다. 그러나 유독 7~8편 가량이 짧은 律文型의 詩行을 이루고 있으며 또한 예외 없이 이 작품들은 短詩型으로 되어 있다. 이 점이 우선 萬海 詩로서는 매우 특이한 현상이다. 그런데 단적으로 뽑아 본 위의 예시들은 내용상에 있어서도 매우 밀접한 共感帶를 형성하고 있는 것으로 보인다. ①에서는「잊으려 하는」의지와「잊히지 않는」심정 사이의 갈등이 섬세하게 묘사돼 있다. ②에서도 恨과 不如歸라는 주제와 情調의 유사성을 강하게 느낄 수 있다. 形式의 간결성과 내용의 곡진함에 있어서 두 작품 사이에는 공통점이 발견되는 것이다. 그렇다면『님의 沈默』의 主流인 自由詩型에 비추어 볼 때『님의 沈默』속에 내포된 이 民

謠詩的인 詩型의 의미는 어떠한 것일까. 이 문제는 萬海가 外來指向의 형식인 自由詩型을 모색하는 과정에서 傳統指向의 民謠詩型에 부딪쳐 두 指向의 갈등을 노출하게 됐기 때문으로 보여진다. 民謠詩型은 당대에 있어서 民族魂의 표현으로서 생각되어 素月 등 傳統詩人들의 공동의 指向點이 되었다.[55] 그 누구보다도 내면정신에 있어 傳統指向性을 지닌 萬海가 自由詩型을 통해 새로운 否定과 摸索을 실험하는 과정에서 민요시형은 만해에게 심리적 갈등을 유발할 수밖에 없었을 것이다. 이렇게 볼 때 素月과 그의 詩篇들은 『님의 沈默』 形成에 있어서 부지불식중에 영향을 미친 것으로 풀이된다.

결국 六堂에서 선구된 당대의 보편적 시대정신인 朝鮮心으로서의 「님」의 思想에 광범위한 영향과 그에 대한 반발 속에서 『園丁』을 통한 새로운 詩型을 발견하고, 素月로 대표되는 傳統的인 사랑의 詩學 등에 직접적으로 자극받으며 『님의 沈默』이 形成될 수 있었던 것으로 보인다. 六堂·春園의 계몽적 문학정신 岸曙·巴人의 民謠詩 추구와 耀翰 및 相和의 散文體 詩型 모색, 그리고 ≪白潮≫派·樹州 등의 낭만적인 戀愛詩 창작 등이 전개되던 20년대 초반에 초기詩壇 모색기의 폭넓은 상관관계 속에서 『님의 沈默』이 형성될 수 있었으며 동시에 한 絶頂을 이룰 수 있었던 것으로 보인다.

한편 『님의 沈默』으로 대표되는 萬海 詩는 後代의 詩에도 적지 않은 영향을 미치고 있다. 이러한 영향의 한 대표적인 예로는 李陸史와 趙芝薰, 그리고 徐廷柱를 들 수 있다. 먼저 李陸史는 詩의 장르면에서 漢詩·時調 現代詩가 함께 나타난다. 특히 漢詩는 萬海의 경우처럼 生涯史를 반영한 生活詩的 성격을 지니고 있으며 現代詩는 대결정신과 극복의지가 比喩的으로 표현된 象徵詩的 성격을 지니는 것이다. 趙芝薰은 풍부한 漢詩的 소양에 바탕을 둔 전통정신과 古典感覺의 詩精神과 批判精神 및 志操를 내용으로 하는 선비정신을 보여 준다는 점에서 萬海의 그것과 연결되는 것으로 보인다. 한편 徐廷柱는

---

55) 吳世榮, 『韓國浪漫主義詩研究』(서울: 一志社, 1980), p.25.

佛教的 詩精神과 그에 근거한 隱喩法이 萬海와 그것과 연결될 수 있다.

① 天壽斯翁有六旬　　주어진 이 목숨 육순이 되었으니
蒼顔皓髮坐嶄新　　흰머리 늙은 것 오히려 새로와지고
經來一世應多盛　　한평생 살면서 온갖 느낌 많은데
謠憶鄕山入夢頻　　머나먼 고향산 꿈에나 떠오르네

<謹賀石庭先生六旬>56)

지금 눈 나리고
梅花香氣 홀로 아득하니
내 여기 가난한 노래의 씨를 뿌려라

다시 千古의 뒤에
白馬타고 오는 超人이 있어
이 曠野에서 목놓아 부르게 하리라

<曠野>에서

② 나는 마음이 압흐고쓰린때에 주머니에 수를노흐라면 나의 마음은 수놋는 금실을따러서 바늘구녕으로 드러가고 주머니속에서 맑은 노래가 나와서 나의 마음이됩니다

萬海 <繡의祕密>에서

님은/ 주무시고/ 나는/ 그의 베갯모에/ 하이옇게 繡놓여 나는/ 님이 자며 벗어놓은 純金의 반지/ 그가느다란 반지는/ 이미 내 하늘을 둘러 끼우고

未堂 <님은 주무시고>에서

①의 예는 李陸史 詩의 두 장르와 특성을 제시해 본 한 예이다. 漢詩는 生

---

56) 전형대,「古典詩論에 비추어 본 陸史詩의 傳統性」≪心象≫ 81.1월호.

活過程의 일을 직접 敍事한다는 점에서, <曠野>는 / 눈/ 梅花香氣/ 노래의 씨/ 등의 상징을 활용하며 아울러 / 千古의 뒤/ 白馬타고 오는 超人/ 과 같이 만남과 회복에 대한 기다림과 信念을 표출한다는 점에서 각각 萬海 詩의 그것과 대응된다. ②시는 萬海詩와 未堂詩의 活物變質型 隱喩法의 한 예를 제시해 본 것이다. 佛敎的 詩精神과 은유법에 깊이 빠져 있는 徐廷柱의 중심 시세계는 실상 萬海의 그것과 맥락이 닿아 있는 것으로 이해된다. 위의 인용시들은 단편적인 한 예들에 불과하지만 萬海 詩는 그것이 지닌 精神의 넓이와 깊이 및 方法의 다양성으로 인해 後代詩에 有形·無形으로 영향을 미치고 있는 것이 틀림없는 사실이다.

4. 萬海文學의 文學史的 位置

한국 新文學史 연구에 있어서 가장 큰 비중을 차지하는 문제의 하나는 한국문학사를 主體的인 각도에서 지속적으로 파악하는 일이다. 지금까지 한국문학사는 古典文學史와 現代文學史의 二元構造로 兩大分되어 논의되는 것이 통례였기 때문이다. 그러나 60년대 후반부터 한국학 전반에 걸쳐 近代化 내지는 時代區分 問題와 함께 민족적 주체성과 傳統性의 문제가 크게 대두됨으로써 문학사 연구에 있어서 근대문학의 起點 및 自律性에 관한 모색이 활발히 전개되었다. 따라서 開化期는 서구적 충격에서 비롯되며 近代化(modernization)가 西歐化(westernization)를 의미하던 종래의 주장은 동요되기 시작하였다. 또한 植民地史觀의 압력하에서 전개된 한국사 내지 한국문화의 他律性과 周邊性論은 근본적인 시정이 요구되었다. 한국문학사를 移植模倣史로 진단하던 주장들은 시련을 겪지 않을 수 없게 된 것이다. 그러므로 근년에 들어서의 문학사의 지속성과 自律性 탐구에 대한 모색은 「近代」 혹은 「近代精神」을 전통문학자체의 내부 속에서 추출하려는 시도로 전개되었다. 이러한 시도는 壬辰·丙子 兩亂以後의 전통문학 붕괴와 신흥문학의 대두 과정에서 寫實精神과 批判精神의 萌芽를 근대문학의 始發로 파악하려는 노력을 비롯하여,[57] <恨中錄> 등에서 볼 수 있는 전통적 가족 질서의 와해현상을 통해 근대정신의 한 모서리를 엿보려는 노력,[58] 그리고 실학사상을 한문학 형성의 근본 배경으로 설명하려는 노력[59] 등으로 요약할수 있다. 이러한 시도들은 아직 많은 문제점들을 내포하고 있음에도 불구하고 한국문학사의 一元性 확립을 위해 매우 바람직한 노력으로 이해된다. 이들의 문제점 가운데 한 약점은 이 시도들이 작가와 작가, 혹은 작품과 작품들이 共有하고 있는 전통적 맥락을 구체적으로 분석, 제시하고 있지 못한 데 있다고 볼 수 있다. 문학사는 논리나 주장의 역사가 아니라 구체적인 작가와 작품들로 형성되는 유기적 관계 체계라는 점에 비추어 구체적인 상관관계 연구가 긴요한 것이기 때문이다.

따라서 萬海 詩가 傳統詩와 맺고 있는 정신과 방법의 공통성을 추출해보는 작업은 문학사의 主體的이며 持續性 파악에 유효한 단서를 제공해 줄 수 있는 동시에 萬海文學의 文學史的 位置를 정립할 수 있는 중요한 요건이 된다. 그러나 지금까지 살펴본 바에 의하면 萬海文學 특히 詩는 타골로 대표되는 外來詩의 영향을 소신있게 받아들이며 이것을 충분히 소화하고 극복하였던 것으로 이해된다. 萬海는 오히려 鄕歌를 비롯한 麗謠, 朝鮮朝의 漢詩·時調·歌辭 등 傳統詩의 精神과 方法을 바탕으로 하면서 외래시의 構成方法이나 스타일상의 장점을 충분히 수용하여 創造的이면서도 獨自的인 詩世界를 확립할 수 있었던 것이다. 또한 당대 시와의 폭넓은 상관관계 속에서 이들을 綜合하고 止揚함으로써 傳統의 창조적 계승을 성취하고 있는 점도 중요하다. 萬海 詩는 傳統性 못지않게 指向과 方法論上의 現代性을 확립하고 있다는 점에서, 또한 사랑의 애절한 情緖를 노래하면서도 形而上學的 깊이를 심화하고

57) 정병욱, 『한국 고전시가론』 (서울: 신구문화사, 1979).
58) 김유식·김현, 『韓國文學史』 (서울: 民音社, 1973).
59) 鄭漢模, 『韓國現代詩文學史』 (서울: 一志社, 1974).

있다는 점에서 文學史的인 위치를 확보할 수 있는 것으로 이해된다. 萬海 詩는 詩 자체가 지닌 詩로서의 藝術性 및 哲學性의 탁월성과 함께 文學史的 위치의 중요성으로 인해 現代詩의 가장 중요한 한 봉우리를 획득한 것으로 판단된다.

지금까지 韓國文學史의 二元構造를 지탱하는 기본논리는 개화기의 전통단절론에 근거를 두어 왔다. 古典文學은 中國文學의 영향을 받아, 또한 현대문학은 서구문학의 지배적 수용으로 형성되어 왔기 때문에 두 문학 사이에는 이질적인 단층이 존재하는 것으로 인식되어 왔던 것이다. 그러나 이미 살펴본 것처럼 萬海文學은 傳統詩에 깊이 接脈되어 있음을 알 수 있다. 萬海文學과 傳統文學과의 연계성은 전통단절론의 극복을 가능하게 하는 논리적 자료가 된다. 傳統은 歷史意識을 내포해야만 한다.[60] 이 역사의식은 역사의 過去性에 대한 인식뿐만 아니라 現在性에 대한 투철한 인식을 기반으로 해야 한다. 따라서 문학사적 평가는 그 시인과 과거의 시인들과의 관련체계 즉 그 시인이 전통문학사 속에서 차지하는 위치에 의해서 판단돼야 하는 것이다. 現存하는 예술작품들이 이루는 秩序에 새로운 작품이 附加됨으로써 문학사는 관계 질서가 변화되고 이를 통해 새로운 傳統이 창조돼 가는 것이기 때문이다.[61] 이 점에서 만해문학이 전통적 特質을 계승하면서도 한편으로 현대시적 방법론을 확립함으로써 전통의 창조적 계승을 성취한 것은 만해문학의 문학사적 위치를 웅변해주는 것이 된다. 新文學史 초기의 무분별한 서구 지향의 홍수 속에서 만해 문학이 이루어낸 전통성 회복과 이의 창조적 계승은 한국문학사의 一元性을 확립하게 하는 소중한 단서가 되는 것이다. 특히 萬海

60) T.S. Eliot, *Selected Essays* (London: Faber & Faber, 1976). p.14.

61) No Poet, no artist of any art, has his complete meaning alone, his appreciation what happens is the appreciation of his relation to the dead poetS and artists…… when a new work of art is created is something that happens simultaneously to a11 the works of art which preceed it. *Ibid.*, p.15.

文學이 女性主義로 특징지어지는 表層的 정서와 克服精神이라는 深層構造로 이루어져 있다는 점은 한국문학의 내면 구조의 한 모서리를 단적으로 드러낸 것이 된다. 女性主義的인 부드러움과 哀恨의 情調는 실상 現實의 어려움을 극복하기 위한 精神的 逆說로서, 內面에 흐르는 선비정신으로서의 비판정신 및 저항정신과 조화되어 한국문학의 총체적 구조를 형성하는 것이다. 萬海文學은 이러한 表層構造와 深層構造라는 한국문학의 내면 정신의 구조적 특징을 여실히 드러내 보여 준 것과 함께 전통시의 정신과 방법에 현대적 호흡과 맥박을 새롭게 불어넣음으로써 현대시의 넓이와 깊이를 확대하고 심화해 주었다는 점에서 확고한 문학사적 위치를 인정받을 수 있는 것으로 판단된다.

V. 結 言

本稿에서 筆者는 『님의 沈默』을 중심으로 萬海 韓龍雲의 文學에 관하여 살펴보았다. 그 결과 韓龍雲의 文學은 몇 가지 問題點과 重要性을 내포하고 있음을 알 수 있었다.

먼저 萬海의 著作은 時代的 變遷에 따른 文體의 變化를 보여 준다. 그의 文體는 漢字와 한글의 二重體系로 構成돼 있으며, 中間文體인 國漢文體가 「漢文→國文」으로의 變移過程에서 過渡的 役割을 수행하였다. 萬海에게 있어 漢文體는 佛敎著作 등에 사용된 論理的 專門性을 지닌 文體이고, 한글體는 情緖的 機能을 수행하는 象徵的 文體特性을 지닌다. 또한 國漢文體는 大衆的인 傳達을 주로 한 實用的 文體로 사용되었으나 차츰 한글로 代置되어 갔다.

著作에 따른 文體의 變化는 詩의 장르選擇에도 영향을 미쳤다. 萬海의 漢詩는 生活體驗을 직접적으로 드러내는 自己表出의 性格을 지닌다. 漢詩는 懷古的 趣向과 傳統的 장르意識에서 씌어진 것으로 生涯史를 反映한 生活詩인 것이다. 이에 비해 『님의 沈默』은 一貫된 主題를 가진 象徵詩로서의 性格이 강하다. 時調는 장르意識과 現實性 反映에 있어서는 漢詩와 類似하나 女性主體와 修辭的 技法에 있어서는 現代詩와 相關性을 갖는다. 이 점에서 時調의 中間장르的 性格이 드러난다.

萬海는 文學觀에 있어서 詩·小銳 등 創作藝術만을 좁은 의미의 文藝로 보고, 文藝를 포함하여 文理가 있는 모든 著作을 廣義의 文學으로 규정하였다. 또한 그는 文學이 自然과 人生의 模倣을 통해 이루어지는 虛構의 藝術임을 인식하였다. 따라서 萬海는 人生을 豊饒하고 아름답게 만드는 充分條件으로서 文學의 意味를 이해하였으며, 藝術姓도 看過하지는 않았지만 大衆性을 더 강조하게 되었다.

특히 詩集『님의 沈默』은 本稿에서 重點的으로 다루어 온 對象이다.『님의 沈默』연구에 있어서 先決돼야 한 要件은 版本의 確定이다. 그 까닭은 市中 流通本의 대다수가 相互 重疊된 誤謬를 踏襲하고 있어서『님의 沈默』연구는 반드시 原本을 典考해야 한다는 점을 版本對照에서 確認할 수 있었기 때문이다.

『님의 沈默』에서의 離別은 사랑의 完成과 만남을 成就하기 위한 方法的 原理이다. 自律的인 消滅로서의 離別은 自律的인 만남과 生成을 이루기 위한 前提條件인 것이다. 따라서『님의 沈默』은 否定的 世界認識의 特徵을 지닌다. 이러한 否定精神은 韓國의 傳統的 文學精神의 한 줄기로서 現實의 矛盾에 대한 透徹한 認識에서 비롯되며, 더 큰 肯定을 成就하기 위한 方法論으로서의 의미를 지닌다.

또한『님의 沈默』은 世俗事와 神聖事의 葛藤과 調和를 보여 준다는 점에서 그 形而上學的 깊이가 드러난다. 世俗의 平凡한 사랑과 삶에 바탕을 두면서도 끊임없이 理念的인 것을 志向하는 葛藤 속에 인생의 참 뜻이 존재한다는 깨달음을 보여 준 것이다. 또한 女性主義는 현실의 어려움을 극복하는 精神的 逆說로서, 日帝라는 支配的 暴力에 對應하는 抵抗方法으로서의 內包的 意味를 지닌다.

『님의 沈默』의 構成은 88篇이「離別→葛藤→希望→만남」이라는 起·承·轉·結의 連詩形式으로 展開돼 있다. 離別과 만남에 따르는 存在論的 葛藤과

苦惱가 劇的 構成으로 形象化된 것이다.

『님의 沈默』은 構造的인 面에서도 몇 가지 特性을 지닌다. 지금까지 『님의 沈默』은 줄글의 散文詩로 규정돼 왔다. 그러나 一定한 構造的 法則과 原理를 지닌다는 점에서 散文的 開放을 指向한 自由詩로 보는 것이 옳은 것으로 판단된다. 또한 『님의 沈默』은 個人語法과 詩型을 確立한 데서 初期詩壇에서의 獨自性이 認定된다.

이미지面에서 『님의 沈默』은 體系의 多樣性과 象徵性의 깊이를 지닌다. 단순한 表象으로서가 아니라, 生의 內面을 洞察하는 機能으로서 이미지가 多樣하고 密度있게 표현돼 있는 것이다.

萬海 詩에서 隱喩는 詩的 眞理를 啓發하고 想像力을 展開하는 根本原理로서 사용된다. 또한 逆說도 萬海 詩의 중요한 방법으로 활용된다. 逆說은 矛盾되는 두 命題를 克服하고 超越하는 精神의 「힘」으로서 사용될 뿐 아니라 詩想을 完結하는 方法論으로서도 중요한 機能을 발휘한다. 특히 當代를 矛盾의 時代로 파악한 萬海의 現實認識과 否定的 世界觀은 現實克服과 보다 큰 生成을 위해 逆說의 論理에 기초를 두지 않을 수 없었던 것이다. 이상의 몇 가지 점에서 萬海 詩의 方法論的 優秀性이 드러나는 것이다.

現代詩의 가장 중요한 特徵이 方法論(methodology)의 確立에 있다면 萬海 詩는 現代詩로서의 特性과 要件을 충분히 갖추고 있는 것으로 판단된다. 이러한 萬海 詩의 方法論 確立은 韓國의 近代詩가 現代詩로 轉換하는 데 중요한 契機를 마련한 것으로 해석된다.

萬海 詩의 詩史的 位置는 傳統詩와의 相關關係에서 파악할 수 있다. 萬海 詩는 鄕歌, 高麗歌謠, 時調, 歌辭, 그리고 漢詩의 精神과 方法에 그 源泉을 두고 있다. 佛敎思想에 바탕을 둔 「떠남—만남」의 傳統的 詩精神과 構造, 그리고 生에 대한 悲劇的 認識이 女性的인 哀恨의 情緖로 표출되어 있는 點 등이 바로 그것이다. 또한 松江을 비롯한 傳統文士들의 漢文·한글의 二重的 文

體와 漢詩의 生活詩的 要素, 한글詩의 象徵 詩的 性格은 萬海의 그것과 對應된다. 이러한 傳統文學과의 接脈과 함께 萬海 詩는 後代의 詩와도 相關關係를 갖는다.

萬海의 漢詩에서 볼 수 있었던 現實意識과 批判精神은 李陸史 등의 志士的 抵抗精神으로 連結되어 以後의 韓國詩에 抵抗詩의 한 脈絡을 形成한다. 또한 『님의 沈默』의 佛教精神과 隱喩法은 徐廷柱 등의 詩에 繼承되어 韓國詩의 形而上學的 可能性의 한 모서리를 제시한다.

이러한 傳統文學과의 接脈과 後代詩와의 脈絡은 萬海 詩의 詩史的 位置의 重要性을 말해 주는 것이 된다. 특히 萬海 詩가 내포하고 있는 離別 및 女性主義라는 第一次的인 表層性과, 그것을 克服하고 生成하려는

內面的인 深層性의 兩面性을 지니고 있다는 것은 韓國文學의 構造的 特質을 단적으로 드러내는 것으로 보인다.

결국 『님의 沈默』은 離別이나 슬픔 그 자체만을 노래한 시가 아니다. 오히려 離別을 통해서 絶望과 葛藤의 辨證法的 矛盾을 겪은 다음, 人生과 사랑의 참다운 의미를 새롭게 발견함으로써 크고 빛나는 만남을 성취하려는 生成과 克服의 詩라고 볼 수 있다. 따라서 『님의 沈默』에서 沈默은 默想의 消極的 沈默이 아니라 깨달음과 實踐意志가 용솟음치는 生成의 積極的 沈默인 것이다.

끝으로 이 연구에 있어 生涯史를 다루지 못한 점, 기타 『님의 沈默』 외에 단편적으로 발표된 詩를 언급하지 못한 점 등이 아쉬움으로 남는다. 앞으로 이 연구는 思想의 研究 내지는 精神史의 方向으로 擴大되는데서 더욱 理念態에 가까운 解答을 얻을 수 있을 것으로 展望된다.

研究論著 發表年代別 總目錄
(1926~1982)

筆者	題目	출판사 및 게재지	년월일
柳光烈	「님의 沈默」讀後感	≪時代日報≫	1926.5.31
朱耀翰	愛의 祈禱, 祈禱의 愛一韓龍雲近作 님의 沈默」讀後感	≪東亞日報≫	1926.6.22 (上) 1926.6.26 (下)
柳東根	萬海居士 韓龍雲面影	≪彗星≫	1931.8.
金鼎卨	韓龍先生 追悼文	≪新生≫1호	1946.3.
金法麟	三·一運動과 佛敎	〃	〃
張道煥	萬海先生 山所 參拜記	≪新生≫5호	1946.7.
崔凡述	故萬海先生의 大朞를 當하여	〃	1946.7.
趙靈巖	祖國과 藝術一젊은 韓龍雲의 文學과 그 生涯	≪自由世界≫1권 4호	1952.5.
趙芝薰	韓龍雲先生	≪新天地≫9권 10호	1954.10.
趙晟元	韓龍雲評傳	≪鹿苑≫1호	1957.2.
鄭泰榕	現代詩人研究 其三一韓龍雲의 東洋的 감상성	≪現代文學≫통권 29호	1957.5.
趙演鉉	韓國現代文學史(제26회)	≪現代文學≫통권 32호	1957.8.
趙芝薰	韓龍雲論一韓國의 民族主義者	≪思潮≫1권 5호	1958.10.
許銘	萬海 韓龍雲先生	≪民族文化≫통권 12호	1958.12.
洪曉民	萬海 韓龍雲論一人物文學史其四	≪現代文學≫통권 56호	1959.8.
朴堯順	萬海의 祖國愛와 님의 沈默	≪國文學報≫ (全南大) 1호	1959.10.
金相一	近代詩人論 其四一韓龍雲	≪現代文學≫통권	1960.6.

		66호	
印權煥	萬海의 佛敎的 理論과 그 功績—韓龍雲研究	≪高大文化≫2집	1960.8.
朴魯埻	님의 正體—韓龍雲研究 그의 詩文學을 中心하여	〃	〃
朴魯埻 印權煥	韓龍雲研究	通文館	1960.9.
Peter Nyun	Voices of the Dawn	London	1960.
張文平	韓龍雲의「임」	≪現代文學≫통권 88호	1962.4.
朴鳳宇	韓雲龍篇—그리운 것은 님이다	『흘러간 사랑의 詩人像』白文社	1962.5.
徐延柱	萬海 韓雲龍禪師	≪思想界≫통권 113호	1962.11
宋稶	卍海 韓雲龍과 R.타고르	≪思想界≫통권 117호	1963.2
宋晳來	'임의 沈默' 研究	≪國語國文學論文集≫(東國大) 5집	1964.7.
金雲學	韓國現代詩에 나타난 佛敎思想	≪現代文學≫통권 118호	1964.10.
崔一秀	否定과 現世解放—韓雲龍論	≪文學春秋≫1권 8호	1964.11.
柳光烈	無碍自尊의 修道者	≪불교시보≫	1965.6.
金澤東	現代詩人論考—萬海 韓龍雲의 詩文學史的 位置 其一	≪東洋文化≫(大邱大) 4집	1965.10.
金永琪	님과의 對話—萬海 韓龍雲論	≪現代文學≫통권 132호	1965.12.
趙芝薰	韓國의 民族詩人 韓龍雲	≪思想界≫통권 155호	1966.1.
章潮	東國文學史	≪國語國文學論文集≫(東國大) 6집	〃
金澤東	現代詩人論考—萬海韓龍雲의 詩文學史的 位置 其二	≪東洋文化≫(大邱大) 5집	1966.6.
金允植	素月, 萬海, 陸史論	≪思想界≫통권 160호	1966.8.
崔元圭	韓國詩의 傳統과 禪에 關한 小考	≪忠南大 論文集≫5집	1966.10.
朴魯埻 林鍾國	韓龍雲論—흘러간 星座	國際文化社	〃
朴魯埻	韓龍雲의「님의 沈默」	≪思想界≫통권 165호	1967.7.
辛東門	님의 言語, 抵抗의 言語	『韓國의 人間像』新丘文化社	1967.10.
朴沆植	韓國近代詩人과 그 代表作에 對한 研究	≪圓光大 論文集≫3집	1967.12.
梁重海	萬海韓龍雲論	≪濟州大學報≫9집	〃
金定子	韓龍雲論	≪青坡文學≫8집	1968.4.

趙演鉉	韓國現代文學史(제2부)	人間社	1968.5.
金海星	기루는 詩精神（佛敎詩人의 片考1)—萬海 韓龍雲의 文學士街	≪佛敎界≫통권 20호	1969.4.
金宇正	韓龍雲論	≪現代詩學≫통권 3호	1969.5.
金承玉	萬海 韓龍雲과 헷세의 比較	≪高大文化≫10집	〃
徐延柱	韓龍雲과 그의 詩	『韓國의 現代詩』一志社	〃
朴鳳宇	韓雲龍篇—그리운 것은 님이다	『흘러간 사랑의 詩人像』白文社	1962.5.
徐延柱	萬海 韓雲龍禪師	≪思想界≫통권 113호	1962.11
宋稶	卍海 韓雲龍과 R.타고르	≪思想界≫통권 117호	1963.2
宋晳來	'임의 沈默' 硏究	≪國語國文學論文集≫（東國大）5집	1964.7.
金雲學	韓國現代詩에 나타난 佛敎思想	≪現代文學≫통권 118호	1964.10.
崔一秀	否定과 現世解放—韓雲龍論	≪文學春秋≫1권 8호	1964.11.
柳光烈	無碍自尊의 修道者	≪불교시보≫	1965.6.
金澤東	現代詩人論考—萬海 韓龍雲의 詩文學史的 位置 其一	≪東洋文化≫（大邱大）4집	1965.10.
金永琪	님과의 對話—萬海 韓龍雲論	≪現代文學≫통권 132호	1965.12.
趙芝薰	韓國의 民族詩人 韓龍雲	≪思想界≫통권 155호	1966.1.
章潮	東國文學史	≪國語國文學論文集≫(東國大) 6집	〃
金澤東	現代詩人論考—萬海韓龍雲의 詩文學史的 位置 其二	≪東洋文化≫ (大邱大) 5집	1966.6.
金允植	素月, 萬海, 陸史論	≪思想界≫통권 160호	1966.8.
崔元圭	韓國詩의 傳統과 禪에 關한 小考	≪忠南大 論文集≫5집	1966.10.
朴魯埻 林鐘國	韓龍雲論—흘러간 星座	國際文化社	〃
朴魯埻	韓龍雲의「님의 沈默」	≪思想界≫통권 165호	1967.7.
辛東門	님의 言語, 抵抗의 言語	『韓國의 人間像』新丘文化社	1967.10.
朴沆植	韓國近代詩人과 그 代表作에 對한 硏究	≪圓光大 論文集≫3집	1967.12.
梁重海	萬海韓龍雲論	≪濟州大學報≫9집	〃
金定子	韓龍雲論	≪靑坡文學≫8집	1968.4.
趙演鉉	韓國現代文學史(제2부)	人間社	1968.5.
金海星	기루는 詩精神（佛敎詩人의 片考1)—萬海 韓龍雲의 文學士街	≪佛敎界≫통권 20호	1969.4.

金宇正	韓龍雲論	≪現代詩學≫통권 3호	1969.5.
金承玉	萬海 韓龍雲과 헷세의 比較	≪高大文化≫10집	〃
徐延柱	韓龍雲과 그의 詩	『韓國의 現代詩』一志社	〃
高銀	韓龍雲論	≪月刊文學≫통권 8호	1969.6.
白樂晴	市民文學論	≪創作과 批評≫통권 14호	〃
崔元圭	韓雲龍詩의 理解—사랑과 존재의 본질을 중심	忠南大 大學院 論文集 2집	1969.7.
鄭珖鎬	韓龍雲傳	≪新東亞≫통권 60호	1969.8.
김현	女性主義의 승리	≪現代文學≫통권 178호	1969.10
E,D. Rock-stein	Some Notes on the Founder of Modern Korean Poetry	Korea Journal 9권 12호	1969.12.
金允植	韓國新文學에 있어서의 타골의 影響에 대하여	≪震檀學報≫통권 32호	〃
宋敏鎬	萬海의 抵抗作品	『日帝下의 文化運動史』民衆書館	1970.4.
金允植	님의 沈默, 알 수 없어요	≪月刊文學≫통권 24호	1970.6.
崔正錫	素月과 萬海—그 同質性과 異質性	≪曉星女大 研究論文集≫6, 7합집	1970.7.
梁柱東	萬海의 생애와 '佛青'운동	≪法輪≫통권 25호	1970.8.
徐延柱	萬海의 文學	〃	〃
沈鐘善	님에 關한 研究— 한용운의 시를 주로 하여	≪東國文學≫3집	1970.9.
釋智賢	韓雲龍遺稿에 비친 詩世界	≪東亞日報≫	1970.10.5.
曺廣海	永遠한 青年 韓龍雲	≪法輪≫통권 27~31호	1970.10_1971.2.
廉武雄	韓龍雲의 人間과 詩	≪讀書新聞≫창간호	1970.11.8.
安秉直	萬海 韓龍雲의 獨立思想	≪創作 批評≫5권 4호	1970.12.
金容稷	韓國現代詩에 미친 Rabindranath Tagore	≪아세아 연구≫41호	1971.3.
金鐘海	萬海 韓龍雲 해적이	≪나라사랑≫2집	1971.4.
釋青潭	고독한 수련 속의 구도자	〃	〃
辛夕汀	詩人으로서의 萬海	〃	〃
鄭珖鎬	民族的 愛國志士로 본 萬海	〃	〃
趙宗玄	佛教人으로서의 萬海	〃	〃
廉武雄	님이 沈默하는 時代	〃	〃
章湖	풍난화 매운 향내	〃	〃
韓英淑	아버지 萬海의 追憶	〃	〃

崔凡述	鐵窓哲學	〃	〃
朴堯順	韓龍雲研究	≪詩文學≫통권 5호	1971.12.
柳承佑	「님의 沈默」과 반야바라밀다 심경	≪現代文學≫통권 35호	1972.2.
章湖	韓龍雲에의 接近	≪東國文學≫5집	1972.3.
柳承佑	韓龍雲의 詩世界	≪現代詩學≫통권 36호	〃
任重彬	絕對를 追求한 길	≪否定의 文學≫한얼문고	1972.4.
金鐘皙	이별의 想像力—님의 沈默論	≪文化批評≫통권 13호	1972.7.
金容誠	「님의 沈默」의 韓龍雲	≪韓國日報≫	1972.11.5.
卞鐘夏	韓龍雲의 얼굴과 그의 內面世界	≪文學思想≫통권 3호	1972.12.
文學思想編輯	韓龍雲作「님의 沈默」의 作品背景	〃	〃
洪申善	임, 혹은 주검에의 길	≪法論≫통권 51_53호	1972.12~1973.4.
朴景惠	새 자료로 본 萬海, 그 生의 完成者	≪創作과 批評≫7권 4호	1972.12
廉武雄	萬海 韓龍雲論	〃	1972.12
金禹昌	궁핍한 時代의 詩人	≪文學思想≫통권 4호	1973.1.
閔憙植	바슐라르의 <촛불>에 비춰 본 韓龍雲의 詩	〃	〃
金烈圭	슬픔과 찬미사의 「이로니」	〃	〃
徐京保	韓龍雲과 佛敎思想	〃	〃
朴景惠	萬海 그 生의 完成者	〃	〃
李元燮 外2人	땅에의 意志와 超越에의 精神	〃	〃
洪以燮 金烈圭	「님의 沈默」의 「님」은 祖國 인가 戀人 인가	≪中央日報≫	1973.3.5.
金長好	韓龍雲 詩論	≪梁柱東博士 古稀紀念論文集≫	1973.3.
金烈圭	Han Yong-Un; His Life,Re-ligion, Poetry	Korea Journal 13권 4호	1973.4.
洪以燮	Han Yong-Un and Nationalism	〃	〃
廉武雄	萬海思想의 輪廓	≪서울신문≫	1973.4.11.
金炳翼	萬海 韓龍雲	≪東亞日報≫	1973.5.30~5.31.
安秉煜	韓龍雲의 抵抗과 人間	≪統一世界≫31호	1973.6.
嚴長燮	「님의 沈默」에 표현된 萬海의 詩世界	慶熙大 教育大學院 論文	〃
宋稶	詩人 韓龍雲의 世界	『韓雲龍全集』1	1973.7.

趙明基	萬海 韓龍雲의 著書와 佛敎思想	『韓雲龍全集』3	1973.7.
白鐵	詩人 韓龍雲의 小說	『韓雲龍全集』5	〃
任重彬	님의詩人 韓龍雲論	『韓雲龍詩集』正音社	〃
尹在根	萬海의「알수 없어요」의 抒와 情一 抒를 중심으로	≪現代文學≫통권 226호	1973.10.
洪以燮	韓龍雲과 佛敎思想	≪文學과 知性≫통권 14호	〃
崔元圭	韓國現代詩의 傳統問題	≪寶雲≫3호	1973.12.
朴哲石	韓龍雲의 이별의 美學	≪釜山文學≫6집	〃
宋銀相	님을 向한 指向性	≪成大文學≫18집	〃
李靜江	素月과 萬海의 詩에 나타난 내면적 공간세계 비교 고찰	≪德成女大 論文集≫2집	〃
”	萬海의 불과 촛불의 상징성	≪운현≫5집	1974.2.
宋稶	全篇解說「님의 沈默」	科學社	1974.3.
金澤東	萬海 韓龍雲論	『韓國近代詩人硏究1』一潮閣	〃
尹永川	形式的 永遠主義의 虛構	≪新東亞≫통권 116호	1974.4.
金容稷	悲劇的 構造의 超悲劇性	『韓國文學의 批評的 省察』民音社	〃
鄭漢模	萬海詩의 發展過程考序說	≪同德女大學報≫	1974.4.30
李炯基	20年代 抒情의 結晶, 萬海·素月·尙火	≪心象≫통권 7호	1974.4.
魯炅泰	卍海 속의 타고르	≪東國思想≫7집	1974.5.
金允植	님과 등불	『韓國近代作家論攷』一志社	〃
釋智賢	韓龍雲의「님」ㅡ그 純粹抒情	≪現代詩學≫통권 63호	1974.6.
文德守	韓龍雲의 生涯와 文學	『正音文庫』141	〃
鄭在寬	沈默과 語言ㅡ님의 沈默의 認識論的 일면	≪마산교대 논문집≫5권 1호	1974.7.
任重彬	韓龍雲 一代記	『正音文庫』21	〃
許米子	韓國詩에 나타난 촛불의 이미지 硏究ㅡ韓龍雲의「님의 沈默」을 中心으로	≪梨大 韓國文化硏究院 論叢≫24집	1974.8.
金禹昌	韓龍雲의 小說	≪文學과 知性≫통권 17호	〃
崔東鎬	萬海 韓龍雲 硏究ㅡ그 詩的變貌를 中心으로	高大 大學院 論文	1974.11.
金容稷	Rabindranath Tagore의受容	『韓國現代詩硏究』一志社	〃
黃憲植	色不異空 空不異色의 경지ㅡ韓龍雲의	≪現代詩學≫통권	1974.12.

	경우	69호	
文德守	韓龍雲論	『現代韓國詩論』宣明文化社	〃
池鐘玉	萬海 韓龍雲論	≪木浦敎大 論文集≫12집	〃
金相善	韓龍雲論 序說	≪국어국문학≫65, 66합병호	〃
吳世榮	沈默하는 님의 逆說	〃	〃
E.D.Rock-stein	Your Silence-Doubt in Faith Han Young-Un and Ingmar Borgman	Asia and Pacific Quarterly	1975.1.
金夢鶴	韓龍雲의 「님의 沈默」에 나타난 佛敎思想의 考察	東亞大 교육대학원 논문	1975.2.
崔元圭	韓國近代詩에 나타난 佛敎的影響에 關한 硏究	中南大 大學院 博士論文	〃
〃	〃	≪忠南大 人文科學硏究所論文集≫ 2권 1호	1975.5.
趙載勳	韓國現代詩文學에 미친 佛敎의 영향	≪公州師大 論文集≫12집	1975.3.
金載弘	萬海 想像力의 原理와 그 實體化過程의 分析	≪국어국문학≫67호	1975.4.
金允植	萬海論	『韓國現代詩論批判』一志社	1975.8.
高銀	韓龍雲評傳	民音社	1975.9.
趙宗玄	卍海 韓龍雲	『韓國의 思想家 12選』玄岩社	〃
柳光烈	韓龍雲詩의 形成過程과 特異性	中央大 大學院 論文	1975.12.
朴正煥	萬海 韓龍雲論	忠南大 大學院 論文	1976.2.
金眞國	韓龍雲文學의 現象學的 硏究	西江大 大學院 論文	〃
李明宰	萬海 小說攷	≪국어국문학≫70호	1976.3.
蘇斗永	構造文體論의 方法	≪言語學≫1호	1976.4.
趙載勳	否定의 불꽃	≪湖西文學≫5집	〃
趙東一	金素月 李相和 韓龍雲의 님	≪文學 知性≫통권 24호	1976.5.
李起哲	韓國抵抗詩의 構造	≪又村姜馥樹博士 回甲論文集≫	1976.6.
金雲學	民族과 일체감 이룬 萬海	≪새바람≫2호	1976.7.
金與圭	詩人인가 革命家인가	≪文藝中央≫1978, 가을	1978.10.
李善榮	그 實像은 무엇인가?	〃	〃
김현	萬海 그 永遠한 離別의 美學	〃	1978.12.
李洋純	韓龍雲의 社會思想에 關한 硏究	梨大 大學院 論文	〃

沈在箕	萬海 韓龍雲의 文體推移	≪冠嶽語文硏究≫3집	〃
金載弘	韓國詩의 장르 選擇과 傳統性 問題	≪忠北大 論文集≫17집	1979.2.
金鐘均	韓龍雲의 漢詩와 時調	≪語文硏究≫통권 21호	1979.3.
金寶三	萬海精神의 現場	≪大韓佛敎≫ 785~794호	1979.4.14~7.1.
李明宰	萬海硏究와 文學的 特性	≪法論≫통권 123호	1979.5.
宋赫	萬海禪師의 護國觀	≪佛光≫통권 56호	1979.6.
金興圭	님의 所在와 진정한 歷史	≪創作과 批評≫14권 2호	〃
安秉直	「朝鮮佛敎維新論」의 分析	"	〃
李商燮	萬海 詩의 열쇠는 없다	≪文學思想≫통권 80호	1979.7.
金禹昌	韓龍雲의 믿음과 회의	〃	〃
金烈圭	「님의 沈默」에 대한 解釋學的 接近	〃	〃
金寶三	他人作品을 萬海作品으로	≪大韓佛敎≫795호	197.7.8.
曺秉春	萬海와 民族魂	≪讀書新聞≫ 440~442호	1979.8.19, 8.26~9.2.
尹永川	1920年代詩의 現實認識	서울大 大學院 碩士論文	1980.2.
金禹昌	一切唯心一韓龍雲의 용기에 대하여	≪실천문학≫1호	1980.3.
김현	韓龍雲에 關한 세 편의 글	『文學과 유토피아』 文學과 知性社	1980.4.
張美羅	萬海 時調硏究	≪語文論集≫ (中央大) 15집	1980.6.
朴沆植	韓龍雲의 時調	韓國文學學術會議 (東國大)	1980.11
金長好	「님의 沈默」의 言語改革	〃	〃
李丙疇	萬海禪師의 漢詩와 그 特性	〃	〃
金恩子	「님의 沈默」의 比喩硏究試論	≪冠嶽語文硏究≫5집	1980.12.
盧在燦	卍海 韓龍雲과 「님의 沈默」 其一	≪釜大師大 論文集≫7집	"
愼鏞協	萬海 詩에 나타난<님>의 傳統的 意味	≪德成女大 論文集≫9집	1980.12.
金載弘	萬海 詩學의 原理	≪現代文學≫통권 313호	1981.1.
嚴昌燮	萬海의 「님」에 對한 探求	≪關東大 論文集≫9집	"
金載弘	卍海 時調의 한 考察	≪先淸語文≫11집	1981.3.
朴沆植	10大 詩人의 詩와 그 精神次元	≪現代詩學≫13권 5호	1981.5.
金載弘	「님의 沈默」의 版本과 表記體系	≪開新語文硏究≫2집	1981.8.

印權煥	韓龍雲 小說研究의 問題點과 그 方向	『韓龍雲思想研究』2집 民族社	1981.9.
李元燮	萬海 詩의 性格	〃	〃
金容誠	「님의 沈默」 異本考	〃	〃
徐景洙	萬海의 佛教維新論	〃	〃
申東旭	韓龍雲의 詩研究	『우리 詩의 歷史的 研究』새문社	〃
金容稷	萬海 韓龍雲의 詩와 그 史的意義	≪韓國文學≫통권 100~101호	1982.2~3.

『님의 沈默』版本對照表

(-표는 초간본 동일, "표는 앞항과 동일 표시)

版本 詩번호	書名	님의 沈默	님의 沈默	님의 沈默	님의 沈默	님의 沈默	님의 沈默 全篇解說	님의 沈默
	出版 社刊 行日 비고	滙東書館 1926.5.20 (괄호안은再版)	漢城圖書(株) 1950.4.5 漢城本	進明文化社 1950.4.5 進明本	新丘文化社 1973.7.25 全集本	正音社 1973.7.25 正音本	科學社 1974.3.1 解說本	民族社 1980.12.20 民族社本
군말	띄어쓰기 불규칙(다소 규칙) 漢字 노출		규칙적 노출	〃 선택적 노출	〃 선택적(괄호안)	〃 선택적 노출	〃 〃	〃 -
	구두점 없음 行 구분 있음 긔룬 마시니 自由에 (自由의) 그림자(거림자) 테두리 묶음 붉은 인쇄		있음 있음 기룬 - 自由에 그림자 " 검은인쇄	〃 〃 기리는 - 〃 - 안묶음 〃	〃 〃 기룬 맛치니 자유에 - 〃 〃	〃 〃 기리는 - 자유에 - 〃 〃	〃 〃 기룬 - 〃 - 〃 〃	〃 〃 〃 - 〃 - 〃 〃

판본 詩	초판·재판	한성본	진명본	전집본	정음본	해설본	민족사본
1	참어	-	참아	차마	"	-	-
	키쓰	-	-	「키스」	키스	-	-
	정수박이	-	-	정수배기	-	-	-
2	죽엄	주검	죽음	〃	〃	주검	죽음

3	슬치는	스치는	”	〃	〃	-	-
	갓이	가시	”	가이	〃	-	-
	적은	-	작은	〃	〃	-	-
4	자긔자긔	자기자기	아기자기	〃	〃	자기자기	”
	잠약질	-	-	자맥질	-	-	-
	시려요	싫어요	〃	〃	〃	싫여요	〃
	달금	달금	달콤	달금	달콤	-	-
7	내임이다	내입니다	〃	냅니다	”	내입니다	”
	조처	좇아	〃	좇아	좇아	좇어	”
8	님이며는	님어며는	-	-	-	-	-
9	敍情詩人	叔情	〃	-	-	-	-
10	더 사랑하면	-	〃	-한다면	-	-	-
	수리박휘	수레바퀴	〃	”	”	수리바퀴	〃
	리별의 反面에	이반의 反面에	〃	이별의	이반의 反面에	反面에	〃
	구절 혼돈 및 생략 없음	생략있음	〃	제대로	생략	제대로	〃
	그러고	그리고	〃	-	그리고	-	-
	爱人을	爱人은	〃	-	爱人은	-	-
11	쩔러어	짧아서	〃	〃	〃	쩔러서	〃
	긔루어요	-	괴로와요	기루어요	괴로와요	기루어요	〃
12	살이짐니다	살이찝니다	〃	〃	〃	-	살이찝니니다
13	나한지	나에게서	〃	〃	〃	나한지 (함께)	-
14	엿흐나	얕으나	〃	〃	〃	열으나	〃
16	도로혀	도리어	〃	〃	〃	-	도리혀
	쥡짜서	쥐짜서	쥐어짜서	〃	〃	쥡짜서	”
	참된노래에	참된 노래의	〃	-	참된 노래의	-	-
17	긔룹지만	괴롭지만	〃	〃	〃	기룹지만	〃
18	검이어	님이어	〃	(꿈) 검이어	(꿈) 님이어	-	-
	베혀진	비여진	비어진	베어진	비어진	-	-
19	羅盤針	나침반	〃	〃	〃	〃	-

	沙漠	漠沙	-	-	-	-	-
23	수가업시	-	-	수없이	-	-	-
25	고통도	도통	〃	〃	〃	〃	〃
	나의	내가	〃	-	내가	-	-
26	거스르고자하는 것은	-짓	〃	-	-짓	-	-
27	시친듯	-	씻은듯	〃	〃	-	-
	안습니다 그려	-	붙임	〃	〃	〃	〃
28	매아리	-	메아리	〃	〃	-	-
29	徵笑	微笑	-	-	-	-	-
30	짜를	짜를	짧을	〃	〃	짜를	〃
31	물드립니다	물들었읍니다	물들였읍니다	물들입니다	물들었읍니다	물들입니다	〃
32	狡滑	-	狡猾	교활	狡猾	-	-
	갈마기	갈매기	”	〃	〃	〃	-
	持操	-	志操	〃	〃	〃	〃
	속혀서	속이서	속아서	〃	〃	-	-
33	흔들 는	흔들리는	-	-	-	-	-
	저의	저외	-	-	-	-	-
36	술을말실ㅅ가	술을마실가	-	-	-	-	-
38	服從할수없는	-할수는 없는	〃	-	-	-	-
39	봄 산의(봄동산의)	봄동산의	-	봄동산의	-	-	-
40	씃도업는	끝고없는	-	-	-	-	-
42	가슴에서(재슴에서)	가슴에서	-	섬에서	가슴에서	-	-
	스스러워	시스러워	〃	-	시스러워	-	-
44	십허서	섶어서	-	싶어서	-	-	-
	노縛 (縛)	-	-	-	-	-	-
	보다도	-	보다더	-	보다더	-	-
45	싯분	-	시쁜	〃	〃	〃	〃
	갈궁이	-	-	갈고리	-	-	-
	바드면서	-	밝으면서	-	밝으면서	-	-

46	「어엿부다」	-	-	-	-	-	-
	微笑	-	微美	-	微美	-	-
	反嚮	반항 (反嚮)	-	-	-	-	-
47	말체칙	채찍	〃	〃	〃	채칙	〃
	채칠까	채칠-	채찔-	채칠-	채찔-	채칠-	〃
	삽어맵니다	잡아맵니다	잡아맵니다	〃	〃	〃	〃
48	당풍	단풍	〃	〃	〃	〃	〃
49	나에게셔	나에게서	-	-	-	-	-
	변명하지	변명한지	-	-	-	-	-
51	鍛錬(재동)	단련 (교정)	-	단련 (교정)	단련	"	-
52	행구분문제 (34년교정)	나는詩人- 나는 黃金	-	-	-	-	-
	날	낮	〃	〃	〃	-	-
	목마친	-	목메인	-	목메인	-	-
	아름담고	아람답고	〃	〃	〃	〃	〃
	쌔비	삐삐	빠비	삐비	빠비	삐비	빠비
	썩은	색은	-	-	-	-	-
	江언적	-	강언덕	〃	〃	〃	〃
	제워서	-	겨워서	〃	〃	-	-
53	쪼겨서	쫓겨서	-	쫓겨서	-	쫓겨서	-
54	긔루어하는	그리워 하는	〃	〃	〃	기루어 하는	〃
60	뒤움박	-	뒤웅박	"	"	-	-
	도룽태(도통태)	도통태	도룽태	도통태	-	-	-
	이마쌕	이마빽	이마빡	이마빼기	이미빡	〃	〃
61	絢爛	순-	〃	-	순-	-	-
	사람은	사람('은'이 없음)	-	-	-	-	-
62	둘닐쌔에	-	들를-	둘닐-	들를-	둘릴-	"
64	나는	-	-	-	-	(나는 빠짐)님이	(나는 빠짐) 〃
	님이	님의	〃	님이	님의		

	玉珮	-	-	-	-	玉佩	-
65	눈에	-	(눈에) 빠짐	-	(눈에) 빠짐	-	-
67	맛날째의	-에	-	-에	-	-	-
	다시밋나는(재동)	-맞	〃	〃	〃	〃	〃
68	恨이냐	-야	-	-	-	-	-
70	노는째에	노는 그때에	〃	-	노는 스때에	-	-
	듯습니	듣습니다	〃	〃	〃	〃	〃
71	Gardenisto	-	-	-	-	The Gardner	-
	밋희	밑에	밑의	〃	〃	〃	〃
	써리진(재동)	떨어진	"	〃	〃	〃	〃
	위의	-	위에	-	위에	-	-
	붐바람	봄바람	〃	〃	〃	〃	〃
72	주니(주머니)	주머니	〃	〃	〃	〃	〃
	구녕	구멍	〃	〃	-	-	-
73	그대(대네)	-	-	-	-	-	-
	목이메어	목마친	-	-	-	-	-
74	숫玉	순玉	〃	순옥(玉)	순玉	-	-
	검은바다	-	-	-	-	-	(검음)이 빠짐
	만일	만인	-	-	-	-	-
75	派守軍	-	파수군	把-	파수군	把-	把守軍
	쌔다가잘째에	꼈다가-	〃	-	꼈다가-	-	-
76	두도막이납니다	-	-아닙니다	-	-아닙니다	-	-
	가젓다가	자젓다가	-	-	-	-	-
77	가을	가를	-	-	-	-	-
	歡樂	-	-	-	-	歡喜	-
	싸인	-	쌓인	〃	〃	〃	〃
	당신이	당신의	"	-	당신의	-	-
78	마음을	마음은	"	-	마음은	"	-
	-와를	-를-	-	-를	-	-	-

79	絶望	-	절벽	-	절벽	”	-
80	우줄거립니다	-	넘실거립니다	우쭐거립니다	넘실거립니다	-	-
81	님이되고	남이되고	〃	-	남이되고	-	-
	「자-녜」	「녜녜」	〃	-	「녜녜」	-	-
	반비식이	-	비스듬히	비슥이	비스듬히	-	-
	自己	-	-	-	-	-	-
	사량	사랑	〃	〃	〃	〃	
82	야윈	여윈	〃	-	여윈	-	-
84	츰	첫	〃	-	첫	-	-
85	축엄(죽엄)	-	-	-	-	-	-
	됨이다(됨니다)	됩니다	〃	〃	〃	〃	〃
	대입시오	대십시오	〃	〃	-	대십시오	-
	萬能이	-	-의	-	-의	-	-
	보드러은	부드러운	〃	보드라운	부드러운	보드어운	-
86	붓도드든	북돋으든	북돋우던	〃	북돋으던	붓돋우든	북돋우든
87	감을고(감고)	가물고	-	가물고	〃	〃	-
	기다리계	기다리게	〃	〃	〃	〃	〃
	한께	함께	〃	〃	〃	〃	〃
	발자최	발자취	발자국	〃	〃	-	〃
88	숭	-	흉	흉	흡	-	-
	접허합니다	저허-	저어-	〃	〃	저퍼-	”
	빗이아니라 새는 빗입니다(有)	빠짐	〃	있음	빠짐	있음	〃
	달	-	-	-	닭	-	-
	녜녜,네네	네네, 네네	〃	〃	〃	〃	〃
독자에게	부ᄭᅳ러합니다	부끄러워 합니다	〃	부ᄭᅳ러워 합니다	<독자에게>없음	부끄러워 합니다	〃
	대히는	대이는	대는	부ᄭᅳ러 합니다		대이는	〃

參考文獻

<資料>

韓龍雲, 님의 沈默. 初版. 서울: 滙東書館, 1926.

______, 님의 沈默. 再版. 서울: 漢城圖書株式會社, 1934.

______, 님의 沈默. 서울: 漢城圖書株式會社, 1950.

______, 님의 沈默. 서울: 進明文化社, 1950.

______, 韓龍雲全集 Vol.,1~6. 서울: 新丘文化社, 1973.

______, 朝鮮佛敎維新論. 서울: 佛敎書館, 1913.

______, 佛敎大典. 서울: 弘法院, 1914.

______, 精選講義采根譚. 서울: 東洋書院, 1917.

______, 十玄譚註解. 서울: 法寶會, 1925.

萬海思想硏究會, 님의 沈默. 서울:民族社, 1980.

大東佛敎硏究院編, 卍海先生詩集. 서울: 寶蓮閣, 1975.

기타 新聞, 雜誌, 論文, 散文 등은 文本의 脚註로 대신함.

<單行本>

高亨坤,『禪의 世界』. 서울: 三英社, 1977.

金大幸,『韓國詩의 傳統硏究』. 서울: 開文社, 1980.

金容稷,『韓國現代詩硏究』. 서울: 一志社, 1974.

______,『韓國文學의 批評的 省察』. 서울: 民音社, 1974.

金禹昌,『궁핍한 時代의 詩人』. 서울:民音社,1977.

______,『地上의 尺度』. 서울: 民音社, 1981.

金允植,『近代韓國文學硏究』. 서울: 一志社, 1973.

______, 『韓國近代文學樣式論攷』. 서울: 亞細亞文化社, 1980.
金允植·김현, 『韓國文學史』. 서울: 民音社, 1974.
金澤東, 『韓國近代詩人研究』. I. 서울: 一潮閣, 1974.
金與圭, 『文學과 歷史的 人間』. 서울: 創作과 批評社, 1980.
朴魯埻·印權煥, 『萬海韓龍雲研究』. 서울: 通文館, 1960.
朴鐘鴻, 『辯證法的 倫理』. 서울: 博英社, 1980.
宋稶, 『詩學評傳』. 서울: 一潮閣. 1973.
______, 『님의 沈默 全篇解說』. 서울: 科學社, 1974.
梁柱東, 『麗謠箋註』. 서울: 乙酉文化社, 1971.
______, 『增訂古歌研究』. 서울: 一潮閣, 1977.
吳世榮, 『韓國浪漫主義詩研究』. 서울: 一志社, 1980.
李仁福, 『素月과 萬海』. 서울: 숙명여대 출판부, 1978.
전형대 外, 『韓國古典詩學史』. 서울: 弘盛社, 1979.
정병옥, 『韓國古典詩歌論』. 서울: 新丘文化社, 1979.
鄭漢模, 『現代詩論』. 서울: 民衆書館, 1973.
______, 『韓國現代詩文學史』. 서울: 一志社, 1974.
趙東一, 『우리 文學과 만남』. 서울: 弘盛社, 1978.
趙演鉉, 『韓國現代文學史』. 서울: 成文閣, 1969.
崔東元, 『古時調研究』. 서울: 螢雪出版社, 1977.
崔元圭, 『韓國近代詩人研究』. 대구: 學文社, 1977.
崔珍源, 『國文學과 自然』. 서울: 成均館大學校出版部, 1977.
萬海思想研究會, 『韓龍雲思想研究』, 1輯. 서울: 民族社, 1979.
______, 『韓龍雲思想研究』,2輯. 서울: 民族社, 1981.

<論文>

高銀, 「韓龍雲論」.≪月刊文學≫8호, 1969.6.
金相善, 「韓龍雲序說」.≪國語國文學≫65·66합병호, 1974.12.
金烈圭, 「슬픔과 찬미사의 이로니」. ≪文學思想≫4호,1973.1.
______, 「'님의 沈默'에 대한 解釋學的接近」. ≪文學思想≫80호, 1979.7.
金載弘, 「韓國現代詩의 隱喩形態分析論」. ≪月刊文學≫34호,1971.10.
______, 「韓國現代詩의 方法論的 研究」. ≪現代文學研究≫4집,1972.2.

______,「韓國詩의 장르選擇과 傳統性 問題」. ≪忠北大論文集≫17輯, 1979.2.
金泰玉.,「現代詩의 言語幾號學的 考察」. ≪語學研究≫16권 1호,1968.6.
朴堯順,「韓龍雲研究」. ≪詩文學≫5호,1971.12.
白樂晴,「市民文學論」. ≪創作과 批評≫14호, 1969. 여름호.
蘇斗永,「構造文體論의 方法」. ≪言語學≫ 1호,1976.4.
宋晳來,「님의 沈默 研究」. ≪東國大國語國文學論集≫5집,1964.
宋在甲,「萬海의 佛敎思想과 詩世界」. ≪東岳語文輪集≫9집,1976.
辛夕汀,「詩人으로서의 卍海」.≪나라사항≫ 2집, 외솔회. 1971.
沈在箕,「萬海韓龍雲의 文體推移」.『白史全光鏞博士 華甲紀念論叢』,1979.3.
廉武雄,「님의 沈默하는 時代」. ≪나라사랑≫2집, 외솔회, 1971.
______,「韓龍雲論」. ≪創作과 批評≫26호, 1972.12.
吳世榮.「逆說의 詩語」. ≪論文集≫. 中南大 人文科學研究所, 1974.
______,「沈默하는 님의 逆說」. ≪國語國文學≫65·66합병호, 1974.
鄭漢模.「萬海詩의 發展過程序說」. ≪冠嶽語文研究≫1집, 서울大 國文科, 1976.
______,「우리에게 있어 傳統은 무엇인가」. ≪心象≫4권 2호, 1976.2.
趙芝薰.「民族主義者 韓龍雲」. ≪思潮≫1권 5호, 1958.

<外書>

Bachelard, Gaston. *L'a psychanalyse du Feu.* Pars: Gallimarg,1949.
________, *L'eau et les Réves. José* Corti, 1973.
________, *L'eau et les Songes. José* Corti, 1972.
Bodkin,Maud. *Archetypal Patterns in Poetry.* London: Oxford Univ. Preaa, 1965.
Brooke-Rose, Christine. *A Grammer of Metaphor.* London: Secker&Warbourg, 1958.
Brooke Cleanth. *The Wellwrought Urn.* New York: Harcourt, Brace &World, Inc., 1975.
Brooks, Cleanth & Warren, Robert Penn. *Understanding Poetry.* New York: Holt Rinebart&Winston,1960.
Cirlot,J.E. *Dictionary of Symbols.* New York: Philosophical Library, 1962.
Culler, Jonathan. Structuralist Poetics. Ithaca: Cornel Univ. Press, 1978.
Durand,G. *Les Structures Anthropologiques de l'imaginaire.* Paris: P.U.F., 1963.

Edwards, Paul. *The Encyclopedia of Philosophy*. New York: Macmillan,1967.
Eliade, Mircea. *The Sacred and the Profane*. New York: Harcourt, 1959.
Eliot, Thomas Stern. *The Use of Poetry & the Use of Criticism*. London: Faber&Faber, 1934.
________, *On Poetry and Ports*. London: Faber&Faber,1971.
________, *The Sacred Wood*, London: Methuan& Co. LTD.1972.
________, *Selected Essays*. London: Faber&Faber, 1976.
Fussel, Paul. *Poetic Meter&Poetic Form*. Revised edition. New York: Random House, 1965.
Fyfe, Nothrop. *Anatomy of Criticism*. Princeton: Princeton Univ. Press.1972.
Fyfe, Hamilton. *Aristotle's Art of Poetry*. London: Oxford Univ. Press,1967.
Grebstein. Sheldon Norman. *Perspectives in Contemporary Criticism*. New York:
Harper & Row,1968.
Jacobi, Jolande. *Complex Archetype Symbol*. Princeton: Princeton Univ. Press,1974.
Jung, C.G. *The Spirit in Man, Art and Literature*. Princeton: Princeton Univ. Press,1972.
Lemon, Lee T.&Reis, Marion J. *Russian Formalist Criticism*. Nebraska: Univ. of Nebraska Press,1965.
Lewis, C. Day. *The Poetic Image*. London: Jonathan Cape, 1958.
Meyerhoff, Hans. *Time in Literature*. Berkeley: Univ. of California Press, 1974,
Preminger, Alex. *Princeton Encyclopedia of Poetry& Poetics*. Princeton: Princeton Univ. Press, 1974.
Read, Herbert. *English Prose Style*. London: G. Bell&Sons,1932.
________, *Collected Essays in Literary Criticism*. London: Faber&Faber, 1950.
Richards, Irving Amstrong. *The Philosophy of Rhetoric*. London: Oxford Univ. Press, 1979.
________, *The Principles of Literary Criticism*. London: Routledge & Kegan Paul,1955
________, *Practical Criticism*. London: Rourledge& Kegan Paul,1973
Sartre, Jean Paul. *Étre et Néant*. 梁元達 譯.『存在와 無』.서울: 乙酉文化社,

1971.

Smith, Babara Herrnstein. *Poetic Closure*. Chicago: The Univ. of Chicago Press, 1974.

Tate, Alan. *On the Limits of Literature*. 金洙瑛·李相沃 共譯. 서울:中央文化社, 1962.

Vetterling-Braggin. *Feminism & Philosophy*. Totowa: Little Field, Adams& Co.,1978.

Wellek, René & Warren, Austin. *Theory of Literature*. Harmondsworth. Penguin Books,1976.

Wheelwright, Philip. *The Burning Fountain*. Bloomington: Indiana Univ. Press, 1964.

________, *Metaphor & Reality*. Bloomington: Indiana Univ. Press, 1968.

石田瑞麿.「般若·維摩經의 智慧」. 李元燮 譯. 서울:玄岩社, 1976.

小林一郎.「維摩經講義」. 李法華 譯. 서울: 靈山法華寺 出版部, 1979.

총 목차

제1권 한용운 문학연구
(1982년 일지사)

■ 머리말 5

I. 序 論

1. 問題 提起 13
2. 研究史 14
3. 研究方法과 範圍 26

Ⅱ. 基礎的 考察

1. 著作과 文體意識 29
2. 文 學 觀 40
3. 版本과 表記體系 47
(1) 版本의 考察 47
(2) 表記體系의 特徵 54

Ⅲ. 장르的 接近

1. 漢詩 59
(1) 漢詩 槪觀 59
(2) 素材의 分析 63
(3) 詩世界의 特徵 69
2. 時 調 74
(1) 時調의 性格 74
(2) 措辭法 77
(3) 詩世界의 特徵 80
3. 『님의 沈默』論 85
(1) 消滅과 生成의 辨證法 85
(2) 否定的 世界觀 92
(3) 世俗과 神聖의 葛藤 97
(4) 「님」과 사랑의 問題 102
(5) 女性主義의 意味 111
(6) 構成(plot)의 分析 117
4. 小 說 論 127
(1) 敍事장르 선택의 이유 127
(2) 구성의 分析 132
(3) 내용적 고찰 135
(4) 『님의 沈默』과의 等差 148

Ⅳ. 構造의 分析

1. 詩型의 分析 154

(1) 行의 形態 154
(2) 聯의 構成 166
(3) 詩의 構造 173
2. 이미지의 類型 179
(1) 植物的 이미지 180
(2) 鑛物的 이미지 188
(3) 人間的 이미지 194
(4) 天體的 이미지 201
(5) 大地的 이미지 205
3. 隱 喩 論 212
(1) 現代詩와 隱喩 212
(2) 基本形式 216
(3) 「의」의 隱喩 219
(4) 動詞型 隱喩 223
(5) 活物論的 隱喩 226
4. 逆說의 構造 233
(1) 現代詩와 逆說 233
(2) 論理的 形式 238
(3) 內容構造 242
(4) 表現的 特性 248
V. 文學史的 硏究
1. 外來詩와의 影響關係 254
(1) 比較文學的 檢討 254
(2) 受容과 克服 257
(3) 文體論的 分析 263
(4) 措辭法의 考察 271
2. 傳統詩와의 接脈 277
(1) 鄕歌的 源泉 278
(2) 麗謠와의 脈絡 281
(3) 朝鮮朝詩歌의 계승 284
3. 當代詩와의 相關性 296
4. 萬海文學의 文學史的 位置 308
Ⅴ. 結 言 312
硏究論著 發表年代別 總目錄 317
『님의 沈默』版本對照表 326
參考文獻 333

제2권 한국전쟁과 현대시의 응전력
(1979년 평민사)

■ 머 리 말 4

I. 문제의 제기 9

II. 상황과 응전 13

❶ 전쟁 그 현장의 노래 13

❷ 또 다른 목적시 18

❸ 초토의 시 26

❹ 휴전선의 엘리지 31

III. 방법과 정신 35

❶ 모더니즘의 공과 35

❷ 고전정신의 의미 43

❸ 실존과 역설 52

❹ 존재와 언어 60

IV. 존재와 서정 70

❶ 리리시즘(lyricism)의 형성 70

❷ 전후 서정의 향방 78

❸ 휴머니즘의 탐구 89

❹ 소시민의식의 대두 97

V 맺는말, 육이오의 시사적 의의 104

■ 참고문헌 109

제2권 시와 진실

(1983년 이우출판사)

■ 머 리 말 113

제1부 한국문학의 비평적 성찰 121

1. 60~70년대의 문제작가와 작품론 123
2. 6·25와 한국문학 -50년대의 시와 소설을 중심으로 154
3. 1950년대 시론의 한 고찰 164
4. 시와 비평의 상관성과 최근 동향 176

제2부 현대시의 사적 전개 183

1. 「불놀이」와 '근대시' 및 '현대시'문제 185
2. 상징주의의 한국적 전개 200
3. 모더니즘의 시와 시론 217
4. 해방 후 동인지 운동의 변모 225

제3부 현대시의 이해 방법 239

1. 현대시 분석 방법론 241
2. 한국 현대시 은유형태 분석론 267
3. 현대시의 새로운 정의 290

제4부 현대 시인편론 299

1. 민족시의 등불/한용운 301
2. 진달래꽃의 미학/김소월 307
3. 하늘과 땅의 변증법/서정주 313
4. 대결 정신과 허무의 향일성/유치환 330
5. 청교도적 구도와 서정의 힘/박목월 345
6. 운명애와 부활 의지/윤동주 351

7. 휴머니즘 또는 미래 지향의
역사의식/정한모 356
8. 낭만주의의
생철학 / 조병화 383
9. 전원 상징과 낙화의
상상력 / 박용래 388
10. 자유로의 귀환/황동규 403
11. 사랑과
평화의 시/김후란 409
12. 가을정신의 지향/정진규 421
13. 유년 체험과 과거적
상상력 /김원호 435
14. 비관적 세계인식과
휴머니즘/이탄 445
15. 비극적 삶의 비장한
아름다움/박제천 450
16. 무의식 속의 혼돈과
시적 질서/이승훈 456
17. 혼의 울음/김초혜 473
18. 휴머니즘과 리리시즘의
친화력 / 손기섭 477
제5부 분석과 감상의 실제 483
1. 한용운—「님의 침묵」 484
2. 김광섭—「저녁에」 492
3. 이육사 —「절정」 495
4. 윤동주 —「서시」 498
5. 조지훈 —「풀잎 단장」 500
6. 박두진 —「낙화기」 502
7. 조병화 —「예약된 길」 505
8. 전봉건 —「돌·8」 508
9. 이성부 —「벼」 511
10. 김종해—「항해일지」 514
11. 김광협—
「유자꽃 피는 마을」 517
12. 박제천 —「월명」 520
13. 유안진 —「마흔 살」 523
14. 감태준 —「소인일기」 526
15. 최승호 —「대설주의보」 529

■ 후 기 532

제3권 한국현대시의 형성론

(1985년 인하대학교출판부)

■ 머 리 말 5

제1부 현대시의 방법론 11

Ⅰ. 시적 조사법 13

1. 은유 16

1) 은유의 정의 16

2) 은유와 직유 18

3) 은유와 상징 20

2. 이미지 22

3. 역설 24

II. 현대시와 은유 29

1. 은유의 발생원리 29

2. 이론적 접근 31

3. 형태적 분석 35

(1) 기본형태 36

(2) 조사활용형 41

(3) 용언활용형 46

(4) 특수변이형 49

제2부 현대시의 형성론 53

Ⅰ. 초기 시단의 형성 53

1. 육당시가(六堂詩歌)의 경우 56

2. 『태서문예신보』-김억의 시 60

3. 『창조』지-주요한의 시 67

II. 현대시의 모색과 실험 74

1. 상아탑 황석우의 시 74

2. 『백조』지-회월과 상화의 시 78

3. 소월시의 미학 84

III. 현대시에로의 전환 90

1. 만해 시학의 원리 90

2. 정지용의 시 101
3. 시문학파-김영랑의 시 107
IV. 모더니즘 시학과 현대시의 분화 111
1. 모더니즘(modernism) 시학 111
1) 김기림의 시론과 시 111
2) 이상의 시 114
3) 김광균의 시 116
2. 1930년대 후반의 시 119
V. 결언 121

제3권 현대시의 열린정신
(1987년 종로서적)

■ 종울림 문학총서를 내면서 127
■ 머 리 말 128

제1부 한국현대시의 사적전개
제1장 한국 현대시의 형성과 전개 133
제2장 모국어의 회복과 1950년대의 시적 인식 196
제3장 1960년대 시의 몇 갈래 219
제4장 1970년대의 젊은 시인들 245
제5장 1980년대, 현실의 수용과 양식의 분화 261

제2부 현대시의 현장점검
제1장 1987년 신춘문예와 문학상 275
제2장 1986년 신춘문예 시평 282
제3장 추위와 어둠의 시 297
제4장 시의 본도 304
제5장 비관적 세계 인식과 인간애 313
제6장 대춘부 319
제7장 사는 법과 인간의 조건 327
제8장 현실 비판의 몇 가지 방법 333
제9장 실락원의 시 341
제10장 휴머니즘과 잠언 351
제11장 은둔과 절조 363
제12장 생애사와 역사적

순응주의 367
제13장 보수주의와 진보주의 376
제14장 존재와 무(無)의 현상학 385
제15장 생략과 부연 392
제16장 개방과 은폐 397
제17장 원숙과 달관 402
제18장 중진의 시, 신진의 시 409
제19장 상상력과 서정의 힘 413
제20장 관념의 힘과 이미지즘 418
제21장 젊은 세 시인의 허무주의 424

제3부 1980년대 문학의 비평적 성찰
제1장 1980년대 비평의 한 양상 433
제2장 무크지와 1980년대 문단의 한 동향 455
제3장 산문시의 제 양상 459
제4장 민중시의 진로 점검 468
제5장 현실과 극기, 1986년의 시 477

제4권 한국현대시인연구
(1986년 일지사)

■ 머 리 말 5

1. 만해(萬海) 한용운(韓龍雲)|**15**

[1] 소멸과 생성의 변증법|**16** [2] 종교적 상상력과 은유시학|**19** [3] 부정적 세계관과 저항정신|**21** [4] 사랑과 자유의 문제|**24** [5] 역사의식의 문제|**28** [6] 신성과 세속의 갈등|**32** [7] 예언자적 지성과 역사의식|**35** ㅁ 맺음말|**37**

2. 소월(素月) 김정식(金廷湜)|**41**

[1] 전원 서정과 민중의 가락|**42** [2] 꽃과 존재론(存在論)의 시학|**46** [3] 달의 상상력과 사랑의 미학|**52** [4] 지속과 변화, 흐름의 철학|**56** [5] 한(恨)의 구조와 극복 의지|**60** [6] 노동의 사상과 저항의식|**64** ㅁ 맺음말|**68**

3. 상화(尙火) 이상화(李相和) |**71**

[1] 낭만적 에로티시즘의 정화|**72** [2] 어둠과 울음의 현실인식|**80** [3] 망국의 한, 유랑의 민족사|**83** [4] 소외계층의 울분과 휴머니즘|**84** [5] 농민의 고달픔과 민중적 생명력|**87** [6] 노동사상과 저항정신의 육화|**89** ㅁ 맺음말|**94**

4. 파인(巴人) 김동환(金東煥)|97
1 북방 정서와 극복의지|98 2 국경의 밤, 비극적 현실의 상징화|103 3 암흑시대의 서사적 저항|110 4 민요시 운동과 민족의식|117 5 봄 지향성과 위장된 순응주의|123 ▫ 맺음말|128

5. 심훈(沈熏)|131
1 객수(客愁)와 향수(鄕愁)|132 2 망명의 비애와 민족의 재발견|136 3 불모의 상황과 비관적 현실인식|142 4 유형의 땅, 죽음의 시대|146 5 상황시와 비극적 황홀|151 6 국토애와 조국사상, 민족사상|161 7 민중적 생명력과 예언자적 지성|165 ▫ 맺음말|169

6. 영랑(永郞) 김윤식(金允植)|172
1 '밤'과 비관적 세계인식|173 2 흐름의 시학 또는 낙하의 상상력|176 3 하늘지향성의 의미|180 4 언어미학과 탐미주의|183 5 생의 재발견 또는 존재론의 시|186 6 저항의식과 순결 의지|190 ▫ 맺음말|193

7. 이산(怡山) 김광섭(金光燮)|196
1 부정적 현실인식과 관념적 저항|197 2 옥중 시와 해방의 노래|201 3 향일성 또는 상승의지|205 4 생명감각과 생의 재발견|208 5 문명비판과 휴머니즘에의 지향|213 6 분단 극복 의지와 평화 사상|219 ▫ 맺음말|223

8. 청마(青馬) 유치환(柳致環)|226

1 생의 모순과 극복의 정신|227 2 향일성 또는 우주적 생명력|231 3 북만 체험과 힘의 의지|235 4 생명의 원상과 위버멘쉬에의 길|238 5 광물적 상상력 또는 견고에의 집념|242 6 파동성과 부드러움, 사랑의 미학|245 7 현실비판과 저항의 정신|250 ㅁ 맺음말|254

9. 노천명(盧天命)|257

1 유년회상과 향수의 미학|258 2 풍물시와 과거적 상상력|264 3 모순의 발견과 자전적 요소|268 4 수정(水晶)과 장미(薔薇), 사랑과 오뇌|273 5 수난체험과 현실도피|277 ㅁ 맺음말|284

10. 김광균(金光均)|288

1 유년 회상 또는 그리움의 정조|289 2 내면공간과 불연속적 세계관|292 3 어둠과 등불의 의미|295 4 이미지즘 또는 비유의 시학|302 5 생의 고통과 서정적 진실|307 ㅁ 맺음말|311

11. 육사(陸史) 이원록(李源祿)|314

1 절망적 현실과 떠돌이의식|315 2 이미지즘의 한 실험|321 3 불연속적 세계인식과 수인의식|324 4 자기극복 의지 또는 운명애의 길|328 5 기다림의 철학, 평화사상|332 6 선구자의식 또는 미래지향의 역사의식|335 ㅁ 맺음말|341

12. 다형(茶兄) 김현승(金顯承)|344

1 자연과의 친화와 교감|345 2 소멸과 생성의 변증법|349 3 가을정신, 또는 자유에의 길|353 4 고독의 가치화, 고독의 사상|360 5 종교적 상상력의 의미|364 6 신성과 세속의 갈등|367 7 사라지는 것들을 위하여, 천국사상|373 ㅁ 맺음말|375

13. 미당(未堂) 서정주(徐廷柱)|378

1 대지적 삶과 동물적 상상력|379 2 소멸의 미학, 한의 탐미주의|386 3 솟아오름과 수직 상상력의 의미|392 4 신라정신과 사랑의 영원주의|400 5 생의 투명화, 자유에의 비상|406 6 맺음말|410

14. 목월(木月) 박영종(朴泳鍾)|413

1 『청록집』『산도화』, 달의 상상력과 흐름의 시학|414 2 『난·기타』, 『청담』, 세속사(事)와 식물적 상상력|425 3 『경상도의 가랑잎』, 이별시학과 모성회귀|439 4 「사력질」, 『무순』, 존재론과 자유에의 길|451 5 『크고 부드러운 손』, 신성사(史)와 영원에의 길|460 ㅁ 맺음말|465

15. 혜산 박두진(兮山 朴斗鎭)|469

1 비관적 현실인식과 미래지향성|470 2 자연의 생명력과 '해'의 상상력|477 3 수직상상력의 의미|482 4 지상의 척도, 천상의 척도|489 5 분단 극복과 자유민주주의에의 길|494 6 신앙시, 섭리사관과 종말론|500

7 **광물적 상상력과 영원주의|506 ㅁ 맺음말|510**

16. 지훈(芝薰) 조동탁(趙東卓)|**513**

1 폐쇄된 자아와 불안의식|**514** 2 고전정서와 민족의식|**518** 3 방랑의식 또는 소멸의 미학|**522** 4 세속과 신성의 갈등, 조화의 미학|**528** 5 미시적(微視的) 자연 응시와 교감(交感)의 정신|**534** 6 자유의 사상, 평화의 사상|**538** 7 4·19의 사회시와 역사의식|**542** ㅁ 맺음말|**546**

17. 윤동주(尹東柱)|**549**

1 실향의식과 그리움의 정서|**552** 2 동심지향과 인간애|**557** 3 천상에의 동경과 자연 친화|**561** 4 부정적 현실인식과 비극적 세계관|**566** 5 운명애와 자기애|**570** 6 예언자적 지성의 발현|**573** 7 속죄양의식과 저항의식|**576** ㅁ 맺음말|**581**

■ 주요 연구서지 **586**

제5권 현대시의 역사의식
(1988년 인하대학교출판부)

■ 머 리 말 5

제 1 부 문학과 시대정신 11
1.한국 근대서사시와 역사적 대응력 13
2. 한국 현대시와 민중의식의 전개 58
3. 6·25와 한국의 현대시 134
4. 4·19의 시적 수용과 문제점 237
5. 광복 40년의 한국시 274
제 2 부 한국문학과 전통 301
1. 한국문학의 전통논의 303
2. 한국시의 장르 선택과 전통문제 321
3. 한국시의 한과 극복 양상 341
4. 개화기 시조의 한 고찰 371
5. 광복 40년 남북 문학사의 한 점검 385
6. 정지용, 또는 역사의식의 결여* 391
제3부 한국 한국시의 현장점검 423
1. 한국 서정시의 새로운 인식 424
2. 베스트셀러 시집과 상상력의 세 유형 437
3. 개작의 유형과 문제점 448
4. 양적 풍요와 거리좁히기 456
5. 가치의 다원화와 열림 지향성 483

■ 한국 현대문학의 현주소 <정 담>502

제6권 카프시인비평
(1990년 서울대학교출판부)

■ 머 리 말 5

●경향파 프로시인,
유완희와 김창술 13
1. 머리말 13
2. 적구 유완희 15
3. 김 창 술 29
4. 맺 음 말 41

●신념파 프로시인, 박세영 44
1. 초기 프로시와
민족·계급 모순 47
2. 현실의식과 민중의식 50
3. 북만의 시 또는
유이민의 참상 56
4. 산제비, 초극의지와
자유지향성 61
5. 대륙적 풍모와 남성주의 65
6. 해방, 문학 또는
이데올로기의 선택 명제 70
7. 맺음말 76

●갈등의 프로시인, 박팔양 78
1. 머리말 78
2. 수난의 현실과 저항의식 80
3. 계급의식과
실천성의 결여 86
4. 선구자의식 또는
예언자적 지성의 의미 91
5. 생명사상과 대지사상 97
6. 낭만성과 주지성,
갈등과 방황 102
7. 맺음말 107

●동반자 프로시인, 김해강 109
1. 머리말 109

2. 죽음과 수탈의 현실 상징 110
3. 빈궁문학 또는
프로적 세계관 116
4. 봉건비판과
사회개조의지 125
5. 노동사상의 의미 129
6. 예언적 지성, 해의 상상력 133
7. 맺음말 137

●낭만파 프로시인, 임화 139
1. 머리말 139
2. '네거리', 방황과
퇴행의 공간 141
3. '화로', 그 무명화와
정녀의 의미 153
4. 비내리는 요코하마,
'우산'의미 161
5. 암흑의 정신, 부정과
비극의 정신 170
6. '현해탄' 또는 운명의
거울 176
7. 맺음말 184

●볼셰비키 프로시인, 권환 189
1. 머리말 189
2. 계급의식과
아지프로(Agi~Pro) 시 191
3. 볼셰비키 투쟁노선 또는
무기의 시 201
4. 전향과 순수서정지향성 212
5. 맺음말 220

●북한시의 한 고찰 223
1. 머리말 223
2. 북한 시단 형성과
문예이론 225
3. 북한 시의 갈래 229
4. 해방 후 시의 시대구분 233
5. 북한 시의 시대적 전개 236
6. 1980년대 오늘의
남북 시의 한 검토 266
7. 맺음말 274

제7권 한국현대문학의 비극론
(1992년 시와시학)

■ 머 리 말 5

제1부 우리 문학 속의 백두산 15

조기천의 「백두산」, 민족혼의 상징 17

1. 「백두산」과 조기천 17

2. 「백두산」의 서사시적 요건 19

3. 「백두산」의 구성과 내용 20

4. 「백두산」의 주제 36

5. 「백두산」이 지닌 결함 42

고은의 『백두산』 그 진행형 테마 46

1. 머리말 46

2. 『백두산』의 서사적 구도 47

3. 통일지향 문학의 한 가능성 56

제2부 문학과 사회·공동체의식 59

프로문학의 선구, 실종문인 조명희 61

머리말 61

1. 방황과 애상의 노래 65

2. 현실적인 절망과 부정정신 69

3. 인간혐오와 모순의 발견 72

4. 대지적 삶과 생명사상의 한 모습 77

5. 「짓밟힌 고려」와 「낙동강」의 의미 81

6. 시론의 한 검토 89

맺음말 92

농민시의 개척자, 박아지 94

머리말 94

1. 농민들의 삶 또는 농촌 지향성 96

2. 흙의 사상, 노동의 의지 100

3. 농촌의 궁핍상과 계급적 각성 104

4. 농민투쟁과 노농연대의식 112

5. 새 조국 건설 의지와 좌절의 행로 118

맺음말 124

계급적 민족의식의 시, 정노풍 127

머리말 127

1. 실향의식과 어둠의 현실인식 128

2. 민중의 참상과 계급적 민족의식 134

3. 유이민(流移民) 시와 민요시 운동의 의미 139

4. '님', 조국사상과 미래지향성 146

맺음말 153

정치의 길, 예술의 길, 임화 155

1. 프로시인, 실종시인 임화 155

2. 노동·투쟁·사랑– 혁명적 로맨티시즘 158

3. 계급모순 또는 민족혼의 상징화 162

4. 현해탄 콤플렉스, 그 운명의 표정성 166

유이민(流移民) 문학의 한 표정, 이용악 168

1. 슬픈 민족사, 변두리의 삶 168

2. 궁핍화와 유이민의 삶 171

3. 역사의 수난과 슬픈 운명의식 175

4. 민족의 운명, 예술의 운명 177

유랑의 삶과 생활서정,

안용만 179
1. 압록강과
아라가와 강(江)의 거리 179
2. 경계인(境界人)의 삶,
유이민(流移民)의 삶 180
3. 살림의 문학,
서정의 문학 185
4. 분단의 비극적 운명 187
제3부 문학과
생명·고향·예술의식 189
만해와 장르 선택, 한용운 191
1. 만해(萬海)와 장르 선택 191
2. 1910년대, 논설
또는 투쟁의 시대 192
3. 1920년대,
시와 상징적 저항 196
4. 1930년대,
소설과 혁명의지 200
5. 만해, 민족사의 등불 202
존재론과 저항의식, 김소월 203
1. 왜 소월(素月)인가? 203
2. '혼자 있음',
'떨어져 있음'의 존재론 204
3. 역설의 시, 운명론의 시 208
4. 노동의지와 저항의식 211
결언: 천재 시인,
철학하는 시인 214
갈등의 시인 방황의 시인,
정지용 216
1. 실종과 현존의 모순 216
2. 향수의 시학, 또는 고향 상실과 낙원 지향의 갈등 217
3. 바다와 산, 진보의식과
보수주의의 갈등 221
4. 낭만성과 주지성의 갈등 226
5. 지용시의 의미와 한계 229
생의 양면성 또는
존재론의 시, 김영랑 232
1. 80년 이전의 평가는
섬세한 언어의 아름다움 232
2. 80년대에 행해진
비판적 분석 233

3. 비극적 세계인식
또는 존재론(存在論)의 시 235
4. '모란'이 의미하는
생의 절망과 희망 236
5. '모란'의 개화와
생의 기다림 238
6. 소월시(素月詩)와의 맥락 241
7. 「모란이 피기까지는」과
「진달래꽃」이 호응되는 점 242
8. '진달래'와 '모란'은
비극적 세계관 암시 244
9. 영랑은 소월을
발전적으로 계승 245
민족적 삶의 원형성과
운명애, 백석 247
머리말 247
1. 유소년회상과
과거적 상상력 249
2. 민족시의 원형
또는 민중지향성 255
3. 북방정서와 방언주의,
평등의 정신 262
4. 이미지즘시의 한 모습 268
5. 한국적 비관주의와
운명애의 의미 272
맺음말 277
제4부 현대문학 100년,
그 고단한 삶의 역정 281
한국 서사시와 역사의식 282
1. 장시와 서사시의 차이점 282
2. 「동명왕편」과
민족주체성 모색 288
3. 「국경의 밤」,
혹은 식민지 현실의 상징화 292
4. 「남해찬가」와 민족 수난
극복의 희원 298
5. 「금강」, 민중혁명 정신
또는 분단극복 의지 303
6. 「오적」, 민족시의 길
민중시의 길 309
7. 결론:
한국 서사시의 지평 317

한국 현대시의 민중·민중의식 321
1. '민중'의 개념 321
2. 민중의식 329
3. 민중문학의 내용과 형식 331
4. 결론 334
현대시와 4·19 혁명 338
1. 서론 338
2. 4·19와 현장시 339
3. 1960년대의 4·19시(詩) 350
4. 1970~80년대의 시적 응전 359
결언: 4·19혁명의 문학사적 의미 372
광복 50년 남북한 시의 한 변모 374
1. 서론 374
2. 남북시단 형성과 시의 개념 376
3. 남북한 시의 시대적 전개 379
4. 맺음말 409

제8권 한국현대시인비판
(1994년 시와시학)

■ 머리말 5

제1부 사회·역사와의 만남 11
『백두산』과 『만인보』, 고은의 문학사상 12
김지하, 반역의 정신과 인간해방사상 70
이성부, 리얼리즘인가 허무주의인가 118
김규동, 통일 지향시의 한 표정 132
홍희표, 꽃, 그 서정과 역사의 만남 143
허형만, 분노와 소망의 변증법 158
제2부 생명사랑과 영원주의 173
서정주, 운명의 거울·존재의 거울 175
김남조, 사랑시학의 한 지평(地平) 194
박이도, 생명의 꿈과 희망 209
허영자, 갈망과 절제의 시 217
김초혜, 사랑시의 한 가능성 233
제3부 자유에의 길, 지성에의 길 255
조병화, 자유에의 길, 영원에의 길 257
황동규, 자유로의 귀환 270
정현종, 자유에의 길 또는 생명사상 276
유안진, 고향찾기와 맨발의식 또는 자유에의 길 309
오탁번, 투명한 지성

또는 냉소주의 330
감태준, 소외 또는 인간 회복의 꿈 352
제4부 한국시의 형이상(形而上) 375
박두진, 가시면류관 또는 부활의지 377
김달진, 무위자연과 은자의 정신 395
오세영, 사랑과 존재의 형이상 421
김종철, 참회와 명상 444
조정권, 염결주의와 초극의 정신 467
제5부 한국시 자유인의 한 계보 479
천상병, 무소유 또는 자유인의 초상 480
박용래, 전원상징과 낙하의 상상력 502
박정만, 한(恨)의 시인 떠돌이 시인 517

제9권 누가 눈물없이 울고 있는가
(1991년 시와시학)

■ 머 리 말 5

1월 새해, 겨울의 서정시들 11
박용래 | 눈물과 그리움의 시 12
허영자 | 새해의 행복학 15
김영태 | 첼로, 그 저음, 겨울 영혼의 내면 풍경 18
이가림 | 1960년대 겨울, 낭만적 우울의 꿈 21
박봉우 | 백두산, 그 분단 극복에의 염원 25
2월 겨울·죽음에서 봄·소생으로 29
오탁번 | 자연의 질서와 생명법칙 30
유 정 | 어둠과 빛의 긴장력 33
박정만 | 죽음과 시인 36
박남철 | 겨울강, 그 절망과 극복의지 40
안도현 | 졸업, 또는 새로운 출발 43
3월 새 봄, 童心과 순결한 사랑 47
정지용 | 꽃샘 눈바람과 생명감각 49
조병화 | 동심과 역사의식 52
오규원 | 봄사랑, 그 순결과 자유 56
4월 4·19 또는 진행형 혁명 61
박두진 | 4·19 또는 진행형 혁명 63
김수영 | 왜 자유에는 피의 냄새가 섞여 있는가 69

신동엽| 분단극복과
흙가슴의 의지 73
5월 사랑, 그 갈등과 화해 77
이형기| 사라져가는
것들의 아름다움을 위하여 79
유치환| 그리움,
파도야 어쩌란 말이냐 83
최영철| 조화와
협동의 사상 87
6월 砲聲(포성)과 들꽃의
아이러니 91
조지훈| 6·25와 휴머니즘 92
김달진| 노장적 세계관,
또는 들꽃 하나의 우주 96
홍희표| 분단을 넘어
통일을 향해 100
7월 여름비, 물과 불의
긴장력 105
김원호| 동심의 순수와
낭만적 우울 106
이수익| 사랑, 또는
밝음과 어둠 111
강인한| 젊은 날의
장밋빛 초상 116
8월 바다, 그리움과 삶의
굽이침 121
신석정| 그리움, 또는
낭만의 바다 122
신석초| 허무, 시간,
존재의 바다 125
정일근| 현실, 또는
삶의 바다 129
9월 가을, 생명·사랑·자유 133
고 은| 생명, 사랑, 자유 135
김지하| 부정정신과
희망의 시학 139
김사인| 삶의 고달픔과
슬픈 긍정 144
10월 가난한 소녀의
가을 집짓기 149
홍윤숙| 가난한 소녀의
가을 집짓기 150

이성부| '홀로'와
'함께'의 삶 154
이시영| 분단비극의 서정화 157
11월 생각하는 갈대의 슬픔 161
김현승| 가을, 떠나가는
것들의 향기를 위하여 162
신경림| 생각하는
갈대의 슬픔 166
차한수| 낙엽, 술,
그 물과 불의 변증법 170
감태준| 新流移民을 위하여 173
윤재철| 겨울나무,
희망의 변증법 177
12월 누가 눈물없이
울고 있는가 181
백 석| 외로운 영혼을
위하여 183
정한모| 누가 눈물없이
울고 있는가 187
김남조| 정죄와
부활의 바다 192
유안진| 자유로운
영혼의 갈망 196
최승호| 겨울 태백산맥,
그 원시적 생명력의 굽이침 199

제9권 그대 왜그리 허둥대는가
(1993년 시와시학)

■ 머 리 말 205

I. 진흙소가 물 위로 가네 211

월명사 | 풀꽃 하나, 그 생명을 사랑하며 212

한산자 | 청정한 마음, 자유에의 길 216

조병화 | 참다운 사랑 또는 자비의 실천 220

서산대사 | 진흙소가 물 위로 가네 224

II. 지팡이 하나로 떠돌다보니 229

혜초 | 구도의 길, 순례자의 노래 231

사명당 | 깨달음의 길, 나라 사랑의 길 235

경허선사 | 무애(無碍) 또는 자유로워지기 239

홍신선 | 가난한 사람의 아름답고 소중한 등불을 위하여 243

매월당 | 삶이란 조각구름 일어났다 사라지는 일 248

III. 근심걱정 모두 허공, 마음만 있으니 253

김지하 | 생명 사랑 또는 업보의 사랑 254

만해·1 | 근심걱정 모두 허공, 마음만 있으니 258

만해·2 | 참 자유의 길 또는 사랑의 길 262

만해·3 | 불꽃 튀는 그곳에 가을하늘 높아라 266

만해·4 | 따슨 별 등에 지고 유마경 읽노라니 269

Ⅳ. 가시풀 지천으로
흐드러진 이승에서 273
박정만1 | 풀잎으로 이 세상의
곤한 잠을 어찌 깨우랴 275
박정만2 | 가시풀 지천으로
흐드러진 이승에서 279
백곡선사1 | 뜬세상 마침내
그 끝이 있거니 283
백곡선사2 | 뜬구름 원래
자취 없거늘 287
허영자 | 관음보살 그 공덕의
화신 290
Ⅴ. 한 평생의 뜬 인연
서글퍼라 295
영호선사1 | 허깨비의
이 몸을 되돌아 보면 297
영호선사2 | 한 평생의 뜬
인연 부끄럽고 서글퍼라 301
김광섭 | 언제 어디서 무엇이
되어 다시 만나랴 305
일연선사 | 스님의 길, 고행의
길 310
Ⅵ. 한 벌 옷에 바리때 하나 315
오현스님 | 행운유수, 저 물과
흰구름 따라서, 317
원감선사1 | 푸른 산에
숨어 살면서 325
원감선사2 | '번뇌가 다했으니
기쁨·슬픔 모두 없어라' 328
Ⅶ. 연꽃 만나고 가는
바람같이 333
서정주1 | 눈물 아롱아롱
피리불고 가신 님아 335
서정주2 | 도솔천의 사랑,
영원한 사랑에게 340
서정주3 | 섭섭하게, 좀
섭섭한 듯만 하게 344
조지훈1 | 세사에 시달려도
번뇌는 별빛이라 348
조지훈2 | '꽃이 지기로서니
바람을 탓하랴' 352
조지훈3 | 눈부신 노을아래

모란이 진다. 356

Ⅷ. 빛살이란 안과 밖이 모두 없어서 361

묵암선사 | 홀로 앉아 거울 닦는 저 늙은이 363

오세영·1 | 고·집·멸·도, 강물은 몇천리 366

오세영·2 | 진정한 나, 깨달음의 나를 찾아서 370

Ⅸ. 갈지 않으면 먹지 않는 늙은이에게 375

문정희 | 인연의 강물따라, 약속의 그날 그리며 376

김달진·1 | 대자연의 아름다운 질서 속에서 379

김달진·2 | 무위자연 또는 허정의 마음을 찾아서 383

돈연 | 길지 않으면 먹지 않는 늙은이에게 388

Ⅹ. 중생의 바다, 화엄의 바다로 393

확암선사·1 | 무명의 바다, 어둠 속에서 394

확암선사·2 | 소를 찾아 길들이면서 398

확암선사·3 | 진정한 나를 찾아, 공을 깨치고 402

확암선사·4 | 중생의 바다, 화엄의 바다로 406

제10권 고월 이장희 평전
(1984년 문학세계사)

고월의 생애

1. 프롤로그 6
2. 유년회상 (mother complex) 8
3. 오티즘(autism)적 갈등 9
4. 나르시시즘적 동일시 14
5. 박탈과 결여-어둠의 세계 19
6. 취미와 시작 활동 21
7. 영원의 나라로 26

고월의 시 세계

1. 프롤로그 29
2. 억압된 리비도와 자기학대 30
3. 우울과 폐쇄적 자아 39
4. 참회와 눈물 또는 패배주의 45
5. 객관화와 감각세계의 지향 48
6. 에필로그 54

■ 시인 연보 57

제10권 빈궁문학 또는 비극적 세계인식
(1984년 문학세계사)

빈궁문학 또는 비극적 세계 인식 65
젊은이의 시절 70
별을 안거든 우지나 말걸 72
옛날 꿈은 창백하더이다 74
십칠원오십전 75
여 이발사 78
행랑 자식 79
자기를 찾기 전 82
전차 차장의 일기 몇 절 84
벙어리 삼룡이 85
물레방아 88
꿈 90
뽕 92

■ 참고문헌 95

제10권 한국문학 속의 민중의식 연구
(1990년 정신문화원)

Ⅰ. 기초적 고찰 101

1. '민중'의 개념 101

2. 민중의식 109

3. 민중문학의 내용과 형식 111

Ⅱ. 근대적 각성과 민중의식의 성장 115

Ⅲ. 민중문학론의 대두와 일제하 민중문학의 전개 123

1. 민중문학론의 대두와 신경향파의 민중시 123

2. 국민문학파의 민중시 131

3. 석송과 소월의 민중시 134

4. 만해와 심훈의 민중시 141

Ⅳ. 분단시대의 문학적 상황과 민중문학 151

1. 해방공간과 전후의 문단 상황 151

2. 4·19와 민중정서의 회복 157

3. 민족문학론의 대두와 민족형식에의 탐구 163

Ⅴ. 결론 172

■ 참고문헌 177

제10권 현대불교시선
(1991년 민족사)

서문 183

해설 | 현대불교시의 한 이해 186

제10권 이상화 저항시의 활화산
(1990년 정신문화원)

저자의 말 208

1. 이상화의 생애 213
(1) 운명의 발견,
국토의 인식 213
(2) 문학과 현실의
틈바구니 속에서 216
(3) 민족 현실과 민중
참상을 목도하면서 220
(4) 불우한 삶, 암흑시대의
등불로 꺼지다 227
2. 상화의 문학 세계 233
(1) 낭만적 에로티시즘의
정화 234
(2) 어둠과 울음의 현실인식 242
(3) 망국의 한, 유랑의
민족사 245
(4) 소외계층의 울분과
휴머니즘 247
(5) 농민의 고달픔과 민중적
생명력 249
(6) 노동사상과 저항정신의
육화 252
(7) 맺음말 257

3. 대표 시 감상 258

김재홍

1947년 충남 천안 출생으로 서울대학교 사범대학 국어교육과를 졸업한 후, 동 대학원 국어국문학과에서 박사학위를 취득했다. 1972년 육군사관학교 전임강사를 시작으로 충북대학교, 인하대학교, 경희대학교에서 교수로 재직했으며, 2012년 경희대학교 문과대학에서 정년 연장 명예교수로 퇴직하였다. 현재는 경희대학교 명예교수이자 백석대학교 석좌교수로 있다.

1969년 서울신문 신춘문예에 평론이 당선되면서 본격적인 문단활동을 시작했다. 이후 시인론, 작품론 등의 실제비평 및 문학사와 문학이론 연구 분야에서 독자적인 학문적 영역을 구축했다. 이 과정에서 『한국 현대 시인 연구 1,2,3』, 『카프시인 비평』, 『한국 현대 시인 비판』, 『한국 현대시의 사적 탐구』, 『현대시와 삶의 진실』, 『생명·사랑·평등의 시학 탐구』, 『한국 현대시 시어사전』을 비롯한 40여권의 저서를 발표했다. 이외에도 국내 최장수 시전문지 계간 『시와시학』과 한국현대시 박물관을 창간 및 설립, 사단법인 만해사상실천선양회 상임대표와 만해학술원장 등을 역임하며 시의 대중화 작업 및 인문정신의 실천적 활동을 주도했다.

<제1회 녹원문학상>, <제33회 현대문학상>, <제1회 편운문학상>, <김환태문학상>, <후광문학상>, <현대불교문학상>, <유심문학상>, <만해대상>, <서울특별시 문화상> <보관문화훈장> 등을 수상했다.

김재홍 문학전집 ①

한용운 문학연구

초판 1쇄 인쇄일 | 2020년 3월 05일
초판 1쇄 발행일 | 2020년 3월 14일

엮은이 | 김재홍 문학전집 간행위원회
펴낸이 | 정진이
편집/디자인 | 우정민 우민지
마케팅 | 정찬용 정구형
영업관리 | 한선희 최재희
책임편집 | 정구형
인쇄처 | 으뜸사
펴낸곳 | 국학자료원 새미(주)
등록일 2005 03 15 제25100-2005-000008호
경기도 고양시 일산동구 중앙로 1261번길 79 하이베라스 405호
Tel 442-4623 Fax 6499-3082
www.kookhak.co.kr
kookhak2001@hanmail.net

ISBN | 979-11-90476-13-3 *94800
979-11-90476-12-6(set)
가격 | 300,000원

* 이 도서의 국립중앙도서관 출판예정도서목록(CIP)은 서지정보유통지원시스템 홈페이지(http://seoji.nl.go.kr)와 국가자료공동목록시스템(http://www.nl.go.kr/kolisnet)에서 이용하실 수 있습니다.